L'HÔPITAL EN RESTRUCTURATION

L'hôpital
en restructuration

Regards croisés sur la France et le Québec

Sous la direction de

Annick Valette, Damien Contandriopoulos,
Jean-Louis Denis et André-Pierre Contandriopoulos

Les Presses de l'Université de Montréal

Ce projet a reçu le soutien de la MIRE-DREES (Ministère des Solidarités, de la Santé et de la Famille, Paris). La publication de cet ouvrage fait l'objet du soutien financier de trois organismes : le Réseau de recherche en santé des populations du Québec, le Programme de formation stratégique en analyse et évaluation des interventions en santé (ANÉIS) IRSC/FRSQ et la Chaire FCRSS/IRSC sur la gouverne et la transformation des organisations de santé. Pour plus d'information sur le rôle de ces trois partenaires dans le développement de la recherche en santé au Québec vous pouvez consulter leurs sites WEB.

Réseau de recherche
en santé des populations
du Québec

ANALYSE ET ÉVALUATION DES INTERVENTIONS EN SANTÉ
Programme de formation interdisciplinaire

Chaire FCRSS/IRSC
Gouverne et transformation
des organisations de santé

Catalogage avant publication de Bibliothèque et Archives Canada
Vedette principale au titre :
L'hôpital en restructuration : regards croisés sur la France et le Québec
Comprend des réf. bibliogr.

ISBN 2-7606-1995-8

1. Hôpitaux - Québec (Province). 2. Hôpitaux - France. 3. Santé, Services de - Québec (Province). 4. Santé, Services de - France. 5. Télémédecine - Québec (Province). 6. Télémédecine - France.

I. Valette, Annick.

RA983.A4Q8 2005   362.11'09714   C2005-941101-5

Dépôt légal : 3ᵉ trimestre 2005
Bibliothèque nationale du Québec
© Les Presses de l'Université de Montréal, 2005

Les Presses de l'Université de Montréal remercient de leur soutien financier le ministère du Patrimoine canadien, le Conseil des Arts du Canada et la Société de développement des entreprises culturelles du Québec (SODEC).

IMPRIMÉ AU CANADA EN AOÛT 2005

Introduction

Annick Valette, Jean-Louis Denis

LES RESTRUCTURATIONS : UN FLUX DE PROCESSUS LOCAUX INABOUTIS

Les besoins de la population et les pratiques cliniques évoluent. Rappelons brièvement que dans tous les pays développés le vieillissement de la population, l'innovation des technologies et des médicaments, le développement des pathologies chroniques, les exigences croissantes en matière d'information, de sécurité, de qualité, l'accroissement des disparités de santé entre sous-populations sont considérés comme des variables qui agissent inexorablement sur la demande et l'organisation du système de soins. Elles produisent à long terme des évolutions dans la structure des organisations de soins.

Les autorités politiques ont un devoir de gouvernance du système qui consiste à la fois à dresser des priorités dans les problèmes à résoudre, à adapter les moyens aux problèmes jugés prioritaires, et à s'assurer de la légitimité des moyens et stratégies mis en œuvre. Les restructurations hospitalières sont au cœur des réformes depuis 15 ans en France comme au Québec. Elles font suite dans les deux sociétés à une longue période d'incitation au développement de l'offre puis de contrôle des dépenses avec un *statu quo* structurel. Elles sont vues comme une mesure indispensable pour répondre aux nouveaux besoins et un outil privilégié pour gérer les tensions dans les ressources financières dédiées à la santé. La mise à l'agenda politique est inscrite dans ses exigences à long terme mais a aussi ses propres déterminants :

impératifs économiques, changements de gouvernement, rythme des rapports d'experts, pression de l'opinion publique... Les années 1990, 1993, 1998, 2003 ont été des années charnières dans la politique québécoise ; 1991 et 1996 ont donné lieu à des réformes importantes en matière de restructuration hospitalière en France. Au moment d'écrire cet ouvrage, l'état de la politique structurelle hospitalière peut être décrit comme suit : le Québec a connu un fort mouvement de restructuration dans un contexte de baisse des budgets et, après un bref essoufflement des volontés de changement, est de nouveau en plein cœur de réformes structurelles majeures. Parallèlement, le constat est fait de l'insuffisance des stratégies adoptées et naît un doute sur le bien-fondé de certaines décisions (départs hâtifs de personnels soignants, fermetures de lits trop importantes, fusions de CHU difficiles à aboutir). Les recherches conduites au Québec par les chercheurs du GRIS montrent des restructurations significativement avancées pour lesquelles on se demande si la politique n'est pas allée trop loin et trop vite, et si elle a finalement atteint sa cible. La France manifeste une volonté politique de restructurer mais les opinions sont mitigées sur la capacité à la mettre en œuvre. Il ressort de l'enquête que nous avons conduite auprès des directeurs d'ARH (Denis *et al.*, 2001) que les restructurations sont perçues comme l'objectif prioritaire donné aux ARH, qui le jugent légitime et nécessaire mais inabouti, et difficile à mettre en œuvre. Ainsi, les directeurs d'ARH de notre échantillon qui représente 50 % des ARH de la population classent l'action « faire aboutir les restructurations prévues » comme la plus urgente. Par ailleurs, la politique de restructuration engagée se trouve ici aussi percutée par le constat de plus en plus partagé d'une insuffisance des ressources en lits, personnels, budgets pour satisfaire les besoins et sur la nécessité d'accompagner la politique de restructuration d'une adjonction de ressources.

L'adaptation des structures aux nouveaux besoins et à l'évolution des pratiques ainsi que le cadre incitatif créé par la politique publique participent à la dynamique de transformation des établissements mais ne suffisent pas à les expliquer. Localement, les établissements de soins se transforment selon une dynamique qui leur est propre. Les restructurations résultent de l'interaction de facteurs exogènes et endogènes qui produisent des trajectoires partiellement émergentes et partiellement délibérées. Le processus est soumis à des opportunités locales, des problèmes spécifiques de ressources, des initiatives individuelles ou collectives, des logiques professionnelles qui déterminent le déclenchement et la trajectoire de restructuration : trajectoire courte ou longue, aboutie ou avortée, rectiligne ou sinueuse, lente ou rapide...

Les mouvements de restructuration observés à l'échelle d'un pays sont donc au cœur de temporalités multiples où se combinent des forces de transformation à long terme, sans frontières, des décisions politiques fortement inscrites dans le contexte national, des dynamiques locales partiellement autonomes. Cette pluralité des forces de mouvements et des temporalités nous pousse à concevoir les restructurations sur un territoire national comme un flux de processus locaux inaboutis, marqué toutefois des « jalons » qui agissent sur le dessin d'ensemble. Il apparaît donc intéressant de traiter dans un même temps plusieurs situations de restructuration et, qui plus est, dans des pays différents. Il nous semble possible de prendre le temps, aujourd'hui que les réflexions accumulées commencent à avoir une taille critique, de confronter les travaux et par delà les pratiques de la France et du Québec. Notre ambition est à la fois de donner à voir les grandes lignes des transformations en cours des structures des hôpitaux, de mieux comprendre les processus de changement, et de faire émerger, par la comparaison, des enjeux pour leur pilotage.

POURQUOI RESTRUCTURE-T-ON ?

La question de la justification des restructurations, c'est-à-dire du « pourquoi » des restructurations est centrale. Dans le secteur de la santé, il est courant d'opposer le « monde de la clinique, des professionnels », et « le monde de la gestion, de l'administration ». Les restructurations sont un objet tangible pour s'intéresser aux interactions entre ces deux mondes. Il nous faut sans aucun doute les considérer de manière plus complexe qu'une solution faussement miraculeuse, répondant à un phénomène de mode, sorti de la poche des gestionnaires, ou qu'une réponse « rationnelle », imposée par les exigences de la pratique clinique. Un rapide tour d'horizon nous montre que cohabitent des restructurations aux liens plus ou moins serrés avec la pratique clinique. Les restructurations « adaptatives » sont des réponses apportées par les gestionnaires à une évolution des besoins et des pratiques cliniques en cours. L'ouverture de lits de long séjour pour personnes âgées pour tenter de désengorger les lits de courts séjours en est un exemple. Si leur légitimité n'est pas mise en cause, elles n'échappent pas aux jeux politiques des acteurs qui ont plus ou moins intérêt au changement introduit. Les « restructurations normalisantes » tentent de réorganiser les structures pour essayer de contraindre la clinique à adopter ce qui est considéré à un moment donné comme « la bonne pratique ». Elles sont conduites par les gestionnaires sous contrôle des « professionnels experts ». L'atteinte d'une masse critique de malades ou de compétences, le virage ambulatoire au Québec, la hiérarchisation des hôpitaux en différents niveaux de recours en France en font partie. Elles ont ceci de particulier qu'elles sont justifiées par des normes, des savoirs qui ne sont ni forcément partagés ni toujours stabilisés. Elles peuvent faire débat au sein même du monde clinique et bien entendu sont aussi soumises aux jeux des intérêts des différents acteurs. Enfin, certaines restructurations s'apparentent plus à des « restructurations déconnectées des pratiques ». Elles cherchent à résoudre ou à anticiper des problèmes qui ne s'expriment pas directement en termes de pratiques cliniques : un poste de médecin vacant qui n'arrive pas à être pourvu, une meilleure allocation des ressources financières peuvent être des justifications à des rapprochements ou à une fermeture de services. Leur légitimité va alors dépendre des rapports de force en présence et du degré de « perméabilité » des logiques entre le monde de la clinique et le monde de la gestion.

Une définition de la structure

La question de la définition de la structure organisationnelle est infinie et de nombreux auteurs se sont essayés à en faire une recension. Signalons par exemple les travaux anciens et très complets de Colasse *et al.* (1975) ou ceux de Desreumaux (1992). Nous retenons quant à nous de manière pragmatique deux conceptions des structures organisationnelles qui nous apparaissent sous-jacentes aux différents travaux sur les restructurations hospitalières. L'une inspirée de la conception d'Etzioni (1971) ou de Galbraith (1993) mobilise une approche par les frontières organisationnelles ; l'autre prolongeant les travaux de Crozier et Friedberg (1977), Ranson *et al.* (1980), Pfeffer (1981) mobilise une approche par l'interaction et les positions relatives.

1. Le premier type de structure (que nous appelons structure formelle) est ce qui crée les frontières formelles de l'organisation, ce qui dessine les lignes formelles de partage des activités et des responsabilités : allocation de ressources, d'autorité, organisation de l'espace physique, etc. Selon la manière dont les frontières sont tracées, les compromis entre différenciation et intégration et entre autonomie et contrôle sont établis différemment. Ces frontières ont pour vocation de stabiliser les activités de l'organisation. Selon cette approche, restructurer c'est déplacer ces frontières (Denis *et al.*, 1999) en agissant sur l'étendue et la configuration de l'autorité formelle, sur le réaménagement du partage des facteurs de production (ressources communes ou ressources propres) et le réaménagement de l'espace physique. Les restructurations peuvent prendre forme au sein des unités de production, de l'établissement ou d'une population d'établissements. De manière concrète, la gestion par programme, la fermeture de services, les fusions d'hôpitaux, les mouvements d'internalisation et d'externalisation d'activité, l'intégration de plusieurs établissements sous une même autorité, la construction de nouveaux bâtiments sont des opérations de restructuration. Il s'agit là de la conception la plus usuelle. Les retombées des restructurations portent sur le foyer et la responsabilité de l'activité ainsi que les ressources mobilisées dans la pratique.

2. Le deuxième type de structure (que nous appelons structure des échanges) est la résultante d'un ensemble d'interactions entre acteurs qui définissent la densité des échanges (pas de, peu de ou fortes relations), la nature de ce qui circule (patients, ressources, influence, expertise, information, risque) et le mode d'interaction (conflictuel, dominant, collégial...). Ces interactions, lorsqu'elles ont une certaine régularité, font structure. Ces relations sont la résultante de la distribution relative d'un ensemble de ressources symboliques et matérielles. Selon cette approche, une restructuration est une modification des relations entre acteurs individuels ou collectifs, par exemple un élargissement d'une communauté de pratiques, des ententes de collaboration entre établissements, une rupture de coopération, un fonctionnement en réseau sur un territoire donné de

type maillage informel par redistribution des ressources. Les retombées des restructurations portent sur la forme de l'action collective.

Ces deux conceptions nous permettent de délimiter le champ de nos observations; nous allons donc nous intéresser non seulement aux expériences de déplacement des frontières formelles de l'organisation mais aussi à des expériences de recomposition des relations d'échange. Ces deux manières d'analyser les restructurations ne sont bien entendu pas exclusives l'une de l'autre. Il existe des mouvements de « réification »; la structure formelle vient alors compenser, créer des irréversibilités, consolider des relations d'échange. La coopération entre deux services peut dans certains cas n'être effective que lorsque ont été fusionnées les chefferies de service, les équipes soignantes, abattues des cloisons, fusionnés les budgets. Parfois ce sont les relations d'échange qui viennent les compléter, donner du sens à des structures formelles. Au sein de deux services formellement fusionnés, la pratique coopérative peut n'être effective que lorsque de nouveaux praticiens hospitaliers viennent mettre fin aux relations conflictuelles entre d'anciens médecins. La réflexion collective organisée sur les processus de restructuration a certainement été amorcée en France comme au Québec par les analyses d'expérience de réseaux, entendus ici comme la formalisation de relations entre plusieurs intervenants de l'offre de soins qui gardent une certaine autonomie. À l'occasion de ces travaux ont été soulignés à la fois l'intérêt de ces réseaux qui créent des standards de pratiques, facilitent la définition d'objectifs et l'évaluation, organisent le financement (Bourgueil et al., 2001) et produisent de l'irréversibilité mais aussi les risques de stérilisation de la coopération, de destruction de la compétence, de déplacement des conflits engendrés par la formalisation de pratiques coopératives existantes (Image, 1998). C'est parfois même ces pratiques coopératives qui, ne parvenant pas à se couler dans le moule des nouvelles formes organisationnelles, font échouer la formalisation du réseau et s'avèrent donc fortement structurantes. Au Québec, les premières analyses menées sur les fusions, en particulier des établissements du CHU de l'Université de Montréal, montrent que lorsqu'on a tout fusionné, les conseils d'administration, les statuts, voire les bâtiments, reste l'essentiel: la fusion des pratiques. Ainsi, au-delà des grandes variables accessibles à la gouverne comme le niveau de ressources, la définition des champs d'activité, les bâtiments, les systèmes d'information, il existe une structuration « professionnelle » qui se construit dans l'action. On peut la considérer en particulier comme fondée « sur la création, légitimation, dissémination des connaissances par des acteurs en compétition et interaction pour valoriser différentes formes d'expertises » (Alvesson, 2001). Cette structuration professionnelle est parfois compatible avec des restructurations formelles, parfois pas.

Les recherches comme les discours des parties prenantes font des va-et-vient entre ces conceptions. Nous les distinguons ici parce que cette création de deux formes types de restructuration nous apparaît propice à la réflexion. Ces structures ne peuvent être dénommées comme telles que si on suppose qu'elles conditionnent les pratiques, c'est-à-dire les comportements observables. On attend *in fine* d'une restructuration qu'elle change les pratiques de soins ou de gestion. Là encore, adopter une telle hypothèse est forcément simplificateur. L'étude de la dynamique de structuration nous montre que les pratiques peuvent renforcer ou faire évoluer ces structures. Les structures organisent la pratique de manière récursive. On peut aussi faire l'hypothèse que les évolutions des pratiques se font à l'abri des évolutions des structures. Néanmoins, nous considérons qu'adopter un point de vue normatif sur les restructurations suppose en première analyse de juger de leur influence sur les pratiques des agents. Les agents sont ici les professionnels médecins et non-médecins, les gestionnaires, les usagers. En seconde analyse, on peut se demander si l'évolution de ces pratiques va dans le sens souhaité par un acteur ou un groupe d'acteurs spécifiques (gestionnaire, leader d'opinion, chercheur, usagers, etc.).

QUE FAIRE DE L'ÉTUDE CROISÉE ?

Le désir de travailler sur les deux sociétés est né à la fois d'une opportunité, une expérience de collaboration de recherche en France et au Québec et d'une intuition ; « chemin faisant », ces incursions dans une autre société ont enrichi pour chacun de nous la compréhension de ce qui passait dans notre propre pays. Il nous a alors semblé qu'il pouvait être fécond de formaliser ce regard distancié apporté par la connaissance de ce qui se passe ailleurs. Nous proposons trois mobilisations de ces analyses croisées.

Comparer pour identifier l'influence du contexte

Des variations dans le contexte institutionnel influencent les processus de restructuration. Nous partons de l'idée suivante : en situation d'incertitude sur comment opérer les réformes dans le système de santé, les décideurs/gestionnaires cherchent à se construire des références propres en s'appuyant sur une analyse des expériences d'autrui. La France et le Québec se sont servis de références. On peut d'ailleurs noter un renversement de tendance. Le Québec a été longtemps étudié par les Français comme la société qui coordonnait politique de santé publique et politique de gestion de l'offre, et était innovant en matière de participation des citoyens. Actuellement, le Québec porte un intérêt à la France vue comme un dispositif qui combine des logiques administratives, professionnelles et marchandes, qui fait coexister en particulier l'offre publique et l'offre privée, l'assurance publique et privée. Selon nous, une telle démarche ne devrait pas donner lieu à des comportements d'imitation et d'importation mais bien à une appropriation nuancée de ce qui semble pouvoir être appris des autres expériences. L'appropriation suppose entre autres que l'on puisse démêler et relativiser les éléments de contexte qui conditionnent les processus de restructuration. Le contexte institutionnel renvoie à un ensemble de paramètres propres à l'organisation du système de soins : statut des établissements, des dirigeants, du personnel, modalités de financement et modes de rémunération, système de protection sociale, système de règles et normes qui régissent les conduites des acteurs et des organisations. Certaines dimensions auront tout vraisemblablement plus d'importance que d'autres. L'analyse empirique des expériences devrait permettre de faire émerger les dimensions qui pèsent le plus sur les restructurations ou au contraire celles qui paraissent marginales. L'observation de régularités malgré des contextes différents devrait ainsi être un produit de l'étude.

Accumuler pour avoir une masse critique d'observations

Les récits d'expériences de restructuration sont limités. Malgré un appel fréquent pour une appréciation systématique de la valeur ajoutée des restructurations, les études empiriques ont porté surtout sur les bénéfices ou les limites des restructurations et très peu sur les processus. Ceci est particulièrement vrai en France, nous l'avons déjà souligné, mais le nombre d'études faites au Québec, bien qu'en augmentation reste peu élevé. Traiter simultanément des deux sociétés permet d'enrichir la base de données des observations utiles pour l'analyse. On fait ici l'hypothèse que sur certains aspects, pour certaines questions, le contexte peut être neutralisé et il est équivalent de mobiliser des expériences françaises ou québécoises.

Nous partons de l'idée que l'analyse d'expériences singulières peut permettre de faire apparaître de nouvelles hypothèses sur les processus de restructuration. En fait, les différentes situations qui sont analysées peuvent être considérées comme des cas révélateurs nous permettant d'enrichir notre compréhension de processus complexes. C'est l'effet de surprise qui est ici attendu. Regrouper les travaux français et québécois augmente les chances de « tomber » sur cette singularité. Elle vient d'une spécificité du système comme les cliniques privées en France, les CLSC au Québec ou d'un regard particulier porté par les chercheurs sur un objet.

En résumé, l'analyse comparée des restructurations procède selon trois logiques : rendre compte de l'impact du contexte dans les différentes expériences à l'étude, accumuler des expériences pour enrichir le champ des observations et mettre en valeur la singularité pour se donner la chance de faire émerger de nouvelles hypothèses. Notre démarche est empirique, inductive et nous ne prétendons pas avoir sélectionné les contributions pour satisfaire les exigences de ces différentes modalités d'analyse croisée. En revanche, nous pouvons pour chaque thème, identifier une, deux ou trois modalités de mobilisation.

Méthode de travail

La préparation de cet ouvrage s'est faite dans le cadre d'un projet de recherche du programme « Restructurations hospitalières » de la MIRE. Un séminaire collectif a été organisé en mai 2001 autour de diverses présentations de chercheurs participants ou pas au programme de la MIRE pour prendre connaissance des réflexions en cours non publiées et engager une réflexion collective, faire émerger des angles d'attaque du sujet. Des auteurs français et québécois ont été sollicités ensuite par paire autour du traitement d'un même thème. Un second séminaire a été organisé avec des auteurs pour mettre les approches en cohérence.

Plan de l'ouvrage

Cinq thèmes sont plus spécifiquement travaillés. Ils n'épuisent pas la compréhension des restructurations mais sont cinq fenêtres ouvertes sur cet objet. Les auteurs ont été libres de désigner ce qu'ils appelaient restructurations dans le traitement de ces thèmes et nous verrons que les situations sont variées.

Les processus de restructuration s'inscrivent dans un dispositif institutionnel et une politique hospitalière existante. Une présentation de ce paysage institutionnel qui fait ressortir à la fois les similitudes et les spécificités des deux sociétés est un préalable au traitement du sujet. Dans les deux sociétés, les hôpitaux, bien qu'ayant une autonomie de gestion, sont soumis à une régulation publique forte. La régulation s'opère principalement sur deux plans : en France, au national et au régional, au Québec, au provincial et au régional. Le fait marquant dans les processus de restructuration des dernières années est le renforcement de l'action du régional par la création d'une nouvelle autorité de régulation (Thème 1). Changer l'organisation relève classiquement d'une mission managériale. Dans les organisations publiques, les dirigeants sont aussi les mandataires des tutelles. Dans les organisations professionnelles, ils sont en situation de pouvoir partagé. Les dirigeants (Thème 2) évoluent dans des organisations pluralistes qui amènent à s'intéresser à leur marge de manœuvre effective sur le plan de la gestion. On peut supposer que le statut des dirigeants et le mode de gestion des carrières qui diffèrent dans les deux sociétés vont influencer leur positionnement dans les expériences de restructuration. Bien évidemment, par leur statut et leur rôle, les professionnels sont appelés à participer et à influencer les expériences de restructuration. Dans ce rapport, nous avons privilégié l'analyse du rôle des médecins (Thème 3). Les pratiques professionnelles s'appuient sur une base technologique forte et en constante évolution. Les technologies (Thème 4), comme le montre l'évolution de l'offre de soins à l'hôpital, sont un facteur important de restructuration. La technologie est une fenêtre privilégiée pour voir le rôle des professionnels dans le changement. L'évolution des pathologies et des comportements des usagers est aussi incontestablement une force de transformation des hôpitaux mais elle n'est pas étudiée en tant que telle ici. Il est enfin raisonnable de penser que ces changements poussent à plus de coordination et d'intégration des pratiques, justifiant notre intérêt porté aux réseaux (Thème 5).

1

Les contextes français et québécois

Alain Letourmy, Annick Valette

UNE DIFFÉRENCE DE TAILLE : UN RAPPORT DE 1 À 10

Les systèmes de santé français et québécois sont évidemment de taille différente puisqu'ils correspondent à des populations de 60 millions de personnes en France et 7,5 millions au Québec. En France, on comptait, en 1999, 4200 établissements de santé (1015 publics en 2002), dont 29 CHU, 684 centres hospitaliers (CH, CHU ou CHS). Il y avait au Québec en 2001, 471 établissements sanitaires et sociaux dont 4 CHU et 53 hôpitaux généraux ou spécialisés (source : ministère de la Santé).

Dans ces conditions, conduire une politique de restructuration sur le territoire n'exige pas la même organisation. Le nombre d'établissements à réguler, la superposition de différents niveaux de découpage du territoire, communes, départements, régions, couplés à la dualité du secteur public et privé et au partage parfois flou des attributions entre État et assurance-maladie, font des différentes institutions françaises un système plus complexe que celui du Québec. La prise de décision y est plus longue, plus orientée vers la recherche de compromis entre une multiplicité d'acteurs aux responsabilités mal circonscrites. On peut l'imaginer plus technocratique ou reposant sur des outils de gestion plus élaborés. Les prises de décision au Québec sont plus faciles, le nombre d'acteurs concernés moins important, les différents domaines d'intervention plus intégrés, la connaissance des situations locales par les décideurs est plus précise. On peut toutefois penser que la taille du parc hospitalier français offre une souplesse et un gisement de gains de réorganisation plus importants qu'au Québec.

DES PRINCIPES FONDATEURS PROCHES

Dans les deux sociétés, les pouvoirs publics ont un rôle et une responsabilité essentiels en matière de santé. Leurs institutions reposent sur des principes semblables.

Le Québec a une responsabilité entière en matière de santé. Le gouvernement fédéral intervient peu dans l'organisation concrète des systèmes de soins des différentes provinces. Il est cependant le garant du respect des cinq grands principes définis par la « Loi canadienne sur la santé » : *universalité* (toute la population est couverte dans les mêmes conditions), *accessibilité* (l'accès aux services assurés ne doit pas être restreint directement ou indirectement par des frais modérateurs, une surfacturation, ou d'autres moyens), *intégralité* (l'assurance-maladie doit couvrir tous les services de santé assurés), *transférabilité* (les résidents d'une province qui sont temporairement dans une autre province sont couverts sans condition de délai), *gestion publique* (le régime de santé doit être géré par une autorité publique sans but lucratif). Le non-respect de ces principes par les provinces est assorti de sanctions financières.

En France, l'assurance-maladie obligatoire fait partie du dispositif de sécurité sociale. Il a été complété en 1999 par la Couverture médicale universelle qui permet d'assurer l'affiliation et la couverture complémentaire à l'ensemble de la population.

Les deux sociétés ont ainsi développé une couverture maladie de type assurantielle, en principe accessible à chacun pour la vie entière. La part publique des dépenses de santé se situe dans les deux sociétés autour des trois quarts de la dépense totale de santé.

L'organisation plus fine des régimes de couvertures sociales montre toutefois des différences dont on peut penser qu'elles influent sur la politique de régulation.

L'assurance-maladie française a été instaurée sur une base professionnelle. Elle est alors une branche des régimes de sécurité sociale couvrant un ensemble de risques (famille, vieillesse, accident du travail) gérés de manière paritaire. Son financement se fait par cotisations sociales fondées sur la rémunération du travail. Il a évolué récemment vers une fiscalisation croissante au fur et à mesure des besoins de financement. Les régimes d'assurance-maladie couvrent l'ensemble des biens et services médicaux. Le principe d'un co-paiement par l'usager, modulable selon les soins, a été imposé d'emblée et le remboursement des frais engagés par le bénéficiaire a été le principe fondateur, même si le tiers payant hospitalier, puis des médicaments et de la médecine de ville se généralise.

Le Québec a privilégié la construction de la couverture à partir des biens et services nécessaires en cas de maladie. Des régimes d'assurance universels ont été organisés successivement pour couvrir les services hospitaliers, puis les services des médecins et, plus récemment, les médicaments. Le principe est le tiers payant. Le financement a vite été organisé dans le cadre du budget public en combinant la fiscalité du Québec et la subvention fédérale qui est elle-même fiscalisée.

Ces modalités différentes de financement ont une incidence sur les pratiques de régulation. Le Québec n'a pas été incité à utiliser les dispositifs de régulation de la demande consistant à augmenter la participation des malades alors que la France a eu largement recours aux mesures de ce type. Le Québec a en revanche privilégié des mesures de planification fondées sur des considérations de santé publique et exercé un encadrement financier des pratiques professionnelles (mise en place d'un plafonnement des honoraires des médecins généralistes dès 1976 et d'un dispositif de plafonnement de la masse des honoraires des médecins spécialistes en liant les augmentations de tarifs des actes au non-dépassement d'objectifs négociés de revenus). En France, on contingente depuis 30 ans les moyens médicaux, mais l'encadrement financier est plus récent. Enfin, au Québec, les dépenses publiques de santé sont directement touchées par les mécanismes d'arbitrages budgétaires et de réduction de la dette publique alors qu'en France, la gestion budgétaire de la Sécurité sociale fait l'objet d'un traitement à part. Ceci a ainsi joué un rôle majeur au Québec. À partir de 1993, la part estimée de l'endettement et des services de la dette par rapport au PIB s'est accrue. L'endettement public provincial représentait en 1997 43 % du PIB (mais 110 % avec l'endettement fédéral), les charges d'intérêt 20 % des recettes fiscales.

Cet endettement est le plus élevé des provinces du Canada. Il est perçu comme fragilisant la souveraineté économique et par là même la politique du Québec face au Canada ou aux États-Unis. La population a approuvé les compressions budgétaires drastiques conduites de 1994 à 1997 dans le système de santé. En France, le gouvernement et la population ne se sont jamais sentis dans une telle situation d'urgence alors même que l'endettement est étonnamment équivalent : en 1997, c'est-à-dire après la réforme Juppé, l'endettement public représentait 58 % du PIB, les intérêts de la dette 20 % des recettes fiscales. L'endettement des organismes de sécurité sociale était de 7,2 % du PIB (source : Banque de France).

DES ORIENTATIONS POLITIQUES QUI FONT MODÈLES À TOUR DE RÔLE

Durant les années 1980, le Québec a fourni pour de nombreux experts (français notamment) un modèle d'organisation des soins caractérisé par trois éléments : la place importante donnée à la prévention, l'intégration des services sociaux et sanitaires de première ligne, le rôle des communautés dans la gestion courante et les décisions importantes. En revanche, le modèle français était caractérisé par la prééminence de l'approche curative, la séparation entre services médicaux et services sociaux, la faible place laissée à l'expression de l'usager. Les deux systèmes ont évolué et on peut penser que ces différences tendent à s'estomper. On peut noter actuellement que les Québécois sont intéressés par certaines caractéristiques du système français qui leur paraissent faire défaut dans leur propre système comme la qualité de la prise en charge de première ligne, l'engagement des médecins généralistes, le combinaison entre des statuts d'indépendants et de salariés des médecins, des logiques publiques et privées dans le financement du système.

DES DÉFIS À LONG TERME IDENTIQUES

Le PIB par habitant est du même ordre, la part des dépenses de santé se situe autour de 10 % de ce PIB (9,5 % dans les deux sociétés en 1997), les dépenses de santé par tête (à parité de pouvoir d'achat) sont équivalentes. Elles augmentent au cours des dernières années plus vite que le PIB. Les systèmes ont à faire face, comme tous les pays de l'OCDE au cours du temps, à plusieurs grandes forces d'évolution : vieillissement (on estime par exemple que les plus de 85 ans augmenteront en France de 70 % dans les prochaines années, et au Québec de 150 % au cours des 25 prochaines années, ce qui a une influence considérable sur la dépendance, la morbidité, la consommation médicale), développement de la technologie, pathologies chroniques, accroissement des disparités de santé entre sous-populations, exigence plus importante des usagers en matière d'information et d'évaluation, de garantie de qualité et de sécurité ; tensions sur la disponibilité des ressources médicales et paramédicales. L'action simultanée de ces forces a deux conséquences. D'une part, l'organisation de l'offre de soins est tirée par la demande et soumise à des forces de recomposition pour s'adapter aux évolutions des besoins et des ressources techniques, médicamenteuses disponibles. D'autre part, il existe une tension croissante sur les dépenses qui augmentent ces dernières années plus vite que le PIB. Cette tension accroît la nécessité de pilotage plus précis, d'arbitrages nouveaux de la part des gestionnaires publics ou des gestionnaires d'établissements. Elle rend de plus en plus difficile une gestion administrative, technique, ou de rationnement. En situation économique de faible croissance, ces évolutions génèrent, en France comme au Québec, des tensions sur l'architecture même du régime d'assurance-maladie, et crée des enjeux politiques pour sa préservation.

Une place différente de l'hôpital dans le recours aux soins

Si les ressources humaines dédiées à la production sont de même niveau dans les deux pays lorsqu'on les rapporte aux effectifs de la population, leurs répartitions selon leur rôle diffèrent. En France, les proportions de médecins, de pharmaciens, de dentistes sont plus fortes qu'au Québec, alors que celles du personnel infirmier sont plus faibles (3,2 médecins pour 1000 habitants en France contre 1,94 au Québec en 1999). L'organisation de la distribution repose en France sur la mixité des statuts de prestataires publics et privés : les soins ambulatoires relèvent presque exclusivement de médecins de statut privé, l'hospitalisation majoritairement, mais pas exclusivement, d'établissements publics employant du personnel salarié fonctionnaire. Au Québec, les soins ambulatoires relèvent soit de cabinets médicaux privés, soit de centres publics (CLSC), l'hospitalisation est entièrement assurée par le public. On observe en France un recours beaucoup plus important au médecin de ville et en particulier une forte demande pour les visites à domicile. Le recours à l'hôpital tient traditionnellement une place importante dans le comportement des usagers québécois au regard de leur recours à la médecine de ville. Toutefois, le nombre de lits par habitants 4,1/1000 en France, 2,1/1000 au Québec en 1999 et le nombre d'admissions 19,8/1000 en France et 8,5/1000 au Québec témoignent d'un volume de consommation absolue des soins hospitaliers moins important au Québec qu'en France mais certainement d'une plus grande intensité des soins dispensés par lit et par visite. On comptait environ en France 500 000 lits installés dans les établissements de santé en 1998 contre 16 400 lits sanitaires au Québec, soit un volume trente fois supérieur (différence qui découle toutefois aussi des différences de classification administrative et budgétaire).

Des différences de statuts

En France, les hôpitaux publics sont des établissements communaux. Le président du conseil d'administration est le maire de la commune. Les décisions prises pour l'hôpital sont alors sensibles aux exigences d'une bonne gestion communale (préservation de l'emploi, proximité des services, image). Les cliniques privées sont gérées comme des organisations autonomes, parfois au service de professionnels médecins lorsqu'ils en sont propriétaires, parfois au service des groupes financiers qui les détiennent. D'autres, privées à but non lucratif, ont des principes de gestion proches de l'hôpital public.

Médecins, personnels soignants, directeurs sont à l'hôpital public des fonctionnaires. Leur nomination, la gestion de leur carrière, les modes de rémunération répondent aux règles de la fonction publique hospitalière : permanence de l'emploi, recrutement sur concours, rémunération à l'ancienneté, mutation au mérite fondé sur l'ancienneté et la mobilité. Ce statut s'accommode parfois mal des exigences de souplesse requises pour restructurer : réduction d'effectifs, incitation financière au changement ou à une pratique particulière (par exemple multisites), récompense « de l'effort », adéquation des compétences du directeur au type de projet à mener.

Dans le secteur privé, directeur et personnel soignant sont des contractuels de droit privé, les médecins souvent libéraux. Les rapprochements entre établissements publics et privés posent des problèmes techniques de rémunération, d'obligations et de compensations prévues dans les conventions collectives, lorsque des professionnels provenant des deux institutions se retrouvent à exercer dans le même service ou lorsqu'un professionnel partage son temps entre les deux établissements. Les directeurs, dont la plupart sont formés dans une même école, l'ÉNSP, ont une culture de service public qui les rend disponibles à la mise en œuvre des orientations de la politique publique mais qui est parfois heurtée par la volonté politique grandissante de traiter de manière équivalente offre publique et offre privée.

Au Québec, la plupart des établissements de santé sont des entités juridiques autonomes à but non lucratif dont le financement est assuré par l'État. Chaque établissement a un conseil d'administration dont la composition est définie par la loi. Les directeurs sont nommés par le conseil d'administration de l'établissement pour une durée déterminée. Ils sont révocables par ce conseil. Les salariés sont des contractuels de droit privé, protégés par une convention collective commune, négociée à l'échelle provinciale qui leur donne un statut assez proche du statut français : permanence de l'emploi, uniformité des niveaux de rémunération. La mise en œuvre de la politique publique se fait moins par une internalisation des objectifs par culture commune que par réponse à des incitations qui contraignent le conseil d'administration à certaines décisions. Les incitations, ou les contraintes de nature économique, ont été les principaux leviers utilisés par les pouvoirs publics pour provoquer des restructurations. Les compressions budgétaires imposées par l'État de 1993 à 1998 et mises en œuvre par les Régies régionales en sont l'exemple le plus frappant.

Dans les deux systèmes, l'organisation de la main-d'œuvre médicale et plus particulièrement l'organisation des activités cliniques sont peu accessibles aux pouvoirs publics, alors même qu'elles sont déterminantes pour la structuration de l'activité des établissements de santé (Lamothe, 1999).

Quelques dates

Les processus de restructuration sont, nous l'avons dit dans l'introduction, sous l'influence de nombreux facteurs. Parmi ceux-ci, les orientations politiques jouent un rôle important. Elles sont constituées d'un flux de décisions.

Nous ne retenons ici que les décisions les plus marquantes, ce qui donne une image naturellement simplificatrice du contexte politique et réglementaire. Le contenu des grandes décisions nationales diffère même si leur rythme est tout à fait similaire. Les lois qui ont accompagné le mouvement de restructuration en France ne se caractérisent pas par de grands mouvements budgétaires ou par de grandes inflexions dans les modes de gestion mais par une lente évolution de l'architecture institutionnelle et des différents outils de régulation. Elles introduisent pas à pas de nouvelles règles de tarification, la déconcentration des décisions, l'incitation à la coopération, une réflexion de santé publique tout en modifiant peu le fonctionnement interne des établissements. Elle donnent à voir une mécanique complexe et fortement encadrée. Les réformes au Québec sont marquées par les grandes compressions budgétaires du milieu des années 1990 et une tension constante entre des réformes à fort contenu économique et des réformes guidées par des réflexions de santé publique dans un contexte de forte réactivité des établissements.

France

1991 : Loi sur la réforme hospitalière. Elle introduit une démarche stratégique à l'hôpital et, en cela, prépare les mouvements de restructuration, qui restent à cette époque non pas une politique nationale, mais le fruit de « coups » joués par certains établissements stratèges. Elle exige aussi que les régions fassent des SROS, autrement dit planifient l'offre de soins sur un territoire donné pour les cinq années à venir ; que les établissements fassent des projets d'établissement, c'est-à-dire projettent l'offre de soins future en fonction des besoins, de l'offre existante et de leurs ressources internes. Elle exige que les établissements se lancent dans des démarches d'évaluation des soins. La loi prévoit enfin la contractualisation pluriannuelle entre un établissement et sa tutelle. Certains établissements se sont hâtés d'entrer dans une telle démarche tablant sur le fait que les premiers signataires seraient les mieux servis. Peu de tutelles se sont finalement risquées à un tel exercice. Apparaît dans cette loi la notion de coopération hospitalière et les premiers outils juridiques pour la mener à bien. Les réseaux sont cités comme forme organisationnelle à privilégier. Plus que la réduction de capacité, la coopération reste jusqu'à aujourd'hui le fil conducteur des opérations de restructuration.

Cette réforme est fondamentale. Elle agit sur les représentations en formalisant la notion d'interdépendance entre établissements, premier pas vers la coopération. Par ailleurs – avec l'appui des tutelles –, les établissements dont l'offre est jusqu'en 1991 tirée par une logique de disponibilité des ressources commencent à raisonner sur une logique d'offre et de demande sur un territoire et s'intéressent à l'utilisation des ressources.

1996 : Ordonnances « Juppé ». Les ordonnances de 1996 sont marquées par la création des agences régionales qui ont comme objectif explicite de restructurer l'offre de soins avec une compétence sur le secteur public et sur le secteur privé. Une enveloppe nationale déclinée en enveloppe régionale est votée par le parlement pour les établissements publics. Cette évolution des modalités de financement sera étendue en 2000 aux établissements privés. L'enveloppe nationale privée votée par le parlement sera complétée par la création d'enveloppes régionales qui encadrent la fixation des tarifs des cliniques privées. La constitution des différentes enveloppes est guidée par un objectif de réduction des inégalités de ressources entre régions. Si la pression sur les ressources reste, au regard de ce qui se passe au Québec, peu importante, localement, certaines régions voient leur budget baisser (par exemple - 0,8 % en Île-de-France en 1997), ce qui peut vouloir dire de fortes réductions sur le plan d'un établissement donné. L'année 1996 marque la généralisation de la différenciation dans l'allocation de ressources budgétaires entre établissements, même si certaines régions la pratiquaient déjà depuis 1994.

Ces ordonnances prévoient de plus que chaque établissement devra, à terme, être accrédité par l'ANAÉS, agence indépendante qui construit par ailleurs des normes de bon fonctionnement ou de bonne prise en charge. Des normes de qualité, de sécurité portant sur les procédures, l'équipement, la disponibilité de compétences deviennent alors impératives. Elles exercent une pression sur les établissements qui doivent dégager en interne des ressources pour les acquérir ou envisager des évolutions d'organisation plus importantes. La masse critique requise de 300 accouchements par an pour préserver l'existence d'un service de maternité a ainsi été particulièrement structurante. Parallèlement, la contractualisation prévue en 1991 est réaffirmée. Elle lie allocation de ressources et réorganisation des soins. Jusqu'en 2001, cette pratique qui peut paraître fondamentale pour les restructurations se met difficilement en place.

L'utilisation du PMSI (par l'intermédiaire du point ISA) devient un critère d'allocation de ressources. Plus qu'un critère de performance de gestion, il est vu comme un critère d'inégalité de ressources. La pratique n'est pas tant de récompenser les faibles consommateurs de ressources au regard de leur activité en leur permettant d'accroître leur offre que de tendre vers une consommation égalitaire sur une région donnée et entre les régions françaises.

La conformité au SROS, instrument réaffirmé en 1996, devient dans la pratique un critère majeur de prise de décision par les ARH. Le travail en amont de définition collective du SROS devient donc un acte fortement structurant des recompositions des établissements.

La place de la santé publique et de l'usager s'est progressivement accrue. On ne peut certainement pas dire que ceci produise un effet décisif sur les restructurations mais elle participe d'un contexte d'enrichissement de la réflexion, des débats, des orientations qui influent sur l'évolution des structures hospitalières.

Ainsi, des conférences régionales de santé se tiennent depuis 1996 tous les cinq ans, mobilisant des catégories très variées d'acteurs. Elles fixent des priorités de santé publique, qui, si elles ne sont pas en prise directe avec les SROS, les imprègnent tout de même. Elles participent à la connaissance réciproque et à la mutualisation des enjeux entre les différents intervenants et replacent l'hôpital dans un système d'acteurs.

De l'intérieur, les changements viennent de la raréfaction de praticiens de certaines disciplines médicales, produit d'un vieillissement de la population, d'un *numerus clausus* stable, de la désaffection des disciplines les plus contraignantes, en même temps que les pratiques individuelles changent et que les exigences d'encadrement s'accroissent. Ils viennent aussi des problèmes d'organisation du temps de travail et touchent l'ensemble du personnel de soins. Depuis le 1er janvier 2000, pour le personnel soignant, en application de la loi sur la réduction du temps de travail, et janvier 2003, pour les médecins, en application d'une directive européenne sur les repos compensateurs, le temps de travail du personnel diminue sans être totalement compensé par des créations de postes. Lorsque ces postes existent, la pénurie d'infirmières et de certaines spécialités médicales ne permet pas de les pourvoir en totalité. Ces déficits de compétences sont vus actuellement comme des incitations fortes à la suppression de certaines activités, au regroupement ou à l'externalisation.

2003 : « Plan hôpital 2007 ». L'hôpital public reste préservé sur les dix dernières années de réformes légales touchant son organisation interne. Le « plan hôpital 2007 » cherche à pallier cette lacune. Il comporte trois volets : une injection de ressources pour financer des rénovations de bâtiments et des équipements (une augmentation de 30 % des investissements annuels est visée) ; un coup « d'accélérateur » donné à la tarification par activité en unifiant le système de financement du secteur public et du privé ; une modification de la gestion des établissements au service d'une simplification des pratiques, clarification des procédures, responsabilisation des acteurs. En 2004, un appel aux établissements a été fait pour expérimenter ce dernier volet. Une centaine d'établissements ont été retenus.

Québec

1990 : « Le virage ambulatoire ». À la suite de la crise pétrolière de 1982, les contraintes budgétaires entraînées par le ralentissement de l'économie et la croissance des coûts de la santé amènent le gouvernement à instituer une nouvelle commission d'enquête pour faire le point sur le système de santé (la Commission Rochon). Les recommandations de cette dernière s'appuient sur trois grandes orientations : l'adoption d'une politique gouvernementale sur la santé et le bien-être, la régionalisation du système de santé et l'adoption d'une « approche population » pour l'allocation des ressources et les services.

Au début des années 1990, en s'appuyant sur les recommandations du rapport de la Commission Rochon, le gouvernement entreprend une transformation du réseau de la santé et des services sociaux connue sous le terme de « virage ambulatoire ». Cette réforme s'articule autour des principes suivants :

L'offre d'une gamme complète de services dans chaque territoire de CLSC :

- le renforcement des services de première ligne ;
- la décentralisation régionale des décisions ;
- l'équité d'allocation des ressources entre les régions ;

- une gestion fondée sur l'atteinte de résultats;
- la mise en place de mécanismes de reddition de comptes;
- la reconnaissance que le citoyen est au centre du système à la fois comme usager, payeur et décideur.

De 1993 à 1998 : « Compressions budgétaires ». Poussés par la nécessité d'équilibrer leurs budgets, le gouvernement fédéral et les gouvernements provinciaux entreprennent une politique de réduction des dépenses qui se traduit dans le domaine de la santé par des compressions massives. Au Québec, en cinq ans, les dépenses pour la santé sont réduites d'environ 10 % (voir Figure 1) et la structure des dépenses se transforme. La part de l'hôpital passe de 46 % à 33,4 %, la proportion des dépenses pour les services médicaux reste constante à environ 13 %, le secteur dont la part relative augmente le plus rapidement est celui des médicaments qui passe de 10,1 % à 16,7 %.

2001 : « Commission Clair ». Malgré un réinvestissement important depuis 1998, les problèmes du système de santé subsistent (débordement des urgences, pénuries de ressources humaines, accès inéquitable aux soins entre les régions, fragmentation des services, etc.). Cette situation politiquement préoccupante a conduit le gouvernement du Québec à créer en juin 2000 la Commission d'étude sur les services de santé et les services sociaux (Commission Clair) afin de revoir l'organisation et le financement du système de santé. Dans son rapport déposé en janvier 2001, la Commission propose une vision d'avenir pour le système de santé. Les principales recommandations portent sur la réorganisation des services de première ligne, sur la restructuration de l'hôpital et sur la mise en place de programmes intégrés pour les clientèles vulnérables. Dans la même ligne, le gouvernement fédéral, en s'appuyant sur les recommandations de la Commission Romanow, dont le rapport a été déposé en décembre 2002, recommande de centrer les efforts sur la première ligne et envisage d'accroître sa contribution aux provinces à condition que ces dernières mettent en œuvre les politiques de restructuration nécessaires pour garantir l'application des cinq grands principes organisateurs du système d'assurance-maladie du Canada.

2003 : Au printemps 2003, un gouvernement du Parti libéral est élu au Québec sur la base d'un programme qui promet de mettre le secteur de la santé au premier plan. Ceci n'est probablement pas sans lien avec une insatisfaction de l'électorat face à l'absence d'améliorations tangibles des problèmes chroniques du système et la quasi-absence d'effets observables à la suite des recommandations du rapport Clair. Parmi les promesses de ce gouvernement figurent la résorption rapide des listes d'attente pour les interventions électives et l'abolition des Régies régionales présentées comme d'inefficaces et redondantes structures bureaucratiques. Fin 2003, le nouveau ministre de la Santé dépose un projet de loi (le « projet de loi 25 ») qui propose une réorganisation radicale de l'organisation structurelle du système. La province serait re-découpée en territoires plus petits que les régions mais plus grands que les territoires de CLSC. Dans chacun de ces territoires une nouvelle instance serait créée par la fusion des CLSC, hôpitaux et CHSLD qui s'y trouvent et qui formeraient une organisation unique sous la tutelle d'un D.G. et d'un seul C.A. Cette instance, appelée « réseau local », serait en charge de l'offre de tous les soins de première ligne pour sa population et devrait se conformer à une série d'obligations en termes d'offre de services. Les Régies régionales, rebaptisées pour l'occasion « agences de développement de réseaux locaux de services de santé et de services sociaux », se sont vu confier la mise en œuvre de la réforme mais leur sort par la suite reste incertain, particulièrement dans les petites régions. Dans les régions plus importantes, le nombre d'institutions qui restent hors réseaux locaux – entre autres les cliniques privées, les CHU, les organismes communautaires, etc. – laisse croire qu'il faudra maintenir un palier de gouvernance régionale. La mise en œuvre de cette réforme est en cours au moment d'écrire ces lignes et se heurte à une opposition souvent féroce de plusieurs groupes.

DONNÉES COMPARATIVES D'ÉVOLUTIONS BUDGÉTAIRES

L'évolution comparative des dépenses totales de santé en France et au Québec (Figure 1) permet de constater que si le niveau des dépenses durant les 20 dernières années est semblable dans les deux sociétés, le rythme d'évolution des dépenses est très différent. En France, on observe une croissance soutenue et régulière des dépenses de santé, le ralentissement de la croissance durant les années 1990 est dû à la croissance très rapide du PIB durant cette période. Au Québec, l'amplitude des fluctuations est beaucoup plus importante, après une flambée des coûts à la fin des années 1980, on fait subir au système de santé de 1993 à 1998 des compressions considérables.

DES MOUVEMENTS DE STRUCTURES

France

L'atlas des restructurations édité par le ministère de la Santé (DHOS) recense 369 opérations de recomposition de l'offre de soins impliquant de 1 à 4 établissements, 120 réseaux intégrés, 111 communautés d'établissements (constitués, au sein d'un secteur sanitaire, entre établissements assurant le service public hospitalier, afin de répondre à des objectifs d'adaptation aux besoins de la population, de mise en œuvre d'actions de coopération et de complémentarité, plutôt formels, considérés par le Ministère comme peu restructurants). Ces opérations sont celles déclarées par les ARH, en cours, achevées ou en projet entre 1998 et 2000. Des 369 opérations, 125 concernent des opérations entre des établissements publics et privés. M. Kerleau (1996), dans son analyse de l'atlas des restructurations édité en 1996, recense sur 326 opérations de recomposition les opérations suivantes :

TYPE	NOMBRE	%
Fusion	69	21
Coopération	63	19
Communauté d'établissements	49	15
Réseaux filières	9	3
Soutien au fonctionnement	37	11
Transfert d'activité	60	19
Reconversion	22	7
Réorganisation	17	5
Total	**326**	**100**

On peut rapporter ces 326 opérations de 1998 aux 4200 établissements de santé existant en 1999. Ceci fait en moyenne une opération déclarée pour sept établissements, une pour onze si on exclut les réseaux et les communautés d'établissements. Bien entendu, cette fréquence ne donne pas une bonne image des mouvements réels des restructurations, un même établissement peut être impliqué dans plusieurs opérations, une opération peut impliquer plusieurs établissements. Par exemple, les 69 fusions identifiées en 1998 impliquent 158 établissements, le réseau ONCORA en cancérologie à Lyon implique à lui seul 33 établissements. Les opérations de certains CHU sont par ailleurs mal prises en compte. Ceci donne tout de même l'image d'une évolution qui, sans toucher ni de manière exhaustive ni avec la même ampleur tous les établissements, représente des mouvements majeurs dans l'organisation d'ensemble.

Ces restructurations entraînent un redéploiement ou une augmentation des effectifs (Données sociales hospitalières, DHOS, ministère de la Santé). Elles ne se traduisent en général pas par une baisse du personnel.

Québec

Il n'y a pas au Québec un répertoire permettant de recenser toutes les opérations de restructuration. On peut cependant affirmer qu'à la suite de la Commission Rochon, des compressions des années 1993-1998 et plus récemment du programme du gouvernement fédéral (Fonds pour l'adaptation des services de santé, FASS) qui visait à développer des projets pilotes pour améliorer localement l'intégration des soins, il y a eu dans toutes les régions du Québec de très nombreux projets de restructuration qui impliquent les hôpitaux, les CLSC, les autres établissements et très souvent les cliniques médicales. À titre d'exemple, dans la région de la Montérégie on a recensé, avant le projet de loi 25, 33 projets qui portent sur les maladies chroniques, 35 sur les personnes âgées, 33 sur des problèmes de santé mentale, 16 sur la prise en charge intégrée du cancer et 18 sur des conventions d'utilisation concertée de la technologie. Par ailleurs, le projet de loi 25 est à lui seul une restructuration majeure de l'ensemble des structures de production de soins de première ligne de la province.

FIGURE 1 Dépenses totales de santé en % du PIB – France et Québec

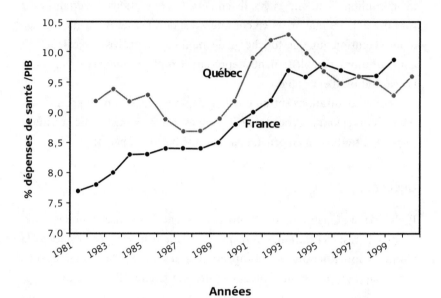

Années

PARTIE 1

Des organisations régionales pour restructurer

Annick Valette

Au milieu des années 1990, le Québec et la France ont décidé de la création d'une instance intermédiaire, entre le niveau opérationnel et le niveau national, pour conduire les restructurations hospitalières. Ce sont les Régies régionales de la santé et des services sociaux (RRSSS) au Québec et les Agences régionales de l'hospitalisation (ARH) en France. À l'automne 2003, le gouvernement libéral nouvellement élu a proposé un vaste plan de réforme du système de gouvernance régional. À l'heure de mettre sous presse, les détails de ce que sera le nouveau modèle en pratique sont encore trop fragmentaires pour en faire une présentation détaillée ici. Mentionnons toutefois que les RRSSS ont été rebaptisées Agences de développement de réseaux locaux de services de santé et de services sociaux (ADRLSSS). Nous avons souligné en introduction que la notion de région ne revêt pas la même réalité géographique et démographique. C'est bien la notion d'intermédiaire qui est ici importante. Ces instances de décisions, qui s'accompagnent de mouvements de déconcentration et de concentration, sont censées être « suffisamment proches du terrain » pour faciliter les remontées d'informations, la négociation, la décision, mais pas trop nombreuses pour pouvoir être pilotées par le central et couvrir un territoire permettant les redéploiements d'activité. Au Québec, les Régies ont créé les régions qui n'avaient jusqu'alors pas d'existence administrative. La régionalisation est clairement un outil d'action dédié aux restructurations et, comme la réforme en cours l'indique, pourrait être réversible. On assiste à la fois à une recentralisation des décisions et politiques et au développement dans les régions de nouveaux arrangements organisationnels de production de soins.

En France, la politique de restructuration a été un élément accélérateur d'une régionalisation de la régulation qui s'est construite pas à pas pour aboutir aux ordonnances de 1996, qui non seulement créent les ARH mais aussi les unions régionales des caisses d'assurance-maladie et les conférences régionales de santé. Les ARH apparaissent aujourd'hui comme solidement ancrées dans le paysage régional et les réflexions des dernières années portent sur l'élargissement de leur champ d'action et sur leur plus grand arrimage aux organes politiques régionaux (conseil régional).

Les textes présentés n'ont pas pour vocation de comparer les missions et le fonctionnement des deux régulateurs intermédiaires. Signalons simplement que si tous deux planifient l'offre, allouent les budgets, autorisent les activités, accompagnent les offreurs et négocient avec eux, l'ARH ne couvre que le champ de l'hospitalisation publique et privée alors que les Régies régulent le secteur sanitaire et le secteur social (hôpitaux, cliniques médicales, services sociaux, santé publique...). Les deux contributions mettent plutôt en avant le caractère innovant de ces nouvelles organisations qui doivent inventer une nouvelle manière de travailler ; de nouvelles pratiques de gestion publique pour inciter et accompagner d'une manière renouvelée les changements de structures des établissements. En cela, elles présentent plus de points communs que de différences.

Le premier point commun est une meilleure participation des acteurs à la définition de la politique même si ceci n'a pas pris la même ampleur en France et au Québec. En France, directeurs d'établissements, soignants, usagers sont présents par l'intermédiaire de groupes de travail, de sondages, de panels, ou de comités de pilotage, sans être toutefois représentés dans les instances décisionnelles de l'ARH. Au Québec, la création des Régies s'est accompagnée d'un discours sur la démocratisation des instances décisionnelles et d'une réflexion sur la délibération publique. De nouveaux acteurs ont été cooptés : usagers, citoyens, groupes organisés assortis de nouvelles méthodes, la consultation publique, le sondage, les forums régionaux. Ces nouveaux acteurs jouaient par ailleurs un rôle important dans les conseils d'administration des Régies, conseils qui, jusqu'en 2002, désignaient le directeur général.

Le deuxième point commun est un système de réédition des comptes plus affirmé. Avec la régionalisation, des attentes à l'égard des établissements ont été formulées par les organisations intermédiaires. Très clairement, il s'est agit pendant quelques années de la maîtrise ou d'une réduction budgétaire au Québec et les restructurations sont une conséquence de cette contrainte forte. La hiérarchisation est au fil du temps devenue moins claire et se rapproche des pratiques françaises où maîtrise budgétaire et recomposition de l'offre sont entremêlées. Dans les deux sociétés, la meilleure articulation entre planification et allocation budgétaire est au service de cette pratique.

Le troisième point commun est une personnalisation de l'action. Le régulateur régional s'incarne dans son directeur. L'action de ce directeur en ce qui concerne les établissements est rendue possible en France par la spécialisation sur le champ de l'hospitalisation, au Québec par le nombre relativement faible d'établissements. Cette proximité lui permet de s'intéresser aux petites choses, parfois à très fort contenu symbolique ou de mettre à l'agenda des dossiers qui pourraient paraître moins prioritaires dans d'autres circonstances.

Ces organisations se rejoignent enfin sur leurs interrogations : comment avoir une action publique locale innovée dans un système global fortement contraint ? Quels outils et pratiques développer pour mieux prendre en compte, au-delà des structures formelles, l'activité médicale qui reste pour le régulateur une « boîte noire » ? Comment mieux coordonner l'offre hospitalière avec la médecine libérale de ville à l'heure où il devient évident que discours et dispositifs développés depuis dix ans sur les réseaux sont en deçà des gains attendus ? Ce dernier enjeu est au cœur des réformes actuelles.

2

Les ARH : entre big bang et réforme

Valérie Fargeon, Étienne Minvielle, Annick Valette

Les ordonnances d'avril 1996 ont créé une agence régionale de l'hospitalisation (ARH) par région. Leur forme juridique est un groupement d'intérêt public entre les services extérieurs de l'État (DRASS, DDASS) et les services régionaux de l'assurance-maladie (CRAM et ÉRSM). Leur mise en place conduit à dessaisir les préfets de département et de région de leurs fonctions dans le domaine sanitaire. Elles ont une mission de régulation de l'activité hospitalière : allouer les ressources des hôpitaux publics et privés, planifier l'offre de soins publique et privée, autoriser les activités hospitalières. Au-delà de cette mission fonctionnelle, il leur est explicitement demandé de conduire des opérations de restructuration hospitalière (fermeture d'établissements, fusions, reconversions de lits, mises en réseaux, accords de coopération).

Modifier les modes de coordination entre les différents offreurs de soins dans un contexte institutionnel redéfini pose, pour les organisations dispensatrices de soins, des questions sur le passage d'une forme d'organisation à une autre et sur le rôle que peut jouer l'intervention publique pour orienter et stimuler ces transformations.

C'est de ce nouveau rôle joué par la puissance publique dans la régulation hospitalière que nous souhaitons rendre compte dans cette contribution. En effet, la mise en place des ARH et leur évolution depuis quatre ans offrent un terrain d'observation privilégié du processus par lequel une innovation organisationnelle réussit à la fois à faire évoluer un dispositif de régulation tout en étant soumise elle-même à des tensions nécessitant une évolution du projet initial.

En tant que nouvelles organisations dans le dispositif de régulation, les ARH témoignent du passage d'une figure de l'État impulsant et régulant d'en haut le changement à un État partenaire de l'action publique et participant d'une construction collective du compromis (Commaille et Jobert, 1998) ou encore du passage d'un État en surplomb de la coordination des activités économiques à un État qui participe à la coordination, un « État situé » au sens de Salais (1998). Mais cette coordination située, limitée dans le temps et l'espace, est conditionnée par des règles et des institutions qui marquent son efficacité (North, 1992). Elle est également influencée par des pressions normatives extérieures (Di Maggio, 1983). Le processus de régulation ainsi approché est caractérisé par son caractère non déterministe, dynamique et inscrit dans l'environnement institutionnel.

Les différents travaux, juridiques, économiques ou de gestion (Bordeloup, 1996 ; Delande, 1998 ; Fargeon et Kerleau, 1999 ; Denis et Valette, 2000 ; Cueille et Renucci, 2000) consacrés à l'ARH, ont analysé le potentiel de cette réforme à travers ses textes et ses promesses plutôt que sa mise en œuvre. Or, si l'on admet que la régulation est un processus dynamique, inscrit dans l'environnement institutionnel et modelé par les acteurs, on est conduit à s'appuyer sur l'analyse du « potentiel » des ARH mais aussi et surtout sur l'analyse de leurs mises en œuvre. C'est pourquoi nous mobiliserons les ordonnances d'avril 1996, qui permettent de tracer un portrait de l'ARH « dans les textes », ainsi que des matériaux collectés lors d'une recherche que nous avons menée sur les ARH (voir Tableau 1) — trois monographies de régions et les résultats d'un questionnaire envoyé à toutes les ARH.

Après avoir précisé le contexte dans lequel se mettent en place les ARH, nous caractériserons en quoi l'ARH peut être considérée comme une innovation organisationnelle pour montrer enfin les tensions et la dynamique auxquelles est soumise cette innovation.

TABLEAU 1

Cette contribution s'appuie sur les résultats d'une recherche menée dans le cadre du programme « Processus de décision en santé » lancé et financé conjointement par l'INSERM/MIRE/CNRS. Ont participé à cette recherche, outre les trois auteurs de la contribution, Jean-Louis Denis (Université de Montréal).

L'interrogation principale de la recherche: de quelle valeur ajoutée sont porteuses les ARH dans le dispositif de régulation de l'offre de soins hospitaliers français ?

Le recueil des données s'est déroulé sur deux ans (1999-2000) selon deux méthodes :

Afin de réaliser trois monographies régionales comparatives et une monographie longitudinale retraçant la genèse des ARH, nous avons conduit une cinquantaine d'entretiens semi-directifs avec les interlocuteurs régionaux des trois ARH choisies ainsi que des interlocuteurs qui ont participé à différents niveaux (lors de l'élaboration des ordonnances de 1996, lors de la mise en œuvre de l'ARH) à l'élaboration du « dispositif ARH ».

L'administration d'un questionnaire — à l'ensemble des ARH — visait à caractériser les modalités d'action des ARH sur la période 1997-2000. Il s'agissait de préciser les ressources (financières et humaines notamment) dont dispose l'ARH, les représentations qu'elle se fait de son rôle et de son action, ainsi que la manière dont elle mobilise les différents outils de régulation et ses décisions dans ses domaines d'intervention (planification, allocation de ressources, contractualisation). Des 26 ARH, 14 constituent notre échantillon de répondants.

LE CONTEXTE

Deux types d'éléments de contexte caractérisent la mise en place des ARH, un contexte hospitalier dans lequel il apparaît urgent de maîtriser les dépenses de santé et un contexte « théorique » marqué par les nouvelles réflexions sur la gestion publique.

Le secteur hospitalier : l'urgence de maîtriser les dépenses et un mouvement de « régionalisation » de la régulation déjà engagé

Un consensus se dégage au cours des années 1990 sur le fait que l'échelon pertinent pour mener la politique d'allocation et de redéploiement des ressources hospitalières est l'échelon régional (rapports « Santé 2010 » en juin

1993, « livre blanc sur le système de santé et d'assurance-maladie » en novembre 1994).

Ainsi, au début des années 1990, s'amorce une réforme qui prévoit une déconcentration à l'échelon régional de la régulation. La loi portant réforme hospitalière du 31 juillet 1991 vient renforcer les missions des Directions régionales des affaires sanitaires et sociales (DRASS) en matière de planification et de coordination de l'offre de soins. En effet, constatant les limites des outils de planification de l'offre de soins, impuissants à favoriser l'adaptation des structures et des activités aux besoins, la loi crée un nouvel outil, le Schéma régional d'organisation sanitaire (SROS), dont l'élaboration et la mise en œuvre sont confiées aux DRASS. Le décret du 6 décembre 1994 confirme le rôle des DRASS en matière de régulation de l'offre hospitalière publique : les attributions des Directions départementales des affaires sanitaires et sociales (DDASS) et des DRASS sont redéfinies et la compétence budgétaire transférée de l'échelon départemental à l'échelon régional. Ainsi, les DRASS, en concertation avec les DDASS, affectent les budgets aux hôpitaux, en respectant les masses régionales attribuées, à partir de critères de répartition préalablement définis et sur la base de taux directeurs qui peuvent être différenciés selon les établissements.

Par ailleurs, un plan de modernisation des services déconcentrés est lancé fin 1994 par le ministère des Affaires sociales. Il s'agit, d'une part, de favoriser la collaboration de l'ensemble des services extérieurs de l'État (DRASS et DDASS) et, d'autre part, de promouvoir une démarche par objectifs ou par projets, qui s'appuie sur des contrats d'objectifs matérialisant les engagements mutuels des services extérieurs pour trois ans.

Par petites touches, au cours des années 1990, se construit ainsi progressivement un dispositif régional de régulation avec la consolidation de la DRASS en tant que « tête de réseau ». Celle-ci assume sa fonction de régulation, en intervenant sous les trois formes, d'expert, d'animateur et de décideur (Denis et Valette, 1998b).

Toutefois, un certain nombre de constats et de difficultés non résolues mettent en question la capacité de ce dispositif à réguler l'offre hospitalière.

La persistance d'une double logique public/privé dans l'hospitalisation avec une séparation des responsabilités (État sur l'hospitalisation publique et assurance-maladie sur l'hospitalisation privée) tient en échec la possibilité d'une planification homogène entre les deux types d'établissements. Les dépenses hospitalières ne sont par ailleurs pas contenues et continuent d'augmenter. Il semble que l'action des DRASS est contrainte par un manque de légitimité, un déficit d'information, un faible engagement des préfets dans les dossiers sanitaires et un jeu complexe entre les institutions. Les comportements stratégiques des établissements relayés par les politiques peuvent alors s'exprimer pleinement.

En juin 1995, le premier ministre installe à Matignon le Haut Conseil de la réforme hospitalière. Il s'agissait alors de réfléchir à la création d'un dispositif de pilotage proche du terrain, un relais de proximité qui échappe aux faiblesses connues des pilotages national et local.

L'urgence de maîtriser les dépenses de santé, notamment hospitalières, et l'urgence de favoriser les restructurations hospitalières sont apparues comme les motivations premières de la création des agences régionales d'hospitalisation.

Un courant de renouveau de la gestion publique

Ces réflexions s'inscrivent dans un mouvement plus large de renouveau de la gestion publique que l'on a pu appeler le « *New Public Management* » (*NPM*) ou « nouvelle gestion publique ». Il touche l'ensemble des pays industrialisés, qui à partir des années 1980 ont mis à leur agenda des réformes de la gestion et de l'organisation des secteurs relevant des grandes responsabilités de l'État comme la santé ou l'éducation. La question de la gouverne publique touche à la fois les techniques de gouvernement qui sont mobilisées et l'aptitude des groupes ou acteurs à accepter un certain type de pouvoir sur leurs conduites, c'est-à-dire à considérer comme légitimes ces techniques (Bourgeois et Nizet, 1995). Les deux ont connu des évolutions majeures.

Le courant de la « nouvelle gestion publique » n'est pas un mouvement clair vers une forme spécifique de gestion. Il représente plutôt un hybride toujours en construction qui mêle à la fois une analyse critique des réformes engagées et des réflexions *a priori* sur les évolutions nécessaires. On peut néanmoins repérer deux grands types de pratiques et de discours.

Le premier part d'un constat d'un « déficit » de management et met au cœur de son programme la recherche d'un gain de performance. Il plaide ainsi pour la formulation d'objectifs à l'aune desquels pourront être définis la performance, le développement de systèmes d'information spécifiques permettant la mesure et le contrôle, la création de nouvelles entités de régulation décentralisées et l'introduction de nouveaux mécanismes de coordination comme la concurrence ou la contractualisation. Les transformations au sein du NHS anglais marquées par l'introduction de quasi-marchés et de régulateurs intermédiaires en sont l'archétype. Elles mettent la question des modalités de contrôle au cœur des réformes. Hogget (1996) caractérise d'ailleurs « la nouvelle gestion publique » comme une intensification de l'autonomie des entités productives en même temps qu'une intensification du contrôle à distance.

Le second type représenté par exemple dans le secteur de la santé par Ferlie *et al.* (1996) porte plutôt son attention sur la valorisation du secteur public. Il s'intéresse ainsi à la gestion de la qualité, la prise en compte des attentes et valeurs des usagers et plus largement s'interroge sur un renouveau du rôle de l'État soucieux de valoriser une participation démocratique, la prise de parole dans un contexte de délibération publique (Hirschman, 1995 ; Touraine, 1994). Les réformes québécoises lancées dans la régulation régionale au milieu des années 1990 en sont un exemple. Elles sont marquées par l'introduction de nouvelles modalités de participation des citoyens : conseils d'administration, sondages, examen des plaintes, audiences publiques.

Les réformes du secteur public français, amorcées sous le gouvernement Rocard, sont empreintes de ces deux courants. On voit ainsi se développer une gestion par objectifs et par contractualisation, des dispositifs concomitants d'évaluation, des politiques de gestion de la qualité (accréditation, certification). On voit aussi se construire un peu plus tard de nouveaux lieux de concertation. Les ARH s'inscrivent dans cette double évolution.

LES ARH, UNE INNOVATION ORGANISATIONNELLE

La création des ARH consiste à installer une nouvelle organisation dans un dispositif global plutôt stable. Ni les organisations existantes ni les outils ne sont supprimés. On modifie en revanche la distribution du pouvoir formel par déplacement des frontières des organisations, ajout de nouveaux outils et création de nouvelles compétences. Cette nouvelle organisation véhicule une modification de la gouverne du secteur hospitalier que nous pensons pertinent de décrire selon quatre dimensions.

Une plus grande délégation

Par la création des ARH, c'est-à-dire d'organisations régionales dotées de moyens larges de régulation, l'administration centrale délègue à un échelon intermédiaire non seulement la mise en œuvre de la régulation, mais aussi la conception de cette régulation. Si la délégation participe d'une recherche d'optimisation des différents échelons de prise de décision (principe de subsidiarité) en considérant qu'il est efficace de rapprocher la conception de la réalisation, elle peut aussi s'interpréter comme une opération consistant à transférer la charge du risque de non-exécution d'une politique à un niveau inférieur protégeant ainsi le niveau supérieur. Nous avions montré dans un travail précédent (Denis et Valette, 1998b) qu'entre 1990 et 1996, on avait pu observer une délégation de fait, les DRASS se construisant pas à pas un espace stratégique de régulation même si le dispositif formel les considérait comme des courroies de transmission, des traducteurs de règles nationales. Avec la création des ARH, cette délégation est institutionnalisée.

L'ancien conseiller ministériel, rédacteur des ordonnances, s'exprime ainsi : « *le terme agence fait référence à un système d'action, à un pouvoir fort et non à une instance de vérification de procédures. Le message était clair : il ne s'agit pas de "relouquer" les DRASS, on est dans une autre logique.* » Ce pouvoir d'action délégué aux ARH se traduit de manière formelle essentiellement par deux nouvelles compétences. L'ARH est libre d'affecter les enveloppes régionales pour l'hospitalisation publique et privée et surtout de construire les règles de répartition entre établissements. Par ailleurs, l'ARH, par la signature de contrats d'objectifs et de moyens avec les établissements de santé, a le pouvoir d'engager l'État et l'assurance-maladie sur l'attribution de moyens à cinq ans sous condition de réalisation des objectifs négociés.

Ce mouvement de délégation prévu par les textes est confirmé dans les pratiques et les représentations. Ainsi, tous nos interlocuteurs soulignent la faible intervention du Ministère (administration centrale ou cabinet) dans la gestion des dossiers concernant les établissements. Les établissements demandeurs sont systématiquement renvoyés aux ARH. Par ailleurs, lorsqu'on interroge les directeurs d'ARH sur la fonction effective (au-delà de celle prévue par les textes) des ARH, ils répondent presque à l'unanimité (11/14) que l'ARH est « *avant tout une instance d'élaboration des principes régionaux d'organisation des soins* » et, marginalement (4/14), que c'est un « *relais d'une politique nationale* ». De même, ils confirment que ce qui agit très fortement sur leur capacité d'action, c'est « *d'être proche du terrain* ».

L'observation des pratiques des ARH montre que cette délégation de l'échelon national à l'échelon régional est relayée sur le plan interne par une organisation du travail qui s'appuie sur des groupes locaux. Se développe alors une instrumentation pour piloter cette délégation : chargés de mission, lettre de mission, etc. L'efficacité de ces groupes est appréciée ainsi : « *je trouve que les groupes projets mis en place pour accompagner les projets d'établissement et les restructurations sont les fers de lance de l'Agence. Au niveau régional, la connaissance est imparfaite. Les outils pour mesurer l'activité sont imparfaits. On doit intégrer d'autres éléments, plus subjectifs* » (Directeur DDASS).

Plus de coopération, plus de négociation

La coopération ou la négociation consistent à privilégier l'action commune. Elles reposent sur deux principes différents. Le premier est un principe d'efficacité de l'action. La diversité des acteurs et de leurs intérêts peut compromettre la mise en œuvre d'une action prescrite non consentie. La négociation et la concertation en amont augmentent en revanche ses chances de réalisation. Le second est un principe de légitimité. Pour certains problèmes, la connaissance et les compétences sont distribuées. Aucun acteur ne peut à lui seul se revendiquer comme dépositaire d'une politique. L'interaction entre les autres acteurs est alors indispensable pour construire une solution adéquate et créer des apprentissages collectifs. Les réflexions en sciences politiques sur la gouvernance (Duran, 1998) développent ceci largement.

Cette recherche de coopération/négociation concerne avant tout deux grands acteurs institutionnels : l'État et l'assurance-maladie (organisme privé). Avant même la naissance des ARH, la création des schémas régionaux d'organisation sanitaire (SROS) en 1991 relevait fortement de cette logique. Il consistait à construire un schéma commun de planification sur cinq ans des équipements et des activités des établissements publics et privés, piloté à la fois par l'État et par l'assurance-maladie qui détiennent des informations et des modes d'action spécifiques. Les SROS devaient aussi associer des experts médicaux et des représentants des établissements. La création des ARH représente alors à la fois une institutionnalisation de la coopération qui la rend plus impérative, plus irréversible et une volonté d'étendre la coopération aux actes de gestion opérationnelle et non pas seulement aux grandes actions stratégiques. La coopération est en effet inscrite dans la structure GIP prévue pour permettre la coopération entre des établissements publics et privés, ici les services extérieurs de l'État et l'assurance-maladie. Dans le rapport au président de la République relatif à l'ordonnance 96-346, l'agence est présentée comme un moyen « *de constituer une autorité compétente pour l'hospitalisation publique et privée qui remédiera à l'actuelle dispersion des moyens, des responsabilités et des compétences* ». Ceci est confirmé par le rédacteur des ordonnances : « *Nous avons choisi la forme de groupement d'intérêt pour les ARH car il s'agissait de marcher côte à côte pour frapper ensemble. La logique est une logique de compétence plus qu'une logique de dépossession des pouvoirs.* »

La coordination de l'État et de l'assurance-maladie est d'ailleurs considérée comme la seconde raison explicative de l'accroissement de la capacité d'action du régulateur par les ARH de notre échantillon. La coopération s'exprime alors dans les décisions de la commission exécutive et du bureau de l'agence. Elle s'exprime aussi de manière non prévue par les ordonnances, dans les différents groupes de travail, qui constituent autant d'espaces où doivent pouvoir se confronter les points de vue, se partager l'information et s'accorder les décisions. Les ARH se présentent comme un vaste réseau de groupes de travail : ainsi toutes les régions ont mis en place des groupes régionaux regroupant au moins l'État et l'assurance-maladie et la plupart (11/13 dans notre échantillon) en ont constitué aussi à un autre niveau, qu'il soit départemental, secteur sanitaire ou établissements. On a pu compter jusqu'à 60 groupes réguliers dans une très grande région. Des représentants de la CRAM confirment qu'il y a effectivement une nouvelle manière de travailler. « *Notre pouvoir de décision était restreint au cadre des cliniques, de certaines structures médico-sociales. Sinon il était consultatif et finalement limité au bon vouloir de la* DRASS. *(...) La* CRAM *est maintenant associée en amont des décisions. (...) Avec les* ARH, *on y a gagné en termes d'influence* » (Directeur CRAM).

Cette recherche de coopération/négociation concerne aussi les relations avec les établissements. Nous l'avons dit, ils sont associés à l'élaboration des schémas stratégiques sur cinq ans. Ils sont surtout les co-signataires des contrats d'objectifs et de moyens, censés sceller une négociation sur les activités des établissements et les budgets alloués par l'ARH, permettant ainsi de spécifier la mise en œuvre de la politique générale et de créer des trajectoires particulières.

Au-delà de la coopération entre État, assurance-maladie, établissements, on a vu dans les dernières années se développer une recherche de participation des acteurs non professionnels de la santé : les élus (les directeurs d'ARH consacrent beaucoup de leur temps aux rencontres avec les élus) mais surtout, et c'est la principale innovation, les usagers. Prévue par les textes, une participation des usagers a dans presque toutes les régions de notre échantillon (11/14) été mise en place pour l'élaboration des SROS, essentiellement sous la forme de comité d'usagers. Par ailleurs, ce schéma s'articule avec les recommandations des conférences régionales de santé, fixant après un débat très large avec les professionnels de la santé, usagers, représentants divers de la société civile, des priorités d'action en matière de santé.

Plus d'obédience personnelle

Les vertus prêtées à la bureaucratie sont l'homogénéité des pratiques et la neutralisation des orientations personnelles dans la conduite des affaires (Crozier, 1963 ; Weber, 1964a) introduisant justice et rationalisation. Le fonctionnement des ARH repose lui au contraire sur la mise en avant du rôle du directeur et même sur la personnification de cette fonction. « *On voulait une personne responsable à 150 % de son temps* », dit le rédacteur des ordonnances. « *On a vraiment recruté des cow-boys en 1997 et on leur a dit : " Foncez "* » (Chargée de mission à la DGAPB). On introduit alors de l'obédience personnelle dans une organisation largement fondée sur la règle et la norme, donnant ainsi naissance à ce qu'on a pu appeler une « *soft* bureaucratie »

(Courpasson, 2000). Au-delà des exigences de justice et de rationalisation, c'est la capacité à conduire le changement qui est recherchée. On attend alors de cette personne un rôle d'entrepreneur, ou même d'entrepreneur social (Friedberg, 1993), *« c'est-à-dire d'un entrepreneur du changement qui n'agit pas par la précision de ses objectifs finaux mais par la création d'une dynamique à travers laquelle puisse se mettre en place une nouvelle logique de fonctionnement »*. On attend aussi de lui une personnification de l'autorité. L'autorité apparaît ici non seulement comme ce qui permet la mise en mouvement mais aussi comme ce qui facilite la coordination de l'action entre de multiples acteurs plutôt autonomes qui participent de fait à la construction de l'offre de soins.

Ont ainsi été recrutés en 1997 des directeurs au profil de carrière et de formation volontairement très divers (anciens DRASS, dirigeants du privé, hauts fonctionnaires du secteur public, médecins), après appel à candidatures dans les journaux nationaux, faisant des ARH une sorte de laboratoire d'expérience de pratiques de management public. Ce sont des contractuels, dont les rémunérations ont été négociées au cas par cas avec le premier ministre, révocables à tout moment sans garantie de reclassement.

Les témoignages confirment cette personnification au service de la conduite du changement. *« Je pense que le directeur de l'*ARH *est mille fois plus dynamique que ne pouvait l'être le préfet. Il est non hiérarchique, il sait convaincre. Il a des idées sur le système de santé. En revanche, il s'assoit sur les problèmes juridiques* (Inspecteur DRASS) ». Ce même directeur confirme en nous décrivant son rôle : *« Le rôle du directeur est d'orienter, d'arbitrer, de décider. Il a un rôle de globalisation. Il impulse également. C'est sans doute sa fonction la plus importante et une mission nouvelle. Les* DRASS *arbitraient et décidaient mais elles n'impulsaient pas. Pour cela il faut être imprégné de terrain. »*

Plus de comptes à rendre

L'obligation de rendre des comptes peut se comprendre comme l'obligation de répondre à l'exercice d'une responsabilité qui a été conférée : faire la preuve que les réalisations correspondent à la mission confiée, attester d'une certaine efficience, fournir la preuve de son intégrité. Elle est donc étroitement corrélée aux trois caractéristiques décrites ci-dessus : la délégation (le mandat donné au mandataire autonome a-t-il été effectué et, sinon, pourquoi?), la coopération (les différents participants ont-ils été entendus et sinon pourquoi? selon quel principe d'arbitrage?), la personnalisation (justifier son action suppose qu'il existe une capacité d'initiative laissée à l'individu). Derrière ces questions, on distingue en fait trois grands modèles formalisés de reddition des comptes (Dubois, 2003). Tout d'abord, le modèle politique traditionnel au sein duquel les responsables politiques doivent rendre des comptes sur l'utilisation faite du pouvoir, le respect des lois ainsi que la prise en compte des attentes du public. Le deuxième est le modèle bureaucratique qui s'entend essentiellement comme l'obligation de rendre compte à ses supérieurs qui détiennent le pouvoir et la légitimité que leur confère leur position dans la hiérarchie organisationnelle. C'est une responsabilité objective qui est mise en avant et qui engage les agents à respecter les règles, les lois, les standards sans abus de pouvoir. Le troisième est enfin le modèle managérial dominé par le contrôle du respect d'obligations négociées dans une relation de type contractuel même si la règle encadre l'action. Avec la création des ARH, on cherche à introduire, de manière partielle, le troisième modèle dans un système où sont déjà présents les deux premiers.

Concrètement sont introduites deux formes de reddition de comptes. D'une part, la plupart des directeurs d'ARH de notre échantillon (8/13) ont préparé et signé une lettre d'objectifs et de moyens avec le Ministère dans laquelle ils s'engagent à moyen terme sur un certain nombre d'actions prioritaires conduites dans la région. De manière plus informelle, lorsqu'on interroge les directeurs sur le type d'évaluation auquel ils doivent faire face, 11/14 disent se sentir évalués par le Ministère. Les critères énoncés sont en revanche variables : capacité à restructurer (le plus souvent énoncé), équité dans l'allocation de ressources, capacité à gérer les situations conflictuelles. D'autre part, il est prévu que chaque année, l'ARH fasse état devant la Conférence régionale de santé, représentative d'acteurs très divers, de la manière dont l'ARH s'est engagée sur les priorités de santé publique définies par la Conférence.

Délégation, négociation, personnification et reddition de comptes nous apparaissent donc comme des dimensions nouvelles du dispositif de régulation, portées par les ARH, prévues dans les ordonnances et, pour partie, mises en œuvre au cours de ses quatre premières années d'existence.

UN PROCESSUS DE RÉGULATION SOUS TENSIONS

Cette innovation est toutefois soumise à des tensions qui témoignent de l'inscription institutionnelle des ARH et qui soulignent la dynamique de tout processus de régulation.

Une variété des pratiques mal acceptée

Même si dans le rapport de la Commission des affaires culturelles, familiales et sociales de l'Assemblée nationale, sur le projet de loi de financement de la sécurité sociale pour 1999, le député Claude Evin souligne la diversité des méthodes retenues par chaque agence pour l'établissement des dotations budgétaires aux établissements et le fait que les ARH *« développent une auto-nomie de gestion (...) gage d'inventivité et de proximité avec les réalités du ter-rain »*, un certain nombre d'éléments témoignent d'une tendance plus forte à la centralisation et à la normalisation des pratiques des ARH depuis 1998.

Si la variété des recrutements et l'étendue du premier appel à candidatures des directeurs d'ARH plaidaient pour une variété des pratiques, cette dernière – permise par la délégation et la personnification attachées aux ARH – apparaît mal acceptée par les acteurs, entre autres les établissements ou l'administration centrale. Ceci conduit à un mouvement de standardisation, illustré par plusieurs points.

À cet égard, le directeur de l'hospitalisation et de l'organisation des soins rappelle que sa première tâche en arrivant à la direction des hôpitaux (du Ministère) était *« de travailler avec eux* [les directeurs d'ARH] *pour montrer qu'en tant que représentant de l'État, ils ne sont pas des électrons libres, qu'ils sont là pour appliquer une politique hospitalière définie par le Parlement et par le gouvernement »* (Directeur de l'hospitalisation et de l'organisation des soins).

Ces tentatives de normalisation des pratiques et de « re-centralisation » s'expliquent à la fois par des raisons politiques, par des raisons liées à la représentation de l'action de l'État, et par la nécessité de garantir l'équité.

En effet, inquiets d'une trop grande diversification des pratiques des ARH, susceptibles de mettre en question la garantie de l'égalité de traitement, une demande de normalisation et de cadrage de l'action des ARH a émané d'établissements. Les directeurs eux-mêmes sont, semble-t-il, demandeurs de partage des expériences à la fois parce qu'ils sont désireux d'imiter pour apprendre mais aussi parce que la différenciation des pratiques pose des problèmes de légitimité et de reddition de comptes. À titre d'exemple, « *si dans une région il y a cinq centres d'urgence de niveau 1 et dans une autre vingt centres, il y a problème. Celui qui a été obligé d'en lâcher vingt va avoir des problèmes de financement et il sera content de savoir comment l'autre a fait pour en mettre seulement cinq* » (Mission d'appui aux ARH, ministère de l'Emploi et de la Solidarité).

Bien que certaines régions travaillent ensemble, les échanges inter-régions ne sont pas systématiques et beaucoup d'harmonisations passent par le Ministère.

Ces tentatives de normalisation des pratiques se concrétisent dans des documents et des réflexions sur les méthodes, dans l'organisation du travail et dans l'élaboration de tableaux de bord (groupe de travail au niveau central sur la méthodologie de la contractualisation, sur la campagne budgétaire, groupe de réflexion sur l'organisation des agences). « *Ces guides ont pour objectif de mettre de la cohérence, de regarder les expériences innovantes, de rassurer les établissements : on a des exigences vis-à-vis des agences. On dit voilà ce que nous pensons qu'il est bien de faire. Ça permet aux agences de regarder si elles sont bien « dans les clous «* » (Mission d'appui aux ARH, direction des hôpitaux, ministère de l'Emploi et de la Solidarité).

On peut noter qu'en septembre 2000, 15 des 22 régions métropolitaines ont changé de directeur d'ARH. Le recrutement des nouveaux directeurs se fait de façon beaucoup plus « classique ». « *On est revenu au vivier traditionnel avec une volonté de revenir à des schémas plus traditionnels (avec choix par le cabinet du ministre)* » (Bureau aux ARH, ministère de l'Emploi et de la Solidarité). Ces remplacements se sont faits sans nouvel appel à candidatures. On observe aussi au cours de la période, un mouvement de « fonctionnarisation » des directeurs. En effet, la formation comme la trajectoire professionnelle font apparaître deux profils types : le « haut fonctionnaire généraliste » qui est éventuellement passé par le secteur de la santé mais pas nécessairement, et le profil « fonctionnaire du secteur de la santé », qu'il soit directeur de services extérieurs de l'État ou directeur d'hôpital. Sur les quatre directeurs issus du privé, recrutés à la création des ARH, fin 2000, il n'en reste qu'un et les nouveaux recrutements n'en comportent aucun. Pour nos interlocuteurs, les directeurs d'ARH issus du privé souffrent de deux déficits, l'un de culture administrative et l'autre de concertation. « *(...) D'une part, il y a eu une certaine méconnaissance des règles de l'administration publique et notamment de ses fondements juridiques (ex : maternité, contentieux...). D'autre part, l'évolution n'est possible que s'il y a une bonne concertation – à la fois méthodologique et sur le fond – avec les élus locaux et syndicats ; or, ce ne fut pas toujours le cas. Les gens de l'entreprise n'avaient pas cette culture, cette pratique* » (Directeur de la DHOS, ministère de l'Emploi et de la Solidarité).

On mesure ainsi combien l'équilibre entre délégation et personnification de l'action d'une part, et exigence de coopération et de légitimité d'autre part est fragile. On voit, par ailleurs, que les ARH peuvent se heurter à des obstacles liés à la difficulté à faire évoluer les pratiques d'intervention de l'État ou aux représentations que les destinataires de ces interventions se font de l'État.

Un dispositif de régulation inscrit dans son environnement : la nécessité de relais à d'autres niveaux du système

L'inscription du dispositif de régulation dans son environnement met en valeur les freins à la consolidation de la nouvelle organisation que constitue l'ARH. Cette consolidation nécessite des soutiens – pour l'instant insuffisants – à d'autres niveaux du système de santé, qu'il s'agisse de l'administration centrale, de l'assurance-maladie ou des établissements.

A. La question de l'évaluation de l'action des ARH et de leur directeur ainsi que la définition de critères posent d'épineux problèmes, et en même temps, révèlent les contradictions inhérentes à la mise en place d'une politique de gestion par objectifs.

On peut considérer deux phases distinctes dans la mise en place des ARH et les modalités de reddition de comptes de leur directeur. On serait passé d'une phase dans laquelle les ARH étaient clairement un dispositif politique où elles ne rendaient des comptes qu'au cabinet (en fait leur première année de mise en place et de fonctionnement) à une phase de normalisation dans laquelle la direction des hôpitaux (du ministère de l'Emploi et de la Solidarité) retrouve sa place.

En effet, les directeurs d'ARH sont nommés par le gouvernement, en conseil des ministres. Ce dernier n'a pas à justifier ses décisions, qu'il s'agisse de nomination ou de révocation. Dans ces conditions, l'opportunité de disposer d'une grille d'évaluation des directeurs d'ARH se discute.

Dans l'esprit des concepteurs des ordonnances, il s'agissait de mettre en place une évaluation différente de celle habituellement utilisée pour un corps de fonctionnaires constitué, c'est-à-dire une évaluation « (...) *en termes simples du type "ça marche ou ça ne marche pas". Dans ce dernier cas, c'est la révocation sans garantie de reclassement automatique. En contrepartie, la rémunération est attractive* . »

Une réflexion a néanmoins été entreprise sur leur évaluation. Au départ, il était envisagé que chaque agence établisse une lettre de mission. L'entrée en fonction d'un nouveau gouvernement en 1997 a stoppé le processus finalement relancé sous forme de lettre d'objectifs plutôt que de lettre de mission. « *C'est un retour dans une chaîne de commandement plus classique avec la direction des hôpitaux (direction du ministère de la Santé) et pas le cabinet... C'est quelque chose de souple. Ce n'est pas une grille d'évaluation avec des objectifs pluriannuels* » (Mission d'appui aux ARH). Avec le temps, la lettre d'objectifs se formalise. Cette dernière précise un certain nombre d'items communs à l'ensemble des ARH : planification, priorités de santé publique, allocation de ressources, politique hospitalière, ressources humaines, fonctionnement du partenariat État/assurance-maladie.

Toutefois, pour les directeurs d'ARH, les modalités d'évaluation semblent floues à la fois sur la forme (le fonctionnement des lettres d'objectifs, le maintien ou pas de ces lettres ne sont pas connus de tous) et sur le fond puisqu'un certain nombre de directeurs déclarent ne pas savoir sur quoi leur action est évaluée.

La prégnance de l'environnement institutionnel national dans les orientations de la politique hospitalière se concrétise dans la difficulté à établir des modalités précises de reddition des comptes et d'évaluation des objectifs des ARH. Ainsi, si l'on peut admettre que le projet originel, en mettant l'accent sur l'obédience personnelle, exprimait une simplification des objectifs de la régulation hospitalière – restructurer et réduire les inégalités interrégionales et interétablissements –, l'arrivée du nouveau gouvernement en 1997, en privilégiant la coopération et la négociation, tend plutôt à complexifier ces mêmes objectifs – il s'agit surtout de réduire les inégalités, l'objectif étant toujours de restructurer mais sans conflits et en impliquant et concertant tous les acteurs à la définition de la politique hospitalière régionale.

B. Les difficultés à déterminer des critères d'évaluation de l'action de l'ARH témoignent également des difficultés qu'éprouve l'État à déconcentrer : l'État n'est ni monolithique ni coordonné.

L'action « au quotidien » du Ministère est jugée plutôt positivement par les ARH. Aucune ne se sent « abandonnée » par le Ministère. Toutefois, certaines regrettent d'être considérées comme des services extérieurs de l'État et revendiquent donc certainement plus d'autonomie dans leur action ou un mode de pilotage différent. À cet égard, l'un de nos interlocuteurs souligne la contradiction : « *aujourd'hui, il y a une tentative de reconcentration alors même qu'il n'y a pas de commande précise, pas de lettre de mission. Par définition, l'agence n'est pas un service déconcentré. Il n'y a pas de relation hiérarchique : il est nécessaire d'obtenir un accord, une adhésion autour des problèmes qui se posent* » (Chargé de mission ARH). Les acteurs soulignent également la diversité des attentes des différentes directions du Ministère, comme peuvent aussi s'en plaindre les services extérieurs de l'État. À cet égard, on peut rappeler que la réflexion initiale sur l'évaluation des directeurs d'ARH n'a pas abouti faute d'avoir pu unifier les différents points de vue sur l'hospitalisation au sein du Ministère fortement balkanisé.

Ces éléments soulignent comment la délégation de l'action et la modification de la reddition de comptes peuvent se heurter à une déconcentration inaboutie du système de santé.

C. Les relations État/assurance-maladie montrent une forte distorsion entre le niveau national et le niveau régional.

Il semble en effet que la clarification des responsabilités et la coordination État/assurance-maladie sont plus importantes au niveau du réseau régional qu'au niveau national. Nous avons souligné les pratiques permises par les ARH et effectivement constatées de coopération entre État et assurance-maladie dans les régions. En revanche, au niveau national, les positions et les responsabilités entre État et assurance-maladie demeurent moins clarifiées. À ce titre, la Cour des comptes, dans son rapport 1998, souligne la difficulté du Ministère et de la CNAMTS à mettre en place une véritable coordination des ARH.

Lors de la création des agences, une réflexion avait été engagée sur la manière de piloter ces nouvelles institutions à l'intérieur d'une réflexion plus large sur le partage des responsabilités avec le niveau central. Dans le cadre du rapport Vallemont, un groupe de travail avait préconisé la création d'une structure à deux niveaux : d'une part une conférence des directeurs d'agences sous la présidence du Ministère, qui aurait constitué l'organe politique et, d'autre part, une structure administrative, c'est-à-dire une mission dirigée par un chef de service secondé de chargés de mission, chargée de faire l'interface entre le Ministère et les ARH. À l'instar des agences, cette mission aurait été constituée de représentants de l'État et de l'assurance-maladie. Cette composition aurait garanti « *le bon traitement des questions les plus lourdes : enveloppes financières, gestion de l'*OQN*, fongibilité des sous-ensembles de l'objectif national des dépenses d'assurance-maladie, articulation du financement et des objectifs de santé, etc.* » (Dhuicque, 1997).

En pratique, la solution retenue a été beaucoup plus légère : une personne a été chargée, au Ministère, de la coordination des agences au sein d'une mission d'appui aux ARH. Ainsi, l'assurance-maladie n'intervient pas de façon formelle dans le dispositif de pilotage des ARH.

L'intérêt porté à l'hospitalisation et aux ARH n'est d'ailleurs pas le même selon les différents niveaux de l'assurance-maladie. Ainsi, si le niveau régional considère qu'il existe une véritable « valeur ajoutée » de l'ARH, il souligne également la faiblesse des orientations nationales de l'assurance-maladie. La politique hospitalière reste l'apanage de l'État et cette situation se trouve renforcée depuis le passage « sous contrôle de l'État » en 2000 des cliniques privées.

Cette situation empêche sûrement la coopération et l'intégration régionale – permises par les ARH – de produire tous leurs effets.

D. Le déficit de compétences ressenti par les ARH témoigne enfin des difficultés de relation de proximité avec les établissements.

Les ARH – interrogées sur les compétences manquantes – mentionnent le besoin d'une connaissance plus fine des établissements (coûts, activités, capacité de financement, gestion de ressources humaines, gestion du changement) propre à permettre d'évaluer les difficultés et les ressources des hôpitaux, de les guider dans la planification des investissements et éventuellement de jouer sur une mise en commun des ressources entre établissements. On observe là un paradoxe entre la volonté de piloter à distance l'organisation de l'offre de soins (ARH expert, ARH lieu de formation d'une politique régionale de soins) et une nécessité ressentie de pilotage plus rapproché des hôpitaux (ARH super gestionnaire). L'une exige des hôpitaux dotés d'un appareillage de gestion complet, l'autre renvoie à la nécessité pour le régulateur de pallier un déficit de gestion des établissements.

Les ARH évoquent également la question de la maîtrise de la gestion des effectifs hospitaliers afin de pouvoir la coupler à la planification des organisations. Elles regrettent en effet que « *Le Ministère gère des procédures, pas des compétences* [alors même que] *les projets de réorganisation sont conditionnés par cette gestion des personnels médicaux. Dans les restructurations, il y a toujours des problèmes médicaux* » (Chargé de mission ARH).

Sont ainsi illustrées les interactions entre un projet de transformation des pratiques de régulation et la dynamique d'un environnement institutionnel qui peut à la fois le contraindre et le conforter. En effet, le dispositif ARH, avec ses tensions « institutionnelles », porte la trace d'évolutions possibles mais il est également porteur d'éventuelles rétroactions sur le cadre institutionnel.

Un dispositif de régulation qui porte la marque de transformations à venir

La spécialisation de l'ARH sur le champ hospitalier est considérée à la fois comme l'une des principales valeurs ajoutées du dispositif et l'une de ses limites. L'ARH est alors dès sa naissance une organisation instable dont on pressent qu'elle peut être une organisation de transition.

L'un des apports principaux des ARH réside dans un champ d'action plus circonscrit qu'auparavant, sur la politique hospitalière, permettant au régulateur à la fois de développer une certaine expertise et de concentrer sa vigilance. Elles évitent que les questions hospitalières ne se retrouvent sous une pile de dossiers considérés comme plus prioritaires. Les objectifs sont alors clairs.

Toutefois, deux problèmes se posent. À l'heure actuelle, les ARH ont un champ d'action aux frontières ambiguës. Un certain nombre de fonctions concernant le secteur hospitalier même leur échappent. C'est le problème des « compétences résiduelles » : la sécurité reste sous la responsabilité du préfet, l'avancement et la notation des personnels hospitaliers ainsi que le médico-social restent sous la responsabilité du département. Par ailleurs, cette spécialisation hospitalière de l'ARH se heurte à la polyvalence des enjeux d'organisation des soins sans cesse réaffirmée, illustrée par la volonté de promouvoir les interdépendances ville-hôpital, le sanitaire et le social, les réseaux de soins et de décloisonner l'hôpital. L'ARH se présente alors comme une organisation qui travaillerait à contre-courant.

Beaucoup de nos interlocuteurs évoquent donc une évolution probable et souhaitable des ARH vers des agences régionales de santé (ARS) qui auraient en charge outre l'hospitalisation, le secteur médico-social, voire – mais sans doute à une échéance plus lointaine – le secteur ambulatoire. « *Il me semble inéluctable de devoir aller jusqu'au bout avec la création des ARS, en maintenant une déconcentration (la décentralisation est impossible tant que le système de financement de l'assurance-maladie est un système solidaire mutualisé). Dans ce cas, l'ARH serait le bras séculier du Ministère* » (Directeur de l'hospitalisation et de l'organisation des soins, ministère de l'Emploi et de la Solidarité). Ainsi, pour son directeur, la réforme de la direction de l'hospitalisation et de l'organisation des soins du Ministère (DHOS) préfigure l'avenir avec un passage de l'action centrée sur l'hôpital à l'offre de soins dans sa globalité (d'où le terme organisation des soins et hospitalisation pour intégrer public et privé dans la DHOS).

Cette évolution ne va pas de soi. Outre le fait qu'elle exige de se séparer des bienfaits de la spécialisation, elle pose des questions institutionnelles.

Les DRASS devraient disparaître ou plus exactement passer sous la responsabilité des ARS (avec un changement de hiérarchie et une dépossession des préfets de leurs dernières attributions sanitaires). Or, dans la conception originelle des ARH, la disparition des DRASS était programmée. Projet qui fut finalement abandonné car jugé inacceptable. « *En maintenant les services déconcentrés de l'État au sein de l'agence, il est évident que l'on était loin de l'idéal type qui était le nôtre, qui reposait sur une logique d'assignation de responsabilités fortes, imperméable aux interférences politiciennes. Ce fut un compromis. C'est un système moins pur que ce qu'on aurait voulu* » (Rédacteur des ordonnances). L'est-il moins aujourd'hui ?

Par ailleurs, avec des ARS, la complémentarité entre les composantes hospitalières et ville des soins est nécessaire, ce qui suppose un nouveau positionnement de l'État et de l'assurance-maladie sur la régulation de la médecine de ville.

CONCLUSION

Au vu de l'analyse, on peut penser que les transformations du modèle de régulation portées par le dispositif ARH demeurent en deçà des ambitions du projet initial.

Toutefois, la création de cette nouvelle organisation transforme de manière irréversible, à la fois la façon dont les acteurs se représentent ce que doit être l'offre de soins – avec le souci de penser les problèmes d'offre de soins par rapport aux interdépendances possibles entre prestataires sur un territoire donné – et la manière dont le régulateur conçoit l'action publique – avec une plus grande participation des différentes parties prenantes du processus de régulation à l'élaboration du cadre et des règles de régulation. Ainsi, c'est un renforcement de la dimension de coopération/négociation qui est observé sur la période étudiée et une instabilité ou des tensions plus fortes attachées aux dimensions de délégation, de personnification de l'action et de reddition de comptes.

Différents éléments d'interprétation sont possibles pour expliquer ceci. La transformation du dispositif et du processus de régulation a des conséquences sur leurs pratiques, en particulier sur leur variabilité – que le système dans son ensemble n'est pas capable à ce jour d'accepter. L'innovation portée par le dispositif ARH reste « localisée » au sein des institutions régionales et sans véritable relais à d'autres niveaux. Enfin, sans doute existe-t-il des contradictions entre le renforcement des différentes dimensions (plus de délégation, plus de coopération, plus d'obédience personnelle, plus de reddition de comptes) et les figures de l'État ou les formes d'intervention publique que chacune d'elles mobilise. On peut toutefois faire l'hypothèse que, de ces conflits, naîtra une nouvelle dynamique de changement porteuse de nouvelles modifications dans le processus de régulation.

Aussi, avec la création des ARH, ont été posés dans le secteur de la santé les jalons d'une nouvelle forme de gestion publique, forme qui n'en reste

pas moins confuse, ambivalente, sous tension. Cette ambiguïté gagne certainement à être considérée comme une caractéristique même du mode de
gestion plutôt que comme une de ses imperfections. En cela, les réformes
françaises de l'action publique se distinguent largement des réformes anglo-
saxonnes et ressemblent probablement davantage à ce que l'on a pu observer au Québec, comme le chapitre suivant le montre.

3

Régionaliser pour restructurer au Québec

Damien Contandriopoulos, Jean-Louis Denis,
Ann Langley, Annick Valette

Ce chapitre[1] se donne trois objectifs complémentaires : proposer une description des structures de gouvernance régionale du système socio-sanitaire québécois, esquisser une analyse des processus par lesquels des structures de gouvernance nouvellement instituées en arrivent à acquérir de la légitimité et à développer leurs capacités d'action, s'interroger sur les effets macro-systémiques de l'instauration de ces nouvelles structures. Ces objectifs nous semblent particulièrement pertinents dans un contexte où relativement peu d'attention a été portée sur la dynamique qu'implique la mise en place de nouvelles structures de gouvernance comme moyen de renouveler la régulation des administrations publiques.

Au cours des dernières décennies, le domaine de l'administration publique a été profondément modifié. La volonté de diminuer les dépenses publiques conjuguée à la vogue d'idéologies centrées sur la maximisation de la productivité (Ferlie *et al.*, 1996) ont entraîné une série de restructurations majeures au sein des administrations publiques de la majorité des pays. Le processus de régionalisation des systèmes socio-sanitaires du Canada doit être compris dans ce contexte global. Par régionalisation, nous entendons ici la mise en

---

1. Une version plus développée des idées présentées ici a été publiée dans la revue *Public Administration* : Contandriopoulos, D., Denis, J.-L., Langley, A. et A. Valette (2004), *Governance structures and political processes in a public system, Public Administration*, 82 (3).

place de nouvelles structures organisationnelles visant à améliorer la gouvernance sur le plan intermédiaire (Denis, 1999 ; Denis et Valette, 2000). Même si certains assimilent régionalisation et décentralisation, il est généralement accepté de considérer la régionalisation comme une combinaison de centralisation et de décentralisation. En effet, si la régionalisation s'apparente à une décentralisation du point de vue du central, elle s'apparente au contraire à une centralisation du point de vue des institutions locales (Dorland et Davis, 1996 ; Canadian Medical Association, 1993). De manière générale, les politiques de régionalisation au Canada se sont accompagnées de quatre objectifs : un contrôle des coûts, une plus grande imputabilité décisionnelle, une prise en compte de logique populationnelle dans l'organisation des services et une démocratisation des processus décisionnels.

Comme nous l'argumentons dans ce chapitre, la création de nouvelles instances de gouverne régionale nous apparaît comme un processus complexe et éminemment politique qui peut effectivement permettre d'insuffler plus d'adaptabilité et de flexibilité au sein des institutions publiques. En revanche, précisément parce qu'il s'agit de processus politiques, la capacité à atteindre ces objectifs et à assurer leur pérennité dépendra d'un certain nombre de conditions que nous nous proposons d'aborder. Une piste pour ce faire est d'analyser comment les structures de gouvernance nouvellement instituées au niveau régional réussissent à remplir leur rôle et à développer leurs capacités stratégiques. C'est ce que nous proposons de faire ici à partir de l'analyse des modes de gouverne de trois Régies régionales de la santé et des services sociaux (RRSSS) au Québec. Dans un premier temps, nous présentons très rapidement les bases théoriques sur lesquelles repose cette analyse. Dans un deuxième temps, nous proposons une analyse fine des modes de gouverne mis en œuvre dans trois régions du Québec. Finalement, nous tirons quelques leçons plus générales sur les conditions nécessaires à une re-dynamisation des structures de gouverne publique.

CADRE THÉORIQUE

Depuis le début des années 1990, les débats au sujet de la réorganisation des systèmes publics de gestion ont été structurés autour du concept de gouvernance. Il existe de nombreuses définitions de ce terme (Chevalier,

1996; Kooiman, 1993; March, 1992) mais toutes tournent autour des trois problématiques complémentaires que sont la production d'une convergence entre différents acteurs et organisations, la redistribution de pouvoir dans des champs sociaux et organisationnels hétérogènes et l'appropriation d'une légitimité suffisante pour agir au nom de la collectivité. En nous inspirant de March (1992), nous définissons ici la convergence comme la capacité pour les individus, les groupes ou les organisations à trouver des compromis collectifs au sujet de décisions ou d'actions. En revanche, cela ne signifie pas qu'il existe un consensus unanime à ce niveau. La redistribution de pouvoir est définie, à la suite de Hinings et Greewood (1998), comme une modification dans la capacité des acteurs d'influencer les règles décisionnelles et les arrangements organisationnels en fonction de leurs propres valeurs et intérêts. Finalement, en nous inspirant de Suchman (1995), nous définissons ici la légitimité comme étant la perception par laquelle les actions d'une entité sont vues comme désirables ou appropriées en fonction d'un système de références normatives socialement structurées.

Nous avons choisi d'analyser des transformations de la gouverne régionale impliquées par la régionalisation de l'administration du système sociosanitaire du Québec. Ce travail empirique s'appuie sur l'utilisation de trois idéaux types d'action collective qu'implique la création d'une structure de gouvernance régionale (Denis *et al.*, 2000b, 1998; Denis, 1999; Denis et Valette, 1998a, 1998b, 2000). Avant d'entrer dans l'analyse des cas, nous proposons de brièvement décrire ces modèles.

Le modèle de la délégation

Le modèle de la délégation repose principalement sur une approche économique du comportement organisationnel liée aux théories de l'agence (Barney et Hesterly, 1996; Donaldson, 1990). Il propose une perspective qui vise à contrôler les comportements opportunistes dans le contexte où un principal délègue à un agent des fonctions ou des responsabilités. Cet agent est par ailleurs celui jugé le mieux placé en termes de compétences ou de position pour atteindre les objectifs voulus. Cette délégation implique forcément un transfert de risque à l'agent qui pourra être tenu responsable des difficultés d'exécution. Parce qu'il y aura inévitablement une asymétrie d'information entre celui qui met en œuvre la décision (l'agent) et celui qui lui délègue cette tâche (le principal), le modèle de la délégation met l'emphase sur le développement de mesures de performance pour superviser les comportements et sur la mise en place d'incitatifs pour réduire le risque de comportements opportunistes (Eisenhardt, 1985). Par ailleurs, la formulation de mandats réalistes qui favorisent effectivement l'atteinte des objectifs organisationnels est aussi problématique (Girin, 1995). Il s'agit donc ici d'un modèle dynamique qui conçoit les relations inter-acteurs comme hiérarchiques et formelles mais où la capacité de contrôle du principal est limitée, ce qui permet à l'agent de conserver une certaine autonomie.

Selon un tel modèle, les questions de gouverne régionale portent essentiellement sur le potentiel et les limites de la délégation de responsabilité par le biais de la formulation de mandats. La valeur ajoutée de ce fonctionnement dépend de la capacité des instances régionales de traduire les responsabilités générales confiées par le central en objectifs précis qui peuvent être mis en œuvre au niveau local. Dans ce modèle, la *convergence* signifie donc avant tout la conformité avec les intentions et les politiques du palier central. La *redistribution de pouvoir* découle, elle, du principe de subsidiarité. Les instances intermédiaires et locales obtiennent du pouvoir en fonction de leur capacité relative à mettre en œuvre efficacement les desseins du central. La *légitimité* dépend de l'acceptabilité perçue des positions du central. Plus les instances locales perçoivent les positions du central comme légitimes, plus la légitimité des instances intermédiaires s'en trouvera augmentée et leur tâche s'en trouvera facilitée.

Le modèle interactif

Ce deuxième modèle s'appuie sur une interprétation politique du comportement des acteurs et des organisations. Ceux-ci possèdent des ressources qu'ils utilisent stratégiquement pour atteindre leurs objectifs en situation d'interdépendance (Crozier et Friedberg, 1977 ; Benson, 1975). Parce qu'ils sont forcés de maintenir des relations d'échange, les acteurs et les organisations acceptent de se conformer à certaines contraintes et à des règles collectives. En revanche, tous les acteurs n'ont pas les mêmes atouts pour exercer une influence et atteindre leurs objectifs. Les acteurs vont ainsi

utiliser différentes tactiques pour orienter le déroulement des jeux stratégiques en cours en fonction de leurs intérêts propres (Pfeffer et Salancik, 1978 ;
Pfeffer, 1992). La conception implicite du pouvoir dans ce modèle est pluraliste au sens où tous les acteurs et toutes les organisations possèdent des atouts
leur permettant potentiellement de développer des stratégies pour modifier
leur position ou la distribution du pouvoir dans le champ. Ces acteurs sont
finalement perçus comme étant constamment à la recherche d'une plus
grande autonomie et en train d'éviter autant que possible les contraintes et les
dépendances.

Selon un tel modèle, les questions de gouverne régionale portent essentiellement sur la structuration régionale des jeux stratégiques. Dans ce
modèle, le palier central délègue un pouvoir discrétionnaire aux instances
régionales en présupposant que les meilleures politiques sont le fruit de
négociations décentralisées. Ici la *convergence* est le produit d'une orientation générale, d'un consensus négocié, qui se dessine par le biais des interactions politiques. La *redistribution de pouvoir* est la conséquence à la fois
des processus de négociation, des stratégies adoptées par chacun des acteurs
impliqués et des modifications dans l'environnement externe. L'instance
régionale de gouverne va directement tenter d'influencer les relations de
pouvoir et l'équilibre des négociations en utilisant des tactiques comme le
contrôle de la ligne d'action, l'imposition de règles de négociation, etc.
Finalement, selon ce modèle, la *légitimité* d'une nouvelle instance de gouverne découle de la conviction qu'ont les acteurs d'être réellement partie
prenante au processus décisionnel alors que dans le même temps, cette instance doit avoir à la fois les compétences et une légitimité suffisantes pour
contrôler les jeux stratégiques des acteurs dominants.

Le modèle démocratique

Le troisième modèle, baptisé démocratique, s'appuie sur la théorie de la
délibération publique et sur une perspective institutionnelle d'analyse des
politiques (Bohman, 1996 ; Habermas, 1989 ; March et Olsen, 1995). Selon ce
modèle, les organisations sont des biens publics dont la responsabilité est
de développer la participation politique. Ce sont des instruments permettant la démocratisation de la société. Cette perspective reconnaît que les

capacités à faire valoir ses préférences ne sont pas également distribuées, ce qui engendre des inégalités persistantes entre les citoyens et entre les groupes sociaux. Dans ce contexte, les organisations peuvent contribuer à la reproduction des inégalités ou, au contraire, contribuer à instaurer des politiques inclusives qui permettent à un ensemble plus hétérogène d'acteurs de s'exprimer (Hirschman, 1970).

Selon un tel modèle, les enjeux de gouverne régionale portent essentiellement sur la création de structures et de processus qui contribuent à une démocratisation de la société. L'origine de la *convergence* découle, dans ce modèle, de l'expression d'un éventail de points de vue large et diversifié dans un contexte ouvert et délibératif. Pour favoriser la *redistribution de pouvoir*, les instances régionales doivent mettre en œuvre des structures et des processus qui stimulent la participation tout en limitant le risque d'une domination indue par certains groupes ou acteurs puissants. La *légitimité* de l'instance régionale découle de la plausibilité que les processus de délibération ne soient pas biaisés et de sa capacité à mettre en œuvre les politiques ainsi produites par la volonté populaire. La prédominance des arrangements organisationnels formels dans ce processus est moins nette que dans les deux autres modèles puisque ici les organisations formelles ne sont que des instruments pour mettre en œuvre des politiques élaborées démocratiquement.

CONTEXTE ET DONNÉES

Neuf des dix provinces canadiennes ont régionalisé l'administration de leur système socio-sanitaire. Ce processus de régionalisation a pris des formes différentes suivant les provinces puisque certaines (par exemple l'Alberta ou la Saskatchewan) ont choisi de supprimer l'autonomie des organisations locales et de transférer directement ces responsabilités au provincial.

Le Québec a été la première province canadienne à régionaliser une partie de l'administration de son système socio-sanitaire dans les années 1970 à la suite des recommandations du rapport Castonguay-Nepveu. Ce processus a ensuite été accéléré au début des années 1990 à la suite du dépôt du rapport Rochon. Jusqu'à présent, 18 Régies régionales reçoivent un budget fixe pour financer tous les services médicaux et socio-sanitaires dans leur région en dehors de la rémunération des médecins qui reste une responsabilité provinciale. C'est donc le palier régional qui était chargé d'allouer les budgets aux institutions locales. En juin 2001, le gouvernement québécois a profondément modifié une première fois le fonctionnement des Régies ainsi que les liens entre les paliers régionaux et central. À la suite de la victoire du Parti libéral au printemps 2003, une seconde réforme majeure est en train d'être mise en œuvre. Cette réforme devrait à terme signifier la disparition des Régies régionales ou au moins un transfert significatif de leurs prérogatives directement au niveau des institutions de production de soins. Les données à la base des études de cas présentées ici ont dans leur grande majorité été collectées avant ces deux réformes. Nous croyons toutefois que les phénomènes analysés ici sont assez généraux pour présenter un intérêt, même après la modification du contexte d'étude. Jusqu'à l'été 2001, les RRSSS n'étaient formellement imputables face au palier central que par le biais de la Commission des affaires sociales, c'est-à-dire un comité parlementaire composé de quelques députés représentant les deux principaux partis au gouvernement. Par ailleurs, la loi stipule que « *La Régie régionale a principalement pour objet de planifier, d'organiser, de mettre en œuvre et d'évaluer, dans la région, les orientations et politiques élaborées par le Ministre* » (Québec 2001, art. 240). Toutefois, avant la réforme de 2001, le Ministre avait très peu de leviers de pouvoir sur les régies. Sur le plan formel, chaque régie était sous l'autorité d'un conseil d'administration chargé de voter toutes les décisions significatives et chargé de nommer le directeur général (D.G.). Les membres du conseil étaient nommés ou cooptés à leur poste en fonction d'un système de quota complexe. La majorité des membres étaient obligatoirement élus à d'autres fonctions (par exemple membre du conseil d'administration d'un hôpital ou d'une autre institution locale, maire, membre d'une commission scolaire, etc.).

L'analyse présentée plus bas repose plus spécifiquement sur 49 entrevues semi-dirigées réalisées dans trois régions, mais elle s'appuie aussi sur la compréhension plus large de la gouverne régionale acquise par le biais de plusieurs programmes de recherche. L'analyse des données s'apparente à une analyse critique des discours produits par les individus et les institutions concernés (Hardy *et al.*, 2000 ; Blommaert et Bulcaen, 2000). La stratégie utilisée est principalement une comparaison des pratiques avec les idéaux types présentés plus tôt.

PRÉSENTATION DE TROIS CAS

Premier cas : Une action séquentielle

La première région est principalement rurale et il s'agirait d'une petite région en termes de ressources si elle ne possédait pas un grand hôpital universitaire sur son territoire. L'action de la Régie n° 1 est caractérisée par une régulation que nous qualifions de séquentielle, découpée en trois phases distinctes. La première phase, qui pourrait être baptisée de définition de la vision, a pour fonction de permettre l'élaboration des priorités et des objectifs régionaux. Durant cette phase, c'est une logique de délégation qui prédomine. La Régie doit absorber des compressions votées par le parlement sans réduire la production et la qualité de services. De ce point de vue, il est évident que les Régies se sont trouvées dans la situation d'une structure intermédiaire à laquelle le central confie un mandat clair mais complexe (Girin, 1995). La légitimité d'action des régies dans ce contexte est dérivée de la légitimité démocratique d'un gouvernement élu qui délègue l'exécution d'une tâche à l'un de ses organes.

> « Les Régies doivent répondre aux attentes très claires du Ministère de produire des résultats financiers. Le niveau de réduction de dépenses est une donnée. Ce qu'il faut voir c'est comment on l'assume au niveau régional. » (Un membre de la direction de la Régie n° 1)

À un second niveau, plus micro, la logique de délégation prédomine aussi dans le discours de la direction et du conseil d'administration de cette régie, qui affirme sans détour que l'élaboration des priorités et des orientations stratégiques est la prérogative exclusive des régies régionales.

La deuxième phase, qui pourrait être baptisée le dialogue, a pour fonction d'établir les enjeux et les solutions par le biais d'une négociation politique à laquelle tous les acteurs concernés sont conviés. Si nous qualifions cette négociation de politique, c'est que l'influence de chaque acteur y est probablement proportionnelle à son pouvoir. À ce stade, la régulation régionale est principalement interactive. En pratique, le processus de négociation passe par le biais de comités *ad hoc* mis sur pied pour traiter certaines problématiques spécifiques. Ces comités sont institués par la Régie, mais se voient accorder une relative autonomie. Ainsi, ils sont généralement présidés par un homme d'affaires de la région, extérieur au domaine de la santé, et ils regroupent tous les acteurs touchés. Les comités font aussi appel à des firmes de consultants plutôt qu'au personnel de la Régie pour obtenir l'expertise technique dont ils ont besoin. Tout cela montre bien la volonté de la Régie d'instaurer un processus de négociation qui soit aussi neutre que possible. Ceci s'explique par le fait que c'est précisément l'autonomie et la neutralité des comités qui confèrent une légitimité relativement importante à leurs recommandations. De même, le fait que les comités regroupent tous les acteurs concernés permet un certain niveau de contrôle par les pairs et limite la possibilité pour un participant de s'opposer radicalement à ses recommandations une fois celles-ci déposées.

Il est aussi probable que les caractéristiques structurelles de cette région renforcent la nécessité pour la Régie d'entrer dans un processus de négociation relativement ouvert avec les institutions locales. En effet, le déséquilibre que produit l'existence d'un CHU dans cette « petite » région entraîne un rapport de pouvoir très caractéristique.

> « On sait très bien que, finalement, les Régies n'ont pas de pouvoir sur les CHU ; en réalité, ce sont de gros monstres qui relèvent directement [du] Ministère. En pratique, c'est la recherche, c'est l'Université, c'est toutes les super-spécialités. Quand c'est la moitié du budget d'une région qui est dans un établissement, il faut comprendre que cet établissement a un pouvoir qui est là. Il n'a même pas besoin de l'exercer, il est là. » (Le directeur général d'une institution de la région n° 1)

Parce qu'elle est en mesure de créer un espace régional de négociation où des compromis intéressants peuvent êtres obtenus, la Régie n° 1 rend la coopération plus attirante que l'opposition. Parallèlement, parce que, ce faisant, elle reste en mesure de remplir les mandats confiés par le central dans une logique de délégation, la Régie n° 1 s'assure le soutien du central et limite ainsi le risque qu'une institution locale s'adresse directement au Ministère. Nous y reviendrons, mais à notre avis cette capacité de confiner le processus de négociation et de décision au niveau régional est une condition *sine qua non* de l'existence d'une réelle capacité de gouverne au niveau régional.

Ce fonctionnement interactif présente évidemment quelques travers. D'une part, il existe un risque qu'une partie des ressources soit affectée en fonction de l'efficacité des négociateurs plutôt qu'en fonction de l'intérêt général. D'autre part, le fonctionnement par comités que nous avons décrit entraîne une dépense de ressources et de temps importante pour les participants. À ce niveau, il est indéniable que la capacité de la Régie, contrairement aux autres institutions, de consacrer toutes ses énergies à ce processus lui confère un avantage stratégique.

Finalement, une fois qu'un comité produit ses recommandations, on entre dans une troisième phase à nouveau caractérisée par un recours à une logique de délégation forte. Il est très clair que du point de vue de la Régie il s'agit d'un tournant qui marque la fin de la négociation et le début de l'implantation. Certains informateurs décrivent ce mode de fonctionnement comme « la théorie de la gueule du python » ou encore comme « une super machine de planification irréversible ». À ce stade, le conseil d'administration se retrouve en première ligne face aux critiques puisque c'est lui qui est légalement chargé d'adopter les recommandations des comités. Qui plus est, il doit jouer ce rôle précisément au moment où la Régie passe d'une logique interactive ouverte à une logique de délégation beaucoup plus directive. À partir de ce moment, la direction semble considérer qu'elle a obtenu le mandat de mettre en œuvre cette décision et s'appuie à la fois sur ses prérogatives légales et sur la légitimité que lui confère le processus de négociation qui a produit la décision. L'efficacité même de ce processus décisionnel en trois phases contribue au mécontentement de certains acteurs qui n'arrivent pas à s'y opposer efficacement pour faire valoir leurs intérêts propres.

Si l'on reprend cette analyse en utilisant les concepts définis plus tôt de convergence, de redistribution de pouvoir et de légitimité, on peut tout d'abord constater que la Régie n° 1 a été à même de produire un haut niveau de convergence. Plusieurs restructurations majeures ont été mises en œuvre. En termes de redistribution de pouvoir, la Régie n° 1 a su s'approprier et utiliser une marge de liberté importante face aux acteurs locaux. À ce sujet, il nous semble que l'ampleur des compressions budgétaires exigées par le palier central a paradoxalement limité l'influence des acteurs locaux dans l'élaboration de la ligne d'action. L'utilisation des comités en tant que structure de décision collective relativement transparente qui permet d'intégrer les élites locales et des consultants externes a certainement aussi beaucoup contribué à la capacité d'action de la Régie. La seule restriction importante à cette capacité d'action est probablement l'ampleur du pouvoir du CHU. La légitimité d'action de la Régie repose quant à elle sur trois sources, la clarté des mandats confiés par le central, la validité et la rationalité des arguments élaborés par les consultants, et la cooptation de représentants crédibles des différentes communautés touchées par les restructurations. Pour conclure, la combinaison des logiques interactive et de délégation élaborée par la Régie n° 1 apparaît comme une base solide pour lui permettre d'avoir un impact majeur dans la régulation mise en œuvre dans cette région.

Deuxième cas : Une action négociée

La région n° 2 est géographiquement très étendue et comprend à la fois des banlieues densément peuplées, des municipalités de moyenne importance et des zones rurales. En termes de ressources, cette région se compare à la région n°1 à l'exception notable du fait que ces ressources sont ici beaucoup plus également réparties entre plusieurs institutions. L'action de cette Régie se caractérise par son parti pris en faveur d'une régulation fondée sur l'élaboration de consensus. Le mode de régulation mis en œuvre ici est avant tout interactif même si l'on peut observer des traces d'une logique démocratique.

En pratique, l'élaboration de consensus sur les problèmes et les solutions passe par toute une série de forums où les acteurs régionaux se rencontrent en présence de représentants de la Régie pour échanger de l'information et discuter des problématiques auxquelles ils doivent faire face. Certains de ces forums sont permanents, d'autres sont *ad hoc*, certains sont organisés par secteur d'activité, d'autres sont territoriaux. Un aspect typique du fonctionnement des forums de la région n° 2 est l'atmosphère relativement conviviale et constructive qui caractérise les échanges. Il semble exister un climat de confiance mutuelle entre les acteurs locaux et la Régie qui est probablement en partie le fruit d'une histoire locale de collaboration ainsi que le produit de relations interindividuelles continues et harmonieuses entre les dirigeants des principales institutions régionales.

> « Il y a une dynamique dans la région que je n'ai jamais vue au Québec [...] Les établissements ne sont pas en guerre avec la Régie. Alors [*que dans les autres*

régions] c'est un rapport de pouvoir, ici ce n'est pas ça. C'est beaucoup plus au niveau de la collaboration, du respect des gens, du fair-play. Je pense qu'il y a des valeurs de gestion régionale qui se sont transmises au fil des années [...] Ça c'est quelque chose qui se distingue par rapport à d'autres régions. » (Le directeur général d'une institution de la région n° 2)

Ce climat particulier tend à compliquer l'analyse de l'impact et de la nature de l'action de la Régie n° 2. En effet, au premier abord, ce que l'on observe c'est un large consensus entre les acteurs locaux et une Régie qui joue un rôle discret. De nombreux informateurs se sont aussi plaints de l'indécision de la Régie dans certains dossiers, voire de sa faiblesse. Ces personnes rappellent que pour certaines décisions un consensus parfait est inaccessible et que la Régie devrait faire preuve de plus de poigne pour éviter que les choses ne traînent en longueur.

« Ça c'est un dossier où le consensus n'était pas possible. Et je pense qu'il faut reconnaître quand le consensus n'est pas possible. Là on dit le consensus n'était pas possible et l'on se positionne comme ça et l'on encaisse les résistances et l'on se positionne comme ça ou si on n'est pas prêt à encaisser les résistances [*on ne s'implique pas dans ce dossier*] » (Le directeur général d'une institution de la région n° 2 au sujet de l'action de la Régie dans un dossier controversé)

La première impression d'une Régie discrète et indécise nous semble toutefois n'être qu'une illusion. En effet, si l'on prend en compte la vision que suggèrent les quelques acteurs qui s'opposent à ses projets, la Régie est avant tout une institution particulièrement habile dans les relations politiques. Ces acteurs décrivent une Régie qui fait discrètement mais efficacement jouer des influences politiques et des contacts individuels pour faire avancer ses projets et pour miner les atouts des opposants. Cette vision est d'ailleurs en partie confirmée par la direction de la Régie.

« C'est sûr qu'on fait jouer... on fait jouer des influences. C'est normal... [...] si tout le monde était à 100 % d'accord avec tout ce qu'on fait, on aurait même pas besoin de faire ça, ça se ferait tout seul — mais c'est sûr que les gens qui ne sont pas du bon côté... ben, du « bon » côté, du côté de ce que la Régie défend, vont trouver qu'on joue des ficelles par en arrière ou qu'on n'est pas transparent, etc. Mais il ne faut pas être naïf non plus. » (Un membre de la direction de la Régie n° 2)

Tous les informateurs s'accordent ainsi à décrire le directeur général de la Régie n° 2 comme un remarquable négociateur qui est extrêmement à l'aise dans les environnements politiques. Ces qualités sont à la fois particulièrement évidentes et particulièrement nécessaires dans la gestion des relations entre la Régie et le gouvernement provincial. En effet, une des ressources principales de la Régie pour maintenir un climat harmonieux avec les institutions locales est sa capacité à obtenir une augmentation de l'enveloppe budgétaire régionale au moins sur une base relative en limitant l'étendue des compressions. Toutefois, jouer ce jeu place la Régie dans une position instable entre les mandats clairs du central qui cherchent à diminuer les dépenses et les exigences locales pour obtenir des ressources. Ainsi, même si elle accepte les mandats du central, la Régie n° 2 semble les considérer comme plus ou moins négociables. Dans un tel contexte, une Régie moins habile courrait le risque de mécontenter les deux parties. Or, ce n'est pas ce que nous avons observé, même si le niveau de satisfaction est plus élevé sur le plan local que sur le plan central.

> « Pour [*la région,*] on sait que [*le D.G. de la Régie*] va se placer plus en sandwich. Tu sais, il est de notre bord [*celui des acteurs régionaux*], mais il est aussi de l'autre bord [*celui du Ministère*]. C'est plutôt le jambon, lui. Il est vraiment dans le milieu et il nage là-dedans, mais il est bon, il est super bon là-dedans. » (Le directeur général d'une institution de la région n° 2)

La régulation est ici presque exclusivement interactive. Toutefois, étant donné les contraintes structurelles avec lesquelles la Régie doit composer, il nous semble aussi y avoir un recours à une logique de type démocratique. Par exemple, cette régie utilise l'obligation légale qu'a son C.A. de siéger en public pour instaurer une ambiance bon enfant et communautaire pendant des séances du conseil où un certain nombre de citoyens et d'associations viennent prendre la parole pour exprimer leur point de vue ou leurs doléances. De même, les structures décisionnelles de la Régie semblent relativement faciles d'accès même pour les petits joueurs plus ou moins extérieurs au champ de la santé. Comme on pouvait s'y attendre, la Régie se sert aussi de cette ouverture démocratique pour obtenir une légitimité accrue dans certains dossiers sensibles.

On peut donc observer que le processus de gouverne mis en œuvre ici a des conséquences relativement différentes de celles que nous avons observées dans la première région. Ainsi, le niveau de convergence est plus faible. Le processus de négociation politique très ouvert qui est utilisé pour tenter de bâtir des consensus larges entraîne des délais et un certain niveau de tensions qui ralentissent la mise en œuvre des décisions. En termes de redistribution de pouvoir, la Régie n° 2 et le réseau d'acteurs qui l'entourent sont plus proches des revendications régionales que des attentes et des intérêts du gouvernement provincial. Par exemple, la Régie augmente le pouvoir des acteurs locaux en adoptant souvent un rôle de porte-parole des intérêts régionaux. La légitimité de la Régie découle aussi davantage de sa capacité à répondre aux demandes des acteurs locaux que de ses liens étroits avec le palier central en termes de mise en œuvre des politiques provinciales. Il s'agit donc avant tout d'une légitimité dérivée de la centralité de la Régie au sein des réseaux d'acteurs locaux ce qui, en contrepartie, limite la légitimité du palier régional face au central. Pour conclure, on peut suggérer que si les stratégies mises en œuvre par la Régie n° 2 ont permis certaines réformes dans les arrangements organisationnels, ces changements ont été moins radicaux et moins rapides que dans d'autres régions.

Troisième cas : Une action planifiée

La troisième région est géographiquement très petite, strictement urbaine mais extrêmement importante en termes de ressources (neuf fois plus grande que les deux premières régions). La région n° 3 regroupe tous les types de services et d'institutions ainsi que les CHU les plus importants de la province. Pour ce qui est du mode de régulation, la Régie n° 3 privilégie un modèle de délégation. La plus grande part de l'activité de la Régie consiste à s'approprier et à traduire en projets régionaux réalistes et détaillés les mandats et les exigences financières du palier central. Toutefois, comme nous le verrons, il existe aussi un recours aux logiques démocratique et interactive par le biais du recours à un processus très structuré d'audiences publiques.

Ce qui est caractéristique de la régulation utilisée par la Régie n° 1, c'est l'importance qu'elle accorde à l'élaboration et à la mise en œuvre de plans quadriennaux qui structurent les principales décisions. Pour cette raison, on pourrait considérer qu'il s'agit d'une région où règnent deux saisons. La plus grande partie du temps, la Régie est en mode de mise en œuvre de son plan quadriennal en s'appuyant sur une logique de délégation assez autoritaire. C'est la saison de fonctionnement normal, une saison caractérisée par le monitorage de routine des opérations sur le plan local, un processus d'allocation des ressources très standardisé en fonction de formules préétablies et de séances du conseil sans surprise.

Durant cette phase, la Régie n° 3 peut compter sur trois atouts principaux pour faire accepter et mettre en œuvre cette régulation de délégation. Tout d'abord, une cohérence d'action qui repose sur un apex décisionnel extrêmement intégré. Ce que nous qualifions ici d'apex décisionnel est un petit noyau de cadres supérieurs qui inclut le directeur général, le président du conseil, les directeurs des principales directions internes ainsi que d'autres individus stratégiquement positionnés si nécessaire. Le deuxième atout est la solidarité du conseil d'administration avec les orientations stratégiques de la direction. En effet, les qualités individuelles des derniers présidents du conseil en termes de charisme et de compétence combinés avec la maîtrise des dossiers que leur confère ce mode de fonctionnement permettent à la Régie de compter sur une coopération sans failles de son conseil d'administration dans les décisions importantes.

« *Intervieweur* – Au niveau du conseil d'administration, comment vous voyez leur position?

Informateur – Comme d'habitude, ils ont adopté ce qu'on leur a préparé... On a un président de conseil qui est très fort, très habile, qui fonctionne très bien avec le D.G., donc à ce moment-là je pense que les plus gros problèmes sont évités. Dans n'importe quel conseil d'administration. » (Un membre de la direction de la Régie n° 2)

Finalement, le troisième atout dont dispose la Régie n° 3 pour utiliser une logique de délégation est « sa techno-structure ». En effet, la taille de la région lui permet de compter sur un personnel nombreux, spécialisé et souvent très bien formé qui confère à la Régie une expertise technique qui est reconnue par tous les acteurs.

Toutefois, tous les quatre ans, la Régie met provisoirement de côté ce fonctionnement routinier pour passer à l'élaboration du prochain plan quadriennal. Elle assouplit sa régulation de délégation pour incorporer un mélange de régulation interactive et de régulation démocratique. L'élaboration des plans quadriennaux se fait en cinq étapes. Tout d'abord, l'apex décisionnel élabore discrètement à huis clos les principaux paramètres des orientations stratégiques pour les prochaines années. À la fin des années 1990, il faut d'ailleurs remarquer que ces plans ont étés extrêmement ambitieux en termes de restructuration organisationnelle. Dans une deuxième étape, les grandes lignes de ces orientations stratégiques sont confiées au personnel de la Régie pour qu'elles soient traduites en un plan quadriennal détaillé. Troisième étape, la Régie organise une vaste consultation régionale, principalement par le biais d'audiences publiques mais aussi par le biais d'autres techniques pour obtenir l'avis de la population et surtout l'avis des institutions locales et des autres acteurs touchés. Le plan est par la suite amendé pour tenir compte des opinions recueillies et, finalement, dans une cinquième étape, il est voté par le conseil d'administration. À première vue, on pourrait croire que toutes ces étapes d'élaboration d'un plan quadriennal s'apparentent au processus de complexification des mandats caractéristiques d'une logique de délégation. Toutefois, l'ampleur du processus de consultation et les efforts qui y sont consacrés ainsi que l'ouverture relative face aux propositions qui y sont faites impliquent un mélange des logiques interactive et démocratique. Logique interactive car c'est avant tout l'avis et les réactions des institutions et des autres acteurs concernés que la Régie recherche. Mais aussi logique démocratique, car les audiences sont ouvertes à tous et que la Régie utilise d'autres techniques (sondages, « *focus group* »,tribunes téléphoniques, forums publics, etc.) pour tenter d'obtenir l'avis de la population. Dans les faits, même si le plan est élaboré à l'interne par la Régie, il l'est dans l'optique de créer au moins un consensus minimal en sa faveur. À l'inverse, le fait d'entendre les acteurs locaux de manière séquentielle au cours des audiences permet de limiter le risque qu'il ne se forme une opposition unifiée aux plans de la Régie. D'ailleurs, nous avons été en mesure d'observer la Régie coopter une majorité en faveur de ses plans en proposant des solutions où une majorité gagne aux dépends d'une minorité très perdante.

Le processus de planification utilisé dans la région n° 3 est relativement implacable. En revanche, au moment de la mise en œuvre, des difficultés apparaissent. En effet, alors que la Régie possède toute l'expertise nécessaire

et une légitimité suffisante pour produire et jusqu'à un certain point imposer ses plans quadriennaux, sa capacité à les mettre en œuvre est beaucoup
plus limitée. Comme nous l'avons déjà mentionné, les régies ne possèdent
sur le plan formel que des pouvoirs limités sur les acteurs locaux.

> « [...] par définition, un bon planning implique que tu [...] planifies ce que tu
> peux contrôler. Et ce que tu ne peux pas contrôler, ça doit être la partie la plus
> minimale de ton planning [...]. La dynamique dans laquelle la Régie s'est enga-
> gée, c'est qu'en plus de ça elle a planifié quelque chose dans un environnement
> où elle n'a aucun contrôle direct, ni aucune autorité directe sur la gestion opé-
> rationnelle de ce qu'elle a planifié. Les établissements ont leur conseil d'admi-
> nistration, ils ont leur direction locale, c'est plein d'associations [...], les syn-
> dicats ont leur structure nationale, etc.; donc le réseau n'est pas un concept
> monolithique avec une tête, c'est un concept éclaté et, à l'intérieur de ce concept
> éclaté là, il y a un organe qui s'appelle la Régie régionale qui joue un rôle donné
> qui influence de façon majeure l'avenir du réseau de ses orientations mais qui
> est particulier en termes d'autorité [...] Alors ça c'est différent d'un siège social...
> Un siège social a quand même une autorité, le siège social relève du conseil
> d'administration qui chapeaute l'entreprise. Le conseil d'administration de la
> Régie régionale, ce n'est pas le patron des conseils d'administration des éta-
> blissements. Alors c'est un réseau à ce titre-là qui a une réalité structurelle assez
> unique, qui n'existe que sur papier en termes de pouvoir. » (Un cadre supérieur
> de la Régie n° 3)

Si la Régie a la capacité de créer une coalition en faveur de ses plans pour
permettre leur adoption, le niveau de consensus n'est pas forcément suffisant pour s'assurer d'une réelle coopération dans la mise en œuvre. En pratique, cette Régie est en mesure de mettre en œuvre les grandes lignes de ses
plans, particulièrement en ce qui a trait aux restructurations organisationnelles, mais elle se heurte à la coopération parfois limitée des acteurs locaux
et à son incapacité à corriger les disfonctionnements dans les pratiques
micro-organisationnelles.

Pour conclure, le mode de régulation mis en œuvre dans la région n° 3
a permis d'atteindre un haut niveau de convergence. La Régie a fermé sept
hôpitaux dans la région, un objectif que le gouvernement central n'aurait
probablement jamais réussi à atteindre avant la régionalisation. Ceci a entre
autres permis un certain niveau de réallocation du secteur hospitalier vers

les services communautaires. En termes de redistribution de pouvoir, cette Régie a été en mesure de se créer une marge de liberté même si celle-ci est très liée aux mandats du palier central. Par ailleurs, si la Régie a réussi à réaliser des changements relativement spectaculaires, elle continue d'éprouver d'importantes difficultés à régler les problèmes sur le plan de la production de services. Finalement, en ce qui a trait à la légitimité, la concordance avec les mandats du central (compressions budgétaires, réorganisation de l'offre hospitalière, etc.), le haut niveau d'expertise et de compétence interne ainsi que le recours à des mécanismes démocratiques, comme les audiences publiques facilitant l'atteinte d'un consensus sur les stratégies privilégiées pour remplir les mandats, ont permis à la Régie d'obtenir une légitimité forte du moins à court terme. Toutefois, l'assimilation des stratégies de la Régie à une simple volonté de réduire les budgets par beaucoup d'acteurs locaux a considérablement miné sa légitimité sur le plus long terme. De même, certains problèmes persistants sur le plan de la production de soins ont contribué à mettre en valeur les difficultés que connaît la Régie dans le contrôle des pratiques sur le plan micro-organisationnel.

ANALYSE COMPARATIVE

Globalement, les trois régies ont été capables d'atteindre un haut degré de convergence. Les réformes et les restructurations ont toutes été au moins partiellement mises en œuvre même si le degré et la vitesse d'implantation varient d'une région à l'autre. De même, chacune des régies étudiées a été en mesure d'accaparer, au moins provisoirement, plus de pouvoir d'action et d'obtenir une légitimité qui s'appuie sur une diversité de sources.

Par ailleurs, il se dégage des cas qu'aucun des trois modèles de régulation n'est suffisant à lui seul pour permettre à une Régie de remplir efficacement son rôle. En pratique, la capacité pour une Régie d'avoir un impact significatif sur la régulation régionale passe par sa capacité à centraliser les relations entre le local et le central en se positionnant comme un intermédiaire inévitable – ce qui s'apparente à ce que Burt (1992) appelle un passage structurel (« *structural hole* »). Or, c'est principalement le lien hiérarchique entre le central et le local via le palier régional, c'est-à-dire un modèle de délégation, qui permet de se placer dans cette position et de limiter considérablement la probabilité qu'un acteur local ne soit capable de contourner la Régie. Inversement, la capacité à utiliser efficacement le pouvoir qu'une telle position structurelle confère dépend du fait que les acteurs locaux ne décident pas de s'opposer en bloc à la Régie. Les Régies sont donc aussi simultanément forcées de proposer aux acteurs locaux un champ de négociation politique qui apparaît plus avantageux qu'une opposition radicale ne le serait. En d'autres termes, pour être en mesure de conserver et d'utiliser les pouvoirs qui dérivent de sa position structurelle, une Régie se voit paradoxalement forcée de recourir à un modèle interactif de négociation politique. Le modèle démocratique est présent sous une forme ou une autre dans chacune des trois régions mais apparaît moins influent. En fait, le contexte législatif et réglementaire pousse le modèle démocratique vers une opérationnalisation particulière d'un modèle interactif. En l'absence de mécanismes formels de représentation démocratique, la participation passe par le biais de toutes sortes de groupes, qu'ils soient organisés sur la base de décisions spécifiques, d'intérêts particuliers ou sur une base géographique sous-régionale. Il nous semble donc y avoir un glissement quasi irréversible du modèle démocratique vers un modèle interactif qui prend la forme de ce que les sciences politiques appellent les théories pluralistes ou même les théories de réseaux de politiques (« *policy networks* ») (Dahl, 1982; Marsh et Rhodes, 1992).

Un troisième niveau de conclusion porte sur la variabilité interrégionale dans la manière d'opérationnaliser l'équilibre entre les logiques interactive et de délégation alors même que la législation et la réglementation sont les mêmes pour toutes les Régies régionales du Québec. Il est plausible que la structure organisationnelle influence fortement la nature et la forme de la régulation régionale. Par exemple, on peut suggérer que plus les ressources sont également réparties entre une variété d'acteurs, plus un modèle interactif est viable. À l'inverse, une Régie qui doit faire face à une ou quelques institutions majeures qui consomment une part appréciable des ressources régionales sera probablement plus favorable à un modèle de délégation. En effet, le contrôle par les pairs qui sous-tend un fonctionnement interactif sera peu efficace si une institution domine significativement les autres. Toutefois, les caractéristiques structurelles nous semblent insuffisantes à elles seules pour expliquer la variabilité. D'autres variables comme la microhistoire locale, la culture organisationnelle, la personnalité individuelle des têtes dirigeantes ont aussi un impact significatif. Par ailleurs, en plus de la variabilité interrégionale, il existe aussi une très grande variabilité diachronique dans chaque région que nous avons étudiée. Par exemple, les changements de ministre ont entraîné des changements dans la régulation régionale, qui semblent directement liés à la position ministérielle sur le degré souhaitable de décentralisation et donc à la marge de liberté accordée aux Régies.

Cette dernière observation pose le problème de la distinction classique en administration publique entre la déconcentration et la dévolution (Lemieux, 1997). Dans le cadre d'une politique de dévolution, les paliers inférieurs ne se voient confier qu'une autonomie limitée tandis que le central conserve le pouvoir de modifier à son gré les limites de cette autonomie. Par opposition, dans le cadre d'une politique de dévolution, le transfert d'autonomie aux paliers inférieurs est beaucoup plus irréversible. Ceci est encore plus vrai si les paliers inférieurs se voient conférer un pouvoir de taxation pour remplir leur mandat. La régionalisation de l'administration du système sociosanitaire québécois s'apparente à une déconcentration beaucoup plus qu'à une dévolution puisque le gouvernement provincial a toujours ultimement conservé le pouvoir de décision. En juin 2001, le gouvernement provincial a ainsi unilatéralement décidé de considérablement resserrer son contrôle sur les Régies en amendant la loi à cet effet puis, en 2003, il a décidé de revoir de fond en comble les prérogatives respectives des paliers locaux et régionaux. Dans la mesure où elles réussiront à conserver un rôle significatif au cours des prochaines années, les Régies seront donc intrinsèquement dans une position instable, ce qui entraînera un perpétuel état de négociation et de réajustement de la gouvernance régionale. Les Régies qui ont été le mieux à même de remplir leur mission sont celles qui ont su proactivement et efficacement s'adapter à ces changements dans l'environnement externe de manière à conserver une marge d'action.

Notons enfin que l'instabilité de la gouverne régionale ne se traduit pas par une instabilité de la production de services, même durant les restructurations majeures. À notre avis, c'est précisément l'équilibre instable et, par là, adaptatif de la gouverne régionale qui a conféré au système le « jeu organisationnel » (« *organizational slack* ») qui lui a permis de mettre en œuvre et d'absorber avec succès des transformations majeures.

CONCLUSION

La volonté de réformer et de dynamiser les administrations publiques a souvent pris la forme de politiques de décentralisation et de création de nouvelles structures de gouvernance. Ces structures doivent concilier les attentes souvent divergentes des paliers central et local, ce qui peut miner leur légitimité. La pérennité des structures de gouverne régionale dépend à la fois des politiques adoptées sur le plan central et des actions prises sur le plan local. Ainsi, plus une agence intermédiaire a un impact important sur la structure et le fonctionnement du réseau de service, plus elle risque de perdre le support des institutions locales qui sentent leurs prérogatives ou leur pouvoir menacés. Par ailleurs, en tant que produit de réformes récentes, les Régies sont, jusqu'à un certain point, de nouveaux joueurs dans le système, avec l'insécurité et la dépendance face aux réformes futures que cela représente. Tant que le palier central perçoit les instances intermédiaires comme un outil pour résoudre certains problèmes cruciaux, ces instances conserveront une marge de liberté intéressante. À l'inverse, si la perception du central se modifie à cet égard, la pérennité des instances régionales est directement remise en question comme c'est le cas à l'heure actuelle.

Notre analyse a mis en valeur le haut niveau d'adaptabilité et de variabilité dans l'action des Régies qui se voient forcées de combiner plusieurs logiques de régulation pour faire face aux différents contextes régionaux. En effet, le cadre légal et réglementaire qui caractérise le système sociosanitaire québécois ne confère pas aux Régies une légitimité intrinsèque suffisante pour adopter un modèle de régulation pur. Tout d'abord, il leur manque les leviers de pouvoir formels sur les acteurs locaux nécessaires au recours à un modèle de délégation simple. Par ailleurs, en tant que produit de politiques de déconcentration, les Régies sont trop dépendantes du palier central pour pouvoir s'appuyer sur un modèle purement interactif. Finalement, l'absence de structures démocratiques de représentation suffisamment développées rend illusoire le recours à un modèle purement démocratique. La survie d'une Régie dans ce contexte dépend de sa capacité à imaginer et mettre en œuvre une synthèse viable de ces modèles en s'adaptant proactivement aux conditions locales et à l'équilibre de pouvoir existant. Notre analyse du processus de restructuration des structures publiques de gouvernance tend à montrer qu'il s'apparente avant tout à l'élaboration d'un compromis. Les instances régionales peuvent ainsi être conceptualisées comme de nouveaux joueurs dans la lutte d'influence et de pouvoir qui se jouait auparavant directement entre le local et le central. Cette perspective a la qualité de bien mettre en valeur la vulnérabilité du processus d'instauration de nouvelles capacités régionales de gouvernance. Selon nous, toute tentative de modifier la dynamique de gouvernance dans un système donné doit impérativement être considérée comme un exercice politique et non pas seulement comme un simple ajustement rationnel et instrumental.

L'étrange équilibre administratif et structurel au fondement de l'action des Régies régionales nous semble avoir permis l'élaboration et la mise en œuvre de réformes organisationnelles et financières majeures dans le système socio-sanitaire québécois. Ainsi, en dissociant suffisamment la gouverne de la production, il a permis d'absorber des changements importants et rapides tout en préservant une bonne stabilité sur le plan de la prestation de services. De même, il a permis d'intégrer de nouvelles idéologies sur le plan administratif tout en conférant au système une inertie suffisante pour éviter des dommages irréversibles dans un secteur extrêmement sensible politiquement. Finalement, ce modèle a permis la prise en compte minutieuse des conditions locales dans l'élaboration de politiques régionales visant à atteindre les objectifs du central, ce qui est certainement plus ingénieux que le recours brutal à la même formule pour tous. Il est bien évident que ce modèle n'est pas parfait et qu'il se heurte à de nombreuses difficultés. Toutefois, il s'agit probablement là d'un exemple qui met en valeur la flexibilité que peut conférer une structure de gouverne perpétuellement en équilibre.

PARTIE 2

Quand gérer c'est changer :
le rôle du directeur en question

Annick Valette

Si le directeur d'établissement est un acteur incontournable de la restructuration parce qu'il endosse souvent le rôle de chef de projet, rien ne dit que son action soit déterminante tout au long du processus ni qu'elle doit être conforme aux orientations de la politique régionale. C'est en substance le message livré par les deux textes proposés ici. Dans tous les cas, le dirigeant devra composer avec une variété d'acteurs clés aux logiques multiples et lui-même faire face à des impératifs souvent contradictoires et ce, indépendamment du contexte national dans lequel il travaille. Toutefois, dans les deux sociétés, la gestion du changement est progressivement considérée comme une tâche fondamentale du métier de directeur.

La réflexion sur le changement des structures des établissements et l'évolution des modes de régulation ne se sont pas accompagnées jusqu'à aujourd'hui de changements du statut des dirigeants. Membre d'un corps, fonctionnaire, le directeur d'un hôpital public en France suit une formation de deux ans à l'École nationale de la santé publique et s'engage ensuite à travailler dix ans dans le secteur public. Faire carrière nécessite à la fois d'accepter une mobilité géographique et de prendre la direction d'hôpitaux de taille de plus en plus importante. Il est nommé par le conseil des ministres après avis du conseil d'administration de l'établissement. Sa rémunération de base est inférieure à celle des médecins. Une notation administrative permet l'avancement et le calcul d'une prime de service. Des réflexions en cours sur l'évolution du statut des directeurs pourraient conduire à l'instauration d'un lien plus direct entre les ARH et les directeurs (délégation de nomination, évaluation), à l'ouverture du corps pour répondre aux directives européennes et aux vacances de postes, à une reconfiguration de la carrière. F.-X. Schweyer (1999) mentionne qu'un chef d'établissement se représente comme un stratège qui oriente la politique de l'établissement à moyen et long terme, positionne l'hôpital en relation avec les établissements voisins, recherche la complémentarité. Si l'exigence de restructuration n'est pas mentionnée en tant que telle, la recherche de complémentarité apparaît bien comme une action incontournable, constitutive du rôle d'un directeur. La stratégie s'entend aussi comme la définition d'orientations et de développement de l'hôpital en interne, par exemple la mise en place d'une démarche qualité pour l'accréditation, l'animation, la mise en cohérence pour écrire le projet d'établissement. Les conditions de la pratique sont toutefois très différentes selon les établissements, gérer un hôpital en milieu rural de 50 lits ou un CHU de 1500 lits, ce n'est pas faire le même travail, leurs pratiques collectives (syndicales ou autres) sont faibles. L'isolement fonctionnel des établissements est important.

Au Québec, le directeur général d'un établissement de santé est choisi par le conseil d'administration de l'établissement. Il signe un contrat avec l'établissement et n'a pas un statut de fonctionnaire. Son contrat peut ne pas être renouvelé. En cas de problèmes ou de disfonctionnements, un établissement peut être mis sous tutelle par le ministère de la Santé et des Services sociaux, ce qui a pour conséquence de nommer un administrateur et de retirer à son titulaire la fonction de directeur. Le traitement des directeurs généraux est jugé inférieur à leurs collègues du secteur privé. Des améliorations sensibles ont toutefois été apportées dans les récentes années. La rémunération d'un directeur général va varier en fonction de la taille de l'établissement et de l'expérience. Il est difficile de savoir exactement la marge de manœuvre existante pour négocier à la hausse le traitement d'un directeur général. Comme en France, il y aura besoin dans les prochaines années de renouveler une part importante des cadres du réseau de la santé dû au vieillissement de la main-d'œuvre et aux nombreuses retraites qui s'annoncent. Des problèmes de recrutement se font déjà sentir. Il est probable que la pénurie qui s'annonce soit un facteur significatif dans l'amélioration des conditions de travail des

QUAND GÉRER C'EST CHANGER ■ 83

directeurs généraux dans le futur. Le parcours de formation des directeurs est variable. Les universités leur portent actuellement un intérêt de plus en plus grand. Il y a une hiérarchie implicite parmi les directeurs généraux. Les directeurs généraux de grands établissements ont tendance à se distinguer de leurs collègues. De même, les directeurs d'hôpitaux développent probablement une solidarité plus grande entre eux qu'avec les directeurs d'autres catégories d'établissements de santé (ex. : centres de réadaptation, centres locaux de services communautaires...).

Les deux textes présentés ci-après font l'hypothèse que le dirigeant peut avoir un rôle actif dans le processus de restructuration, même si ce rôle est relativisé. S'il n'y a pas de doctrine gestionnaire sur ce que pourrait être une conduite rationnelle *a priori*, est tout de même présente l'idée que le dirigeant peut chercher à avoir des pratiques appropriées, à mener une gestion du changement « sur mesure ». C'est en tout cas la manière dont chercheurs et praticiens se représentent le rôle de dirigeant, même si l'idée même de conduite de changement peut être discutée.

Le texte québécois déconstruit la figure du dirigeant en privilégiant la notion de leadership collectif. Il suggère que la dynamique du changement repose sur plusieurs individus aux sphères d'actions et de pouvoir différents, entretenant entre eux des relations en perpétuelles redéfinitions. Si le texte français ne mobilise pas cette notion, ceci ne veut pas dire qu'elle n'est pas un élément déterminant des processus de restructuration. Ainsi, le rapport du GÉRES (GÉRES, 2002) souligne que les fusions sont toujours menées par le directeur, le président de la CME représentant les médecins et le président du C.A. Ils sont complémentaires et doivent eux-même trouver des relais auprès de l'équipe de direction, de l'encadrement, des différents élus locaux et des syndicats. C'est bien d'une coalition stratégique dont on parle ici.

Le texte français insiste sur la gestion des paradoxes à laquelle se trouve confronté le directeur et sur la double référence dans laquelle s'inscrivent ses actions : référence au service public, au rôle de représentant de l'État d'un côté, au statut de chef d'établissement travaillant avec un conseil d'administration doté d'intérêts spécifiques de l'autre. C'est la question de la gouvernance qui est ici posée. C'est une gouvernance double, de l'État et du conseil d'administration, reposant sur des mécanismes de délégation et d'évaluation différents et surtout peu clairs. Apparaît alors avec force la question du sens de ces opérations : pourquoi restructurer en l'absence d'évaluation des retombées positives et négatives, d'incitations fortes, de reconnaissances dans les carrières... La question du sens et de l'incitation semblent se poser avec moins d'acuité au Québec : les contraintes budgétaires plus fortes, les représentations « citoyennes » dans les instances de décisions, en sont peut-être la raison.

4

Les directeurs des établissements publics de santé confrontés aux restructurations hospitalières :

une gestion de contradictions

Laetitia Laude-Alis

À travers une étude conduite entre 1999 et 2002, nous avons entrepris d'étudier de quelle manière les directeurs d'hôpital confrontés à une injonction de restructurer (par exemple la mise en commun de moyens dans le cadre d'une structure juridique nouvelle pour développer une activité en interdépendance) analysent les difficultés éprouvées, d'une part, et les compétences mobilisées dans ce contexte, d'autre part. Les directeurs d'hôpital sont pleinement engagés dans ce vaste mouvement de recomposition de l'offre hospitalière. La Direction de l'hospitalisation et de l'organisation des soins (DHOS) a mis en place, en 1998, un observatoire de la recomposition de l'offre de soins afin de suivre l'évolution des opérations engagées sur le terrain. Un atlas des recompositions présente les cartographies régionales des coopérations réalisées ou en cours. Sont ainsi répertoriées par région toutes les opérations de coopération sous leurs différentes formes : soutien au fonctionnement, suppression ou transfert d'activité, suppression de site, groupements de coopération, réseaux de soins, création d'établissement intercommunal, fusions. Si la plupart des établissements se déclarent concernés par des pratiques de coopération – rappelons que l'appartenance à une communauté d'établissement est rendue obligatoire par les ordonnances de 1996 –, une enquête nationale conduite en 1999 (Cueille, 2000) fait apparaître qu'environ 80 % des répondants ont mis en place des partenariats et 41 % les matérialisent par des conventions portant à 80 % sur les activités de médecine, chirurgie, obstétrique (MCO). À ce jour, 55 opérations de fusion sont répertoriées comme abouties, au sens de la signature d'un arrêté de fusion (Observatoire DHOS), de la fermeture de deux, voire trois établissements et de la création d'une nouvelle entité juridique.

Nous montrerons tout d'abord comment les situations de restructuration exacerbent les tensions existantes entre deux niveaux de légitimité de leur action. D'une part, celui issu du cadre juridique et des politiques publiques qui les englobent et les dépassent, d'autre part, celui issu de leur fonction de responsable d'établissement, garant de l'avenir et des équilibres internes. Nous montrerons aussi comment les situations de restructuration mettent en question les contours du métier et renouvellent le rôle des directeurs d'hôpital. Après avoir rappelé le cadre de l'étude et la méthodologie de l'enquête, nous présenterons les résultats et pistes de discussions ouvertes à l'occasion de ce travail.

CADRE DE L'ÉTUDE : LES DIRECTEURS CONFRONTÉS AUX RESTRUCTURATIONS HOSPITALIÈRES

Nous rappellerons dans un premier temps l'évolution des fonctions des directeurs d'établissements publics de santé français et sa problématique actuelle. Dans un deuxième temps, nous poserons la question du renouvellement du rôle des directions dans des hôpitaux en proie à des restructurations imposées. La présentation du dispositif méthodologique mis en œuvre pour comprendre les difficultés et compétences jugées nécessaires par les directeurs en période de changement fera l'objet d'un troisième temps.

Directeur d'hôpital : une fonction de dirigeant public en mutation

La légitimité professionnelle des directeurs d'hôpital repose historiquement sur sa dimension statutaire et la constitution progressive d'un corps de fonctionnaires. La réflexion sur les compétences et la définition de leur métier est plus récente et témoigne d'un double enjeu des directeurs : vis-à-vis de l'État et de la mise en œuvre de politiques publiques, d'une part ; vis-à-vis de l'établissement et de ses enjeux sur le plan local, d'autre part. Au-delà des missions définies par les documents officiels, on voit émerger une réflexion des professionnels sur le métier de directeur d'hôpital qui dépasse le cadre strictement statutaire et témoigne d'une plus grande complexité de la fonction. Les encadrés 1 et 2 donnent un aperçu de l'évolution du cadre statutaire des directeurs des établissements publics de santé ainsi que de la composition et du fonctionnement du corps.

NAISSANCE ET DÉVELOPPEMENT DU STATUT DE DIRECTEUR D'HÔPITAL

L'acte de naissance du directeur d'hôpital est inscrit dans la Loi du 21 décembre 1941 qui prévoit «qu'un agent appointé par l'établissement est chargé d'exécuter les décisions de la Commission administrative et d'assurer la direction du service. Ce fonctionnaire porte le nom de directeur dans les établissements de plus de 200 lits et de directeur économe dans les établissements comportant 200 lits ou moins.» Le décret du 11 décembre 1958 précise le rôle du directeur qui, tout en continuant à être à certains égards l'agent exécutif des décisions de la commission administrative, se voit accorder certains pouvoirs en tant que chef de service. Un décret du 13 juin 1969, puis la loi portant sur la réforme hospitalière du 31 décembre 1970, précise dans son article 22 que «le directeur est chargé de l'exécution des délibérations du conseil d'administration; qu'il est compétent pour régler les affaires de l'établissement, autres que celles de la compétence du conseil».

À la fin des années 1950, le concours de recrutement national et la formation à l'École nationale de la santé publique (ENSP) à Rennes sont créés. Le recrutement des directeurs est relativement stable pendant 10 ans (entre 20 et 30 directeurs recrutés par an dans les années 1960). Une politique de recrutement dynamique est lancée (environ 50 élèves directeurs en 1970, presque 160 en 1976, et encore environ 120 en 1981). S'ouvre ainsi une période de modernisation des hôpitaux et de professionnalisation de ses acteurs, communément appelée « l'ère des bâtisseurs », vite assombrie par le spectre de l'accroissement constant des budgets. À partir du milieu des années 1980, la maîtrise des dépenses devient un leitmotiv. La loi de 1991 portant sur la réforme hospitalière, puis les ordonnances de 1996 viendront conforter la position du directeur en stipulant pour la première fois que le directeur dirige l'hôpital, et confirmant ainsi son autorité (Schweyer, 1999). Le rythme soutenu des recrutements s'estompe. La fin des années 1990 marque l'avènement d'une période de restructuration, de rationalisation de l'offre de soins.

COMPOSITION ET FONCTIONNEMENT DU CORPS DES DIRECTEURS

Début 2003, selon les chiffres du ministère de la Santé, le corps des directeurs d'hôpital compte environ 3259 personnes, dont 26 % sont chefs d'établissement pour un peu plus de 1000 établissements publics de santé. La proportion des directeures d'hôpital est passée de 20 % en 1985 à 33 % en 2003. Elles ne représentent toutefois que 19 % des chefs d'établissement. Les données démographiques montrent que le corps des directeurs d'hôpital diminuera de moitié en 10 ans, si le niveau actuel des recrutements se maintient. Il existe trois voies d'accès au corps de directeur d'hôpital : le concours interne, le concours externe et le tour extérieur. Ces concours sont nationaux et ouverts selon les règles de la fonction publique française. Ils comprennent des épreuves écrites et orales, correspondant respectivement à l'admissibilité et à l'admission. Ces cinq dernières années, le nombre de candidats aux concours a été divisé par deux, pour un nombre de postes ouverts à peu près équivalent. En 2003, 80 postes ont été ouverts, 494 candidats ont présenté le concours et 73 (65 % issus du concours externe et 35 % du concours interne) ont intégré l'ÉNSP pour une formation de 27 mois alternant stages et enseignements théoriques. Le corps des directeurs se compose de 3404 personnes. Le récent arrêt Burbaud, rendu par la Cour européenne de Justice rend possible l'accès au corps des directeurs d'hôpital français, de leurs homologues ressortissants de l'union. La promotion professionnelle est soumise à des règles statutaires basées sur l'ancienneté, la notation annuelle par le directeur départemental de l'Action sanitaire et sociale (DDASS). La mobilité fonctionnelle est l'une des richesses du corps des directeurs d'hôpital qui peuvent occuper des postes de directeurs adjoints dans différents champs (finances, ressources humaines, qualité...) ou occuper en alternance des fonctions de chef d'établissement et de directeur adjoint. Les directeurs d'établissemens public de santé font l'objet d'une procédure de recrutement spécifique. Les postes vacants sont publiés au journal officiel. Les services du Ministère réceptionnent les candidatures, qui sont présentées à la Commission des carrières qui établit une liste de 10 candidats par poste. Celle-ci est transmise au président du conseil d'administration de l'établissement, qui reçoit les candidats et transmet son choix par ordre de préférence. La liste est présentée à la Commission paritaire nationale qui classe les candidats. Muni des avis de la Commission paritaire nationale et du président du conseil d'administration, le ministre arrête le choix du candidat et le nomme directeur d'établissement.

Une initiative récente (Association des élèves ÉNSP, 2003) a permis de formaliser un document de synthèse sur les compétences attendues des directeurs. S'il ne s'agit pas d'un document officiel, validé par la tutelle, il constitue une initiative intéressante en vue de constituer un référentiel métier pour les directeurs d'hôpital. Le document a été élaboré à partir d'un questionnaire et d'auditions. Il rend compte d'une position doctrinale, dans une approche pragmatique et professionnelle, avec pour finalité de donner des points de repère dans l'exercice des fonctions de directeur d'hôpital. La posture de départ est l'affirmation que le directeur d'un établissement public de santé exerce un métier spécifique faisant appel à des savoir-faire professionnels particuliers.

La perception des chefs d'établissement de leur métier est fortement centrée sur la stratégie, les compétences managériales et le caractère central de l'expertise en gestion. La taille de l'établissement apparaît pour eux comme un facteur de différenciation.

Ainsi, dans la présentation du référentiel métier, la fonction de chef d'établissement est scindée en trois fonctions : directeur de centre hospitalier ; directeur d'hôpital local (ou assimilé) ; directeur de site (ou de pôle). Ce référentiel n'inclut pas les directeurs généraux de centre hospitalier régional universitaire.

Concernant les directeurs d'établissement (centre hospitalier, hôpital local ou assimilé), les compétences mises en exergue font apparaître un pôle stratégie et management (analyse de l'environnement, projet d'établissement, décision, animation, évaluation…) et un pôle technique (gestion financière, technique, administrative…).

On voit ainsi progressivement émerger une approche métier et compétences, qui, sans se substituer à la logique statutaire, la complète. Elle fait apparaître le double référentiel d'action des directeurs : l'État et la logique juridique, d'une part ; l'établissement et la logique managériale, d'autre part. La tension entre les deux logiques se manifeste par exemple par la difficulté des directeurs à indiquer clairement quelle est leur hiérarchie. À cette question ouverte, ils citent le ministre ou le Ministère, le directeur de l'Action sanitaire et sociale, le directeur de l'agence régionale de l'hospitalisation ou omettent de répondre. Cette tension éclaire également une certaine ambiguïté des propos que les directeurs tiennent sur leur métier. D'un côté, un sentiment de mal-être envahit les équipes dirigeantes : le manque de moyens, l'absence de marges de manœuvre, le faible pouvoir de décision, l'inflation de la réglementation, l'importance de la responsabilité à tous les niveaux, la perte de sens… D'un autre côté, le « discours de la plainte » est contrebalancé par la richesse du métier, la variété des moyens d'action, l'existence d'une véritable latitude managériale.

Après les années fastes du fonctionnement hospitalier à « guichet ouvert », l'heure est à la rationalisation. Cette situation exacerbe la tension naturelle ou structurelle qui peut exister pour les directeurs entre logique d'État et logique d'établissement, et qui se manifeste tout particulièrement au cours des opérations de restructuration.

Quand diriger, c'est restructurer : l'évolution du rôle des directeurs d'établissement

Sur le plan global, la recomposition hospitalière est présentée comme l'une des modalités de la subsistance du système de santé français qui fait face à une double contrainte : la maîtrise des dépenses dans un contexte global de réduction des déficits publics, d'une part, et l'accroissement d'une demande de soins de qualité (allongement de la durée de la vie, recours aux technologies d'investigation de pointe, recherche clinique...), d'autre part. Cette recomposition est fondée sur une logique gestionnaire, invitant les établissements à créer des synergies, notamment par la mise en commun de leurs ressources, ou par la rationalisation de l'offre de soins sur un bassin sanitaire.

La loi de 1991, puis les ordonnances de 1996, ont organisé les conditions du passage d'un système de santé planifié à une régulation du système de santé (Crémadez, 1991). Ce sont les agences régionales de l'hospitalisation (ARH) qui ont assuré la régulation de l'offre de soin et organisé sur la base du schéma régional d'organisation sanitaire (SROS) et de la carte sanitaire, la recomposition de l'offre, via la négociation et la signature d'un contrat d'objectifs et de moyens (COM) avec les établissements.

Sur le plan local, les restructurations sont souvent des opérations subies et vécues comme porteuses de fractures. Selon les auteurs d'un récent rapport, « *elles constituent des bouleversements importants qui viennent remanier les intérêts individuels, le sens de l'action collective, les normes, le rapport psychologique au travail et le rôle des personnalités dans le fonctionnement de l'organisation* » (Cauvin *et al.*, 2002). Les discours font pourtant la part belle à l'usager, dont la sécurité sera mieux garantie et la prise en charge de meilleure qualité. Mais cela ne suffit pas toujours à faire adhérer les professionnels de santé à ces démarches, d'autant que l'absence d'évaluation formelle (GÉRES, 2002) rend difficile tout diagnostic global et objectif sur leurs impacts.

Cinquante-neuf pour cent des dirigeants hospitaliers se disent très préoccupés par la conduite des restructurations (IPSOS, 2003), et pour cause. À l'occasion de ces opérations, le directeur est investi d'un rôle important et inédit.

« [Il] devient le garant d'une certaine stabilité, d'une possibilité d'apaisement des menaces. Sa personnalité est centrale, selon qu'elle lui permette ou non d'assurer ce rôle de garant. [...] Dans les opérations de fusion, les directeurs se retrouvent seuls, face à un corps médical divisé, mais puissant et réticent, une agence régionale de l'hospitalisation (ARH) lointaine, des conseils d'administration (C.A.) incertains, et ils ne peuvent compter que sur eux-mêmes, leur capacité d'influence et la réglementation. Ils sont donc totalement et durablement sollicités et ne peuvent répondre qu'en s'engageant pleinement avec toutes les facettes de leur personnalité. Restant finalement les seuls points de repère dans des établissements en fusion, leur manière d'être en tant que personne joue un rôle majeur. C'est une des raisons pour laquelle ils prennent de l'importance dans les opérations de fusion. » (Cauvin *et al.*, 2002)

C'est pour observer comment les directeurs d'hôpital assument ce nouveau rôle que nous avons lancé une investigation de terrain à partir de l'analyse des pratiques professionnelles en situation de restructuration. Nous nous sommes demandé dans quelle mesure, en faisant de l'acteur dirigeant un pivot des opérations de restructuration, une relecture des tensions entre logique d'État et logique d'établissement était possible. Autrement dit, comment se traduisent deux niveaux d'exigence : la responsabilité d'un système de production de soins sécurisés et de qualité, dans un contexte de ressources rares, et l'obligation de résultats dans la mise en œuvre de la politique de recomposition.

Une enquête de terrain

Le voyage à l'intérieur des organisations ne peut se faire à l'aveuglette, il commence par un repérage minutieux du terrain et par des relevés. Nous nous sommes ainsi appuyée sur ce que Pierre Olivier de Sardan (1995) nomme l'enquête de terrain.

Une étude des processus de fusion
inscrite dans une perspective contextualiste

Élaborée par Andrew M. Pettigrew (1987; 1990) pour étudier les dynamiques de changement sur de longues périodes, cette approche permet une analyse dynamique, contextualisée et longitudinale du changement organisationnel. S'appuyant sur la conjugaison de données permettant d'appréhender simultanément le processus et le contexte de changement, elle permet d'intégrer une perspective historique qui enrichit la compréhension de réalités aussi complexes que les restructurations.

Dans la perspective exploratoire retenue, nous avons élaboré une grille d'analyse, par une succession d'allers-retours entre la construction de catégories d'analyse et le terrain. Quatre niveaux d'analyses en interaction ont été étudiés : les déterminants, internes et externes ; les processus ; les contenus ; et les résultats des opérations de fusion. Deux angles de questionnement ont été privilégiés : la mise à jour des points de difficulté et des compétences mobilisées.

Un premier volet de l'enquête : une analyse des pratiques
des acteurs dirigeants confrontés aux restructurations

Le recueil des données s'est fait par voie d'entretiens semi-directifs, d'une part, d'entretiens collectifs structurés, d'autre part. Ces entretiens ont été complétés par le recueil de données documentaires interne aux différents établissements. Au total, 20 directeurs d'établissement représentatifs de la configuration statistique du groupe professionnel de référence ont accepté de participer à l'étude sur toute sa durée, dans le cadre des entretiens individuels réguliers. Ces directeurs ont également participé à des entretiens collectifs afin de confronter leurs points de vue, à partir de la grille d'analyse. Par ailleurs, le dispositif d'entretiens collectifs a été étendu à trois autres groupes constitués de 5 et 8 chefs d'établissement, soit au total 20 directeurs supplémentaires. Les groupes ont été réunis à deux ou trois reprises selon les cas. Cette seconde approche a permis de compléter et d'enrichir l'analyse des perceptions.

L'échantillon de nos interlocuteurs est volontairement contrasté. La diversité porte sur les caractéristiques des établissements, notamment la taille et les activités : directeurs d'hôpital local, de centre hospitalier moyen ou grand, et donc avec ou sans activité MCO. Ensuite, il s'agit d'établissements situés en milieu urbain et en milieu rural. Enfin, l'échantillon regroupe des directeurs occupant depuis plus de cinq ans des fonctions de chefs d'établissement et d'autres récemment nommés à ce type de poste (moins de deux ans). Les facteurs de convergence dans l'échantillon sont l'appartenance au secteur public hospitalier et la fonction de chef d'un établissement engagé dans une restructuration.

Nous présenterons dans les prochains paragraphes les résultats commentés de ce premier volet d'enquête. Cette première enquête a été suivie d'un second volet de recueil de données auprès des différents groupes professionnels présents à l'hôpital (médecins, soignants, élus, représentants syndicaux) afin de resituer dans leur globalité cinq opérations de restructuration. À partir de cette base, nous avons procédé à une analyse de contenu : dictionnaire des thèmes, catégorisation, recherche d'occurrences. Nous avons réalisé des monographies et restitué aux acteurs hospitaliers du groupe de référence les résultats de notre analyse.

PRÉSENTATION DE CAS ET DISCUSSIONS : DES DIRECTEURS ENGAGÉS DANS LE CHANGEMENT DANS UNE DIALECTIQUE ENTRE LOGIQUE D'ÉTAT ET LOGIQUE D'ÉTABLISSEMENT

Les résultats de l'étude seront présentés à partir de l'analyse des difficultés éprouvées et des réponses apportées à ces occasions par les directeurs chargés des opérations de fusion. L'analyse des déterminants externes de la restructuration met en valeur une difficulté qu'ont les directeurs à concilier les exigences des politiques publiques et l'intérêt de leur établissement. L'analyse du contexte des établissements fait apparaître des combinaisons de facteurs déterminantes du succès ou non des opérations. Enfin, la conduite du processus de restructuration mobilise les capacités managériales des directeurs sous deux angles : le processus politique, d'une part ; le processus temporel, d'autre part. Nous ouvrirons en conclusion quelques pistes sur l'action des directeurs comme une dialectique entre une logique d'État reposant sur une rationalité juridique et une logique d'établissement reposant sur une rationalité managériale.

Les déterminants des restructurations

La question de l'impulsion donnée aux opérations de restructuration est fréquemment posée. Pour la plupart des directeurs, la réglementation fabrique une sorte d'encerclement de contraintes de diverses sortes permettant une restructuration par ricochet, « rampante », du paysage hospitalier français. Comme le souligne ce directeur, « *depuis le virage de 1997, on ne ferme plus pour des raisons économiques (affichées), mais pour des raisons de sécurité sanitaire. On est passé de l'hôpital de proximité, de référence, pivot, à la notion de niveau de référence ou de site inattaquable, avec des exigences minimales par niveau, des fermetures ou des complémentarités (de spécialités, de disciplines) imposées. Les facteurs d'évolution technique sont déterminants, conjugués à la raréfaction des ressources...* » Pour un autre, « *après l'instauration des quotas pour les soignants, du* numerus clausus *(8500 en 1971 à 3600 en 1996), l'aménagement réduction du temps de travail (*ARTT*) des soignants (personnels de soins et médecins) et pour finir l'application de la directive européenne achève l'organisation de la pénurie médicale* ». L'impact grandissant des normes de fonctionnement met en avant le poids des ressources critiques lorsque l'enjeu est la « survie institutionnelle ». Fortement dépendants de ressources rares externes (Pfeffer et Salancik, 1978), les directeurs sont conduits à construire des marges de manœuvre et des coalitions, en vue d'en limiter les effets. C'est véritablement pour eux la nécessité d'une vision stratégique de leur univers concurrentiel qui est en jeu.

Une réglementation foisonnante...

La mise en conformité réglementaire constitue un facteur déterminant dans la restructuration du paysage hospitalier français. En tant que représentant de l'État, le directeur est le garant de la conformité de l'établissement. D'une part, la définition de standards en termes de volume d'activité pour que ce volume soit viable détermine largement et incite aux regroupements et aux synergies. D'autre part, la mise aux normes en termes de sécurité implique des coûts qu'un certain nombre d'établissements sont incapables d'engager seuls. Enfin, la définition des conditions de fonctionnement des services (par exemple de chirurgie par rapport aux anesthésistes) fragilise de nombreux établissements de petite taille. L'arrimage à des établissements plus importants paraît alors l'alternative.

... dans un univers marqué par la rareté des ressources

La démographie médicale est l'un des facteurs de fragilisation les plus importants dans les établissements. Cela se traduit par des enjeux de survie ou concrètement par le recours et le développement de pratiques « mercenaires » (pour les gardes par exemple) ou, encore, par des pratiques de recrutement en évolution (recrutement à l'étranger, attractivité des postes par des avantages annexes...). Le discours des directeurs témoigne sur ce point de l'exacerbation des tensions entre médecins et directeurs au sein des établissements. Les médecins sont ainsi fréquemment mis en cause sur la question de la « loyauté » institutionnelle. À ce sujet, le facteur géographique joue fortement dans la différenciation des établissements du point de vue de leur « attractivité » pour le recrutement de médecins, mais ce n'est pas le seul.

Une vision stratégique de l'univers concurrentiel

La mise en commun de ressources rares est un enjeu majeur et stratégique pour les établissements car elle conditionne leur survie. Dans un établissement public de santé menacé, la stratégie est fondée sur la mise à jour de marges de manœuvre. De même, la négociation est en partie structurée par la perception que les directeurs, et plus largement les acteurs influents, peuvent avoir de leur environnement. La formation de la stratégie est alors un processus politique (Pettigrew, 1977) où chacun cherche par voie de négociation à élargir son influence et à alléger le poids de la dépendance par rapport à son environnement. Dupuy et Thoenig (1980) dénoncent le mythe d'une administration bureaucratique monolithique et impitoyable et montrent la capacité d'invention et de créativité des agents de l'État. L'administration est finalement un kaléidoscope de personnels et d'initiatives qui tire sa cohésion de sa volonté de s'adapter aux demandes et aux besoins des citoyens et de leurs élus.

De nombreuses opérations sont fondées sur une rationalité gestionnaire visant une meilleure efficience du système. Les établissements sont ainsi conduits à « défendre » leur position sur un bassin sanitaire, dans le cadre des règles régissant le service public hospitalier. À l'instar de Cueille (1999), nous constatons que deux conceptions s'affirment : la première, déterministe, considère que l'environnement structure les logiques d'action à l'hôpital. Dans la seconde, volontariste, l'hôpital doit aller puiser dans l'environnement les ressources nécessaires à son action. La façon dont l'environnement est perçu détermine en partie les stratégies et les comportements, notamment par rapport aux ressources rares. L'intériorisation des règles conduit les directeurs à les pérenniser mais aussi à les faire évoluer. Ainsi, au-delà de leur perception de l'environnement, c'est leur capacité à construire eux-mêmes, à l'intérieur d'un cadre, des marges de manœuvre qui permet l'évolution de ce dernier.

La double conception de la fonction de directeur d'établissement repose à la fois sur une logique globale qui garantit la mise en œuvre d'une politique publique et sur une logique locale de défense des intérêts de son établissement, inscrite dans un contexte concurrentiel. L'analyse de la concurrence prend différentes formes. Il s'agit en théorie des « parts de marché » d'une organisation dans son secteur d'activité et par rapport aux produits de substitution. Pour un établissement public de santé, la concurrence est une donnée stratégique. Il s'agit de voir sur un bassin sanitaire pour un type de prestation où les usagers vont chercher le service. La concurrence existe bien entendu entre les établissements publics et privés, mais aussi entre les publics souvent en fonction de leur niveau de technicité ou lorsque, à proximité, ils proposent des activités similaires. Ainsi, une fuite de clientèle peut être un indicateur déterminant dans un processus de fusion qui viserait à rendre les établissements plus attractifs par exemple.

Les directeurs témoignent ainsi d'un premier niveau de contradiction : la nécessité d'être performant sur le plan local et d'en faire la démonstration tout en garantissant la mise en œuvre d'une offre de soins rationalisée au détriment parfois de la logique d'établissement. Cette contradiction n'est pas toujours subie. En adoptant une vision stratégique, les directeurs visent le développement de leur autonomie et de leur marge de manœuvre pour s'adapter et gérer les contradictions en présence.

Le contexte des restructurations

Les directeurs font apparaître des combinaisons de facteurs qui sont, selon eux, structurantes du succès ou de l'échec des opérations. Deux axes d'analyse reviennent le plus souvent sur la question des déterminants internes. D'une part, la proximité géographique, la taille et le portefeuille d'activités, d'autre part, la situation des ressources financières, techniques et médicales des établissements impliqués. L'analyse qu'ils font des situations révèle la part importante de subjectivité et de symbolique qu'ils doivent décoder pour agir.

Première combinaison de facteurs : la proximité géographique, la taille et le portefeuille d'activités

La proximité géographique constitue souvent un facteur déterminant, comme le montrent les trois cas ci-dessous. Un premier cas de figure est la fusion d'établissements proches géographiquement, de tailles différentes et complémentaires du point de vue des activités.

> Par exemple, C, un hôpital de 800 lits dont 500 MCO, à forte activité, fusionne avec Z, un hôpital de 300 lits dont 100 MCO, en chute d'activité et en déficit financier depuis le départ de son chirurgien viscéral et plastique, mal remplacé. Distantes de 7 à 8 km, les communautés professionnelles des deux hôpitaux ne se rencontrent guère, les relations entre les corps médicaux sont mauvaises. Il s'agit de mettre fin à la lutte fratricide et coûteuse entre deux services publics hospitaliers dans un contexte financier et professionnel difficile, et d'anticiper des restructurations nécessaires avant qu'on ne les impose.

Un deuxième cas de figure est la fusion d'établissements assez proches géographiquement, de taille équivalente, ayant des activités sensiblement différentes.

> Il s'agit par exemple de la fusion de trois établissements hospitaliers publics de taille moyenne situés à environ 35 à 40 km les uns des autres dans trois petites villes d'un département rural, aux cultures locales très différentes.

Enfin un troisième cas de figure est la fusion d'établissements proches géographiquement et comparables par leur taille et leurs activités.

A est un établissement de 518 lit et B est un établissement de 681 lits. Très proches géographiquement (8 km), ces deux hôpitaux «miroir» ont été construits à 10 ans d'intervalle dans une zone très urbanisée: l'un a été ouvert dans une ville nouvelle, l'autre reconstruit sur son ancien site. La symétrie des activités au sein de ces établissements conduit l'autorité de tutelle à demander une synergie des moyens (réduction des doublons sur les plans médical, administratif, technique et logistique). A nourrit un complexe de parent pauvre par rapport à B: au moment de la fusion, l'écart de point d'indice synthétique d'activité (ISA) entre les deux établissements est de plus 2 en faveur de B.

La proximité géographique est un critère « objectif » des restructurations. Cependant, une analyse plus fine montre que ce critère revêt aussi des dimensions culturelles et subjectives. Quelques nuances méritent ainsi d'être explicitées :

Proximité géographique et aménagement du territoire : le réseau routier est plus important que le nombre des kilomètres. Le plus important est le temps passé sur la route et la question des encombrements.

Proximité géographique et culture locale : la distance entre deux communes est moins structurante que les cultures locales liées à l'environnement socio-économique et les habitudes des habitants (par exemple, où vont-ils faire leurs courses?).

Proximité géographique et antériorité des relations inter-établissements : il semble difficile de demander à deux établissements concurrents pendant de nombreuses années de changer de logique pour mutualiser leurs moyens.

On retrouve le même phénomène sur la question des activités, qui se pose sous l'angle de leur valorisation implicite. Ainsi, le critère lié aux besoins de santé de la population n'apparaît pas suffisant s'il s'agit de transférer les activités aiguës et de conserver le moyen et long séjour. La valorisation d'un établissement à travers son type d'activité apparaît très marquée sur le plan symbolique. Cela est surtout vrai pour les activités médecine, chirurgie et obstétrique. Les directeurs interrogés mettent en avant les dimensions culturelles et symboliques, souvent ignorées par les pouvoirs publics. Elles jouent selon eux un rôle clé dans le succès ou l'échec d'une opération de restructuration.

Deuxième combinaison de facteurs :
les ressources financières, techniques et médicales

Les ressources financières sont un enjeu majeur. Comment satisfaire, avec des moyens limités, une demande de soins qui ne cesse de croître ? Comment satisfaire aux exigences des mises aux normes techniques et de sécurité dans un contexte de report de charge généralisé ? Les restructurations apparaissent comme le moyen de créer des synergies, même si l'on oublie parfois que la fusion génère avant tout et dans ses premières années des coûts supplémentaires (harmonisation sociale, déplacement, reconstruction...). Là encore, plusieurs cas de figure apparaissent :

La situation des établissements est « équivalente » en termes de points ISA, d'équipements et d'équipe médicale : le jeu de la fusion est vécu comme perdant-perdant ou comme gagnant-gagnant. Le premier jeu correspond à des opérations qui n'aboutissent finalement jamais complètement. La fusion reste au milieu du gué, se limitant aux services administratifs et techniques, sans toucher aux services cliniques. Le second cas est typiquement celui des synergies où la fusion débouche sur une mise en commun des ressources.

La situation est fortement différenciée : il en résulte le sentiment qu'un hôpital paie pour les difficultés de l'autre et qu'au final on a un perdant (celui qui avait la meilleure performance) et un gagnant (le plus en difficulté). C'est par exemple ce que certains directeurs nomment « le syndrome du petit mangé par le gros ».

La situation financière et les ressources médicales sont symétriques mais les niveaux d'équipements sont déséquilibrés : cette voie de coopération est jugée plus facile car elle ne touche pas les services de soins, mais leur technostructure.

Les directeurs mettent ici en exergue la dimension « subjective » de l'évaluation des opérations. Des biais de perception apparaissent et conduisent à surestimer ou sous-estimer les effets de la restructuration et les synergies envisagées. Ainsi, les restructurations sont souvent imposées par des contraintes directes (injonction de la tutelle dans le cadre de la mise en œuvre du SROS), ou indirectes (dépendance des ressources, mise en conformité réglementaire), plus ou moins adaptées aux réalités locales, ou légitimes du point de vue des acteurs de terrain, y compris les directeurs.

Le processus de restructuration

Les directeurs d'hôpital situent plus particulièrement leur action à deux niveaux dans la conduite de la restructuration : d'une part, la gestion du processus politique ; d'autre part, la gestion du processus temporel. Il s'agit pour eux des deux points les plus difficiles dans l'élaboration de compromis acceptables pour tous. Ils posent enfin la question de leur légitimité.

Le processus politique

Les situations de restructuration aiguisent les conflits de logique au centre desquels se situent les établissements de santé et les forces centrifuges qui s'y exercent déjà naturellement. L'hôpital fonctionne sur la base d'ordres négociés par chaque catégorie professionnelle sur des territoires délimités, en vue de préserver autonomie et pouvoir d'action. Chaque acteur, ou catégorie d'acteurs, poursuivant des intérêts propres, participe à la construction de coalitions afin que les décisions lui soient favorables. On observe dans tous les cas un fort engagement des directeurs dans ces fusions, garants qu'ils sont de la rationalité de la fusion consistant à permettre une interface entre l'administratif, le politique et le médical. Le rôle du directeur est alors de combiner, c'est-à-dire de rendre compatibles les positions des acteurs en présence, tout en tenant compte de leur instabilité. La compétence principale qui est mise en avant repose sur la négociation permanente d'équilibres temporaires et instables. Ces accords temporaires constituent ce que les directeurs nomment « des fenêtres de tir », indispensables pour faire avancer le processus et verrouiller, lorsque c'est possible, chacune des étapes. Dans les mots employés par les directeurs : « *C'est épuisant d'être toujours entre deux ou quatre chaises. On n'a jamais que des alliés de circonstances. Mes "ennemis" d'hier sont devenus aujourd'hui mes alliés. Si je me lie à l'un, je me fais des "ennemis" des autres.* »

Ce positionnement n'est pas sans risque et le directeur joue parfois le rôle de fusible dans une combinaison d'intérêts divergents qui ne parviendraient pas à s'accorder, même temporairement. Le cas ci-dessous illustre ce risque de blocage qui se manifeste sur les personnes.

Cas n° 1 : Au plan des relations, la fusion a laissé des cicatrices au sein d'une collectivité fragilisée. Un des éléments les plus visibles en est la déstabilisation des

hommes : trois directeurs se sont succédé en trois ans et demi, des adminis-
trateurs ont démissionné, un président de la cme a été renversé sans qu'on lui
trouve de successeur. Les relations sont très perturbées entre le corps médical
et la direction, mais aussi entre médecins. Leur incapacité à formuler un projet commun les a dépossédés de leur capacité d'initiative et a favorisé la signature d'accords flous. Les contradictions et les revirements successifs ont entraîné
une perte de crédibilité, une crise de confiance envers la fonction de direction
et plus largement envers l'administration. (Un directeur d'établissement)

La question du temps et les phasages du processus de restructuration

La question du temps est centrale : dans les entrevues, les directeurs évoquent les paliers entre étapes qui peuvent être longs, tandis que les opportunités d'action sont rares. « *La fusion a des effets progressifs, elle est conduite
par un directeur diplomate, sérieux, crédible et qui sait aller au front quand il
le faut. Il est à l'affût des fenêtres de tir qui se présentent. C'est une gestion de
projet très opportuniste.* »

La question du temps est importante sous deux angles. D'une part, la
concordance des temps est difficile entre les parties prenantes aux opérations de fusion. D'autre part, la durée du processus est très longue, même
si, pour les directeurs, « *l'on ne retient souvent que les étapes où les choses bou-
gent. Beaucoup de choses se passent même quand tout semble immobile.* »
Chaque monographie de fusion fait apparaître quatre phases : les préalables, le volet juridique, la phase administrative et technique, et l'étape
médicale. Les préalables sont souvent longs et caractérisés par une succession d'avancées suivies de retours en arrière. La fusion est alors l'issue de
nombreuses délibérations et la continuité d'un processus de coopération
déjà existant (convention, syndicat interhospitalier, etc.). Deux exemples
permettent d'illustrer cette phase.

Cas n° 2. Pendant trois ans, les rencontres et les groupes de travail se succèdent
sans aboutir sur rien, renforçant finalement les aigreurs et les guerres de position. En juin 1995, une mission d'appui régionale appuyée par le service médical de l'assurance-maladie essaie de faciliter l'émergence d'un projet commun.
Les recommandations du rapport remis le 12 janvier 1996 et concrétisées par

une lettre du préfet ne seront pas suivies. Les élus prennent la décision de passer en force : en février 1996, les deux conseils d'administration s'engagent sur la voie de la fusion juridique. De guerre lasse, la Commission médicale d'établissement de C vote la fusion. « Les tutelles ne répondaient plus aux demandes de postes. » La Commission médicale d'établissement de Z vote contre. (Un directeur d'établissement)

Cas n° 3. Le SROS 1994 engage les deux établissements à se rapprocher. Sous la houlette de la DDASS et de la DRASS, des groupes de travail communs médico-administratifs et syndicaux s'attellent à l'élaboration d'un projet commun. L'acte le plus important est la publication d'un livre blanc médical qui plaide pour un site unique. L'argument tient à la difficulté d'organiser l'activité hospitalière sur deux sites d'importance égale. Le projet se heurte à une fin de non-recevoir de l'autorité de tutelle. En juillet 1997, l'ARH annonce une répartition autoritaire des services entre les deux hôpitaux. Devant l'agitation sociale suscitée par cette annonce – le syndicat Sud est très actif sur A –, elle est invitée par le ministre à temporiser. Au printemps 1997, le directeur d'A est muté. Un nouveau directeur est nommé pour mener les opérations de fusion, au détriment du directeur de B qui espérait l'intérim sous sa férule. Début 1998, en difficulté avec sa CME et son président du C.A., le directeur de B se met en retrait. (Un directeur d'établissement)

La phase juridique marque, elle, l'acte de naissance d'un nouvel établissement et revêt une importance symbolique majeure. L'arrêté de fusion produit également un effet de cliquet, verrou du dispositif. L'existence juridique est pourtant insuffisante pour légitimer une fusion qui devient réelle pour les acteurs lorsqu'elle s'inscrit dans les pratiques. Le cas n° 3 marque l'accélération des opérations par la voie juridique.

Cas n° 4 : Le nouveau maire de B pousse à la fusion sur un schéma volontariste : « Assez discuté ! On fusionne d'abord, on organise ensuite. » Le directeur de A s'attelle avec le directeur adjoint intérimaire de B et les présidents des deux CME à l'élaboration en petit comité d'un projet. Bouclé en deux mois, ce projet sert de base aux discussions et aux prises de position des différentes instances. La fusion est votée en juillet 1998 par les C.A. Les deux CME ont voté pour, les CTE contre. L'arrêté prend effet le 1er janvier 1999. De nouvelles instances sont élues. (Un directeur d'établissement)

L'opération se concrétise alors souvent par la fusion des services administratifs et parfois des services techniques conduisant notamment à l'harmonisation des pratiques de gestion. Ainsi, l'organigramme est redéfini.

Finalement, cela mène à la phase médicale, particulièrement complexe dans sa mise en œuvre. À ce stade, les principes de la fusion ont été discutés, mais tout reste à faire, comme l'indiquent les directeurs : « *On connaît la difficulté de passer aux actes sur le projet médical dans certaines fusions "cosmétiques" prononcées trop vite.* » Sur le cas n° 3, cela donne le constat suivant.

> Depuis le 1er janvier 1999, n'ont fusionné réellement que les services administratifs, techniques, la blanchisserie ainsi que le service informatique, qui travaille à l'unification des dossiers médicaux. Il y a toujours deux sites de restauration. Au plan médical, rien n'a vraiment bougé. On pratique la politique des petits pas, on saisit les opportunités qui se présentent. L'autorité unique et le manque de personnels soignants permettent la fermeture d'activités secondaires qui ont leur équivalent sur l'autre site. (Un directeur d'établissement)

Le projet médical commun est-il un préalable à ce type d'opération ? Le point d'achoppement des opérations se situe le plus souvent sur ce plan. Pour ce directeur, « *une fusion portée par les politiques ou par la tutelle est vouée à l'échec, même avec les meilleures intentions, s'il n'y a pas appropriation par les structures et les acteurs hospitaliers. In fine et dans tous les cas, on ne peut imposer, il faut arriver à convaincre.* » Le pouvoir de conviction est ainsi posé par les directeurs sous l'angle de leur légitimité.

La question de la légitimité

Nous entendons ici par légitimité « *l'existence de normes partagées permettant aux membres d'une société d'interagir de façon coopérative* » (Laufer et Burlaud, 1997, p. 1754). Cette question est liée à la reconnaissance par tous d'un cadre de fonctionnement, notamment juridique mais pas exclusivement, connu et reconnu par tous. Si le directeur détient une autorité hiérarchique sur les services administratifs et techniques, par son pouvoir d'expertise, la communauté médicale occupe quant à elle une position particulière. Ainsi, l'autorité rationnelle légale est nécessaire mais ne suffit pas à faire aboutir un projet.

Les situations de restructuration hospitalière illustrent aussi les conséquences de la complexité croissante de la réglementation, ses contradictions. Le décalage qui existe parfois avec la réalité conduit à des crises de cette forme de légitimation de l'action. C'est peut-être ce qui conduit à l'émergence du management public, correspondant « *à une évolution histo-rique : celle des systèmes de légitimité qui permettent aux organisations d'exer-cer leur autorité* » (Laufer et Burlaud, 1980). Cette complexité, largement évoquée par les directeurs d'établissement, est illustrée par la collusion des intérêts en jeu et l'instabilité des prises de position. « *Il y a eu télescopage entre deux logiques, la logique de projet qui commençait à être intégrée et la logique planificatrice, descendante de l'agence, "à la hache". Ça se traduit par des écarts de représentation, une perte de lisibilité et de repères, la remise en cause des démarches engagées, de la crédibilité de ceux qui les portaient.* » La plupart des directeurs participant à l'étude ont mis en avant la nécessaire « neutralité » du directeur, dont les compétences clés dans ce type de pro-cessus sont la négociation, l'endurance, la résistance physique et, enfin, la capacité à gérer des contradictions.

CONCLUSION : LE DIRECTEUR D'HÔPITAL, ENTRE LOGIQUE D'ÉTAT ET LOGIQUE D'ÉTABLISSEMENT

Cette recherche nous montre dans quelle mesure les processus de restruc-turation questionnent le rôle des directeurs. Comme l'affirme Schweyer (1999), les directeurs se définissent comme incarnant la jonction de deux logiques différentes et donc comme dépositaires de deux rôles – celui du représentant de l'État central chargé d'appliquer sa politique sanitaire et celui de chef d'établissement, décideur confronté à un contexte d'action local aux caractéristiques propres, et qui doit agir dans le sens de l'intérêt de son établissement. Mais, comme nous l'avons vu, les situations de restructuration rendent la jonction de ces rôles difficile et conflictuelle. Interrogés sur l'éventuelle contradiction de ces logiques, les directeurs ont souvent, dans un premier temps, un positionnement normatif, affirmant qu'il leur revient que ces deux logiques soient compatibles – ou de faire en sorte qu'elles le soient. Cela se fait parfois au prix de la cohérence de l'ac-tion du directeur. C'est bien le compromis par l'articulation des deux logiques et non l'opposition ou le choix d'une logique sur l'autre qui est finalement retenue.

La recherche pose, par extension, la complexité du management public et, par conséquent, du rôle des dirigeants publics à la jonction d'une logique d'État et d'une logique d'établissement. La logique d'État repose sur une rationalité juridique. Le droit sert de référence nécessaire et incontournable à l'administration puisqu'il lui dicte son action, ses finalités et même au-delà son univers de référence. La logique d'établissement, plus proche de la rationalité managériale, est portée par le principe de l'efficacité, de la compétitivité et de la rentabilité. La cohabitation de ces deux formes de rationalité (Chevallier et Loschak, 1982) est faite d'entrecroisement, d'imbrication, de parasitage. C'est la spécificité du management public que de créer des combinaisons opératoires entre deux approches qui paraissent contradictoires mais qui s'articulent dans les pratiques. La responsabilité de cette articulation revient au dirigeant public. Ainsi, les restructurations conduisent à repenser la première sous l'influence des concepts du management; la seconde ne s'applique qu'au prix de « torsions » considérables pour la rendre compatible au cadre juridique dans lequel l'action administrative reste moulée. C'est par le rétablissement de la flexibilité du droit et donc la reconnaissance de la place irréductible de l'acteur social dans la détermination des conduites sociales, qu'un management public est possible. Que le droit continue à occuper une place décisive dans l'exercice de la régulation politique n'exclut aucunement le recours à d'autres formes de régulation. La question centrale de ce point de vue est bien l'articulation et non l'opposition entre les deux logiques, surtout en période de mutation ou de changement. Le directeur d'établissement public, à l'heure de la modernisation de l'État, s'inscrit dans cette dialectique fondatrice de son leadership.

Notre travail nous semble enfin présenter des apports et des limites portant les bases de sa poursuite. Il fait apparaître le caractère opportuniste et chaotique des processus de restructuration. Deux axes nous semblent émerger. D'une part, un renforcement nécessaire d'études de faisabilité des fusions en amont des opérations et, d'autre part, la nécessité d'une évaluation des impacts en aval. La décision de fusion est lourde de conséquences et constitue un investissement important pour la collectivité. À l'issue de nos études de cas, la pertinence de cette forme de restructuration comme réponse au problème de rationalisation d'une offre de soins ne nous est pas apparue évidente. C'est la question de la pertinence, c'est-à-dire la nature de l'objectif au regard de la satisfaction attendue qui est peut-être en cause.

5

Le rôle de dirigeant dans le pilotage de restructuration hospitalière

Patricia Carlier, Jean-Louis Denis,
Lise Lamothe, Ann Langley

Dans ce chapitre[1], nous aborderons le rôle des dirigeants dans le contexte des restructurations hospitalières au Québec à partir du postulat que l'implantation de changements significatifs dans les hôpitaux dépend, pour une large part, des capacités d'émergence d'un leadership collectif fort, prêt à épouser la complexité des processus à l'œuvre. La réflexion que nous proposons dans ce chapitre s'inscrit dans le cadre plus large d'un programme de recherche que nous menons depuis une dizaine d'années sur le changement stratégique dans les organisations de santé (Denis *et al.*, 2001b; 1999; Denis *et al.*, 2000a; Denis *et al.*, 1995; Denis *et al.*, 1994).

Dans les parties qui vont suivre, nous développerons une vision du rôle de dirigeant, revisitée en regard des approches classiques en gestion qui accordaient au leadership individuel une place centrale dans l'exercice du changement organisationnel. Nous débuterons par une mise en perspective du caractère pluraliste des organisations hospitalières, démontrant ainsi que l'enjeu du pilotage des restructurations réside bien plus dans une coproduction d'acteurs aux compétences et aux influences multiples que dans celle d'un leader unique. Nos propositions et argumentations théoriques, soutenant

---

1. Ce chapitre s'inspire directement d'un article publié ailleurs : Denis *et al.* (2001), « The dynamics of collective leadership and strategic change in pluralistic organizations », *Academy of Management Journal*, 44 (4), 809-837.

l'idée d'un leadership collectif fort, viendront prendre appui sur l'analyse de deux séries d'études de cas d'hôpitaux québécois en changement. Une première série qui s'est déroulée au début des années 1990 et une seconde à la fin des années 1990. Nous montrerons finalement, qu'en situation de restructuration, la survie d'un leadership collectif efficace est fortement menacée.

L'HÔPITAL : UNE ORGANISATION PLURALISTE

Le pluralisme organisationnel renvoie à la superposition de logiques d'action distinctes, présentes à différents niveaux de l'organisation. C'est sous le vocable « d'anarchies organisées » que Cohen *et al.* (1972) ont spécifié la complexité de ce type d'organisations qui se caractérise par des structures d'autorité relativement fluides, des objectifs souvent divergents, des processus décisionnels chaotiques, des moyens et des finalités fortement influencés par un contexte sociopolitique omniprésent et où gravitent des groupes professionnels fréquemment politisés. Les études centrées sur l'analyse des professions ou des organisations ont fort bien démontré le caractère multidimensionnel des structures hiérarchiques hospitalières, mettant en perspective leurs composantes pluraliste et complexe qui s'expliquent tout à la fois par la nature du travail et par l'évolution historique des professions de santé et des établissement dans lesquels celles-ci s'exercent (Abbott, 1988 ; Freidson, 1970 ; Lamothe, 1996 ; Mintzberg, 1979 ; Reed, 1996 ; Satow, 1975). Conduire un processus de changement significatif dans ce type de structure organisationnelle crée de multiples formes de résistance parmi des groupes professionnels. Ces derniers, jalousement attachés à leur autonomie, possèdent des capacités d'influence fortes à l'endroit des processus de décision susceptibles d'affecter leur organisation (Mintzberg, 1979 ; 1997). Ce pluralisme, exacerbé par les processus de restructuration, constitue un véritable défi pour l'action dirigeante et le pilotage du changement. Ce pilotage ne nous apparaît plus dépendre de l'autorité et du pouvoir d'une seule personne, mandatée pour diriger l'organisation, mais implique la responsabilité et l'engagement d'une « constellation d'acteurs stratégiques » portée à développer et maintenir un certain degré de cohérence tout au long de ce processus. Le concept de leadership collectif renvoie à la présence de cette constellation d'acteurs en mesure d'agir sur l'évolution d'une organisation.

LE LEADERSHIP COLLECTIF À L'HÔPITAL

L'exercice du leadership collectif à l'hôpital s'appuie sur une complémentarité de savoirs et de compétences distincts détenus par un groupe d'individus possédant une sphère de pouvoir et d'action autonome. Dans ce sens, et rejoignant ici les travaux de Hodgson *et al.* (1965), nous appréhendons le leadership collectif comme une « constellation de rôles » qui cherche à se stabiliser et à se maintenir dans un contexte de pouvoir diffus et d'expertises hétérogènes. Nos résultats de recherche (Denis *et al.*, 1995 ; 2001b) nous permettent d'avancer que la structure formelle prescrite ne donne pas *de facto* un pouvoir de domination à quelque acteur que ce soit. Il s'agit plutôt de trouver un *modus vivendi* ou pour reprendre les travaux de Strauss *et al.* (1963), « *un ordre négocié* » où, par le jeu d'interactions basées sur les affinités, les opportunités et le contrôle des incertitudes, des individus aux compétences variées et hétérogènes vont négocier leur espace d'influence et établir entre eux une coopération leur permettant d'occuper des rôles stratégiques différents dans l'arène organisationnelle. À l'instar des travaux de Hodgson *et al.* (1965), nous retiendrons trois critères essentiels au bon fonctionnement de la constellation : 1) une différentiation, c'est-à-dire une division claire des rôles de chaque membre de la constellation ; 2) une spécialisation qui renvoie à la compétence spécifique et donc à la légitimité reconnue à chacun ; 3) une complémentarité qui renvoie à la capacité d'une constellation à faire face aux enjeux critiques qui marquent l'évolution d'un processus de changement. Ces attributs représentent les éléments constitutifs d'un leadership collectif fort, vecteur d'une capacité d'influence sur le processus de changement.

Au Québec, la structure formelle d'autorité au sein des établissements hospitaliers n'est pas l'apanage d'un seul individu, ce qui institue de fait un leadership collectif. Au sommet de la structure apparaît bien évidemment le directeur général (D.G.) et son équipe de direction responsable de l'ensemble du dispositif de gestion de l'organisation. Sa nomination revient au conseil d'administration (C.A.) qui représente le deuxième organe d'autorité de l'établissement. Structure hétérogène par excellence, le C.A. est composé de représentants du corps médical, d'infirmières, d'autres professionnels de la santé, d'employés, d'usagers et de membres de la communauté. Le troisième pôle d'autorité est représenté par le président du

Conseil des médecins, dentistes et pharmaciens (CMDP) de l'établissement qui est aussi membre du C.A. Cette position, qui le protège jusqu'à un certain point de l'influence du D.G., ainsi que son mandat de garantir la qualité des soins aux usagers lui octroient un pouvoir considérable au sein de l'organisation. Comme on l'a vu, dans ce type d'organisation, un éventail large d'acteurs sont en mesure d'assumer des rôles de leaders sans occuper des positions formelles d'autorité. Ainsi, outre les pôles d'autorité formelles que nous venons de décrire, les professionnels (dont les médecins) peuvent influer fortement sur l'évolution de l'organisation.

Le potentiel de leadership détenu par l'ensemble des acteurs stratégiques au sein de l'hôpital ne dicte évidemment pas à lui seul les règles du jeu du changement organisationnel. Dans l'environnement externe, les agences gouvernementales telles que les instances régionales et le ministère de la Santé – qui sont les principales sources de financement des hôpitaux québécois, qui relèvent tous du secteur public – déplacent leurs propres pions sur l'échiquier de la décision et influencent fortement les processus de restructuration et la composition et l'efficacité de la constellation en place.

Dans cette section, nous nous sommes attachés à présenter le caractère pluraliste et complexe de l'organisation hospitalière. Au cours d'une fusion hospitalière, la reconfiguration du leadership collectif s'opère dans un contexte de superposition de tensions et d'identités préexistantes. En ce sens, l'engagement de plusieurs organisations dans un projet commun de changement majeur – situation de pluralisme organisationnel extrême – implique *de facto* une recomposition des rôles de leaders dans un contexte où il paraît difficile de stabiliser ces nouvelles capacités de leadership. Si la formation d'un leadership collectif est nécessaire pour maîtriser et piloter . le changement dans les organisations pluralistes, il s'agit là d'un processus exigeant qui comporte des risques dont nous allons discuter dans la section suivante.

LES ENJEUX DANS LA STABILISATION
D'UN LEADERSHIP COLLECTIF À L'HÔPITAL

Bien que des périodes de changements majeurs puissent être associées à des constellations de leaders unifiées et complémentaires, nombre d'éléments concourent à la fragilité de ces dernières. Nous avons identifié trois menaces majeures qui représentent autant d'entraves à la stabilisation d'une constellation : le découplage stratégique, le découplage organisationnel et le découplage environnemental. Le découplage stratégique renvoie à l'émergence de conflits et de rivalités entre les différents acteurs clefs de la constellation nourris par les enjeux de prestige et de réputation associés au changement ou tout simplement associés aux pressions qu'exercent des processus de restructuration majeurs sur les leaders. Le découplage organisationnel renvoie à une situation où les membres de la constellation développent une cohésion, un enthousiasme très fort pour un projet de changement tout en négligeant de le partager avec les membres de l'organisation. Le détachement de la constellation avec la base organisationnelle peut mettre en péril la légitimité des leaders et du projet de changement. Comme nous l'avons mentionné précédemment, les structures hospitalières sont des organisations professionnelles dont le noyau opérationnel est détenteur d'une forte autonomie (Lamothe, 1996 ; Mintzberg, 1997). Ce noyau peut rapidement se sentir exclu des projets de l'organisation et considérer les leaders du niveau stratégique comme des gestionnaires déconnectés de la réalité clinique. Enfin, le découplage environnemental renvoie à une situation où, par souci de ne pas rompre des liens ténus avec cette base opérationnelle dont il faut gagner la cause, les leaders négocient le contenu du projet de changement au point d'affaiblir les chances de contribuer à une meilleure adaptation de l'organisation à son environnement. Ceci expose derechef les leaders à une double vulnérabilité. D'une part, celle ayant trait aux pressions politiques à l'interne, de plus en plus difficiles à contenir au fur et à mesure que le processus de changement se déroule. D'autre part, celle imposée de l'extérieur par des pouvoirs publics avides d'actions et de résultats rapides. Ces trois sources de découplage contribuent à fragiliser la constellation et limitent la capacité à former un leadership collectif efficace pour faire face aux enjeux de la restructuration. Lorsque le changement s'opère à l'intérieur d'une seule organisation, ces risques sont probablement moins grands que lorsque la restructuration implique plusieurs organisations distinctes. Dans un contexte de ressources limitées, qui constitue l'apanage des établissements hospitaliers québécois ces dix dernières années, le maintien d'un « couplage » simultané entre les

trois niveaux décrits précédemment s'avère difficile à réaliser et reste soumis à une tension constante entre les aspirations organisationnelles et les
demandes environnementales contraignantes. Comme nous l'avons déjà
mentionné, les organisations pluralistes sont, par définition, des structures
au sein desquelles nombre d'acteurs et de groupes poursuivent des buts différents. En ce sens, une constellation de leaders doit non seulement évoluer
parmi des intérêts et des demandes multiples et divergents mais aussi poser
des actions qui satisfassent les différents acteurs en présence et répondent à
leurs préoccupations. En période de rationalisation des coûts, la marge de
manœuvre de la constellation est étroite et la conciliation autour de compromis propres à satisfaire l'ensemble des groupes reste fragile. L'échec à
réconcilier des perspectives divergentes aura un impact certain sur le maintien d'un « couplage » organisationnel solide. Enfin, le succès dans la récon-
ciliation d'objectifs organisationnels peut intervenir aux dépens d'un
« couplage » fort avec l'environnement. Les membres de la constellation
tirent leur légitimité de sources radicalement différentes. D'un côté, des
gestionnaires préoccupés d'atteindre un équilibre budgétaire fortement
réclamé par la gouverne centrale et, de l'autre, des médecins soucieux de
ménager la susceptibilité de leurs pairs. Ainsi, l'internalisation de tensions
majeures au sein de la constellation peut se produire à tout moment dans
le processus de restructuration, signifiant par le fait même l'absence de
« couplage » stratégique. Les difficultés qu'il y a à consolider simultanément
ces trois formes de couplage nous amènent donc à concevoir la dynamique
de changement stratégique comme un processus cyclique – où les leaders
portent une attention séquentielle aux couplages stratégique, organisationnel et environnemental à la recherche d'une conciliation des forces en
opposition. Des conceptualisations du changement comme cyclique ou
sporadique ont d'ailleurs été utilisées dans d'autres environnements pluralistes, notamment dans les études de Hinings et Greenwood (1988). De
même, l'idée d'attention séquentielle donnée aux forces contradictoires
comme moyen d'accéder au changement trouve son origine dans les travaux de Cyert et March (1963). Finalement, comme nous l'avons souligné,
plus les découplages sont prononcés entre les différents leaders, entre ceux-
ci et la base organisationnelle et entre le projet de changement et les exigences de l'environnement, moins la stabilité et la légitimité de la
constellation semblent assurées.

LES CONDITIONS EN FAVEUR D'UNE STABILITÉ DE LA CONSTELLATION

Quatre facteurs organisationnels peuvent influencer positivement la capacité à stabiliser un leadership collectif efficace au cours des restructurations : la disponibilité des ressources, l'enracinement des leaders dans des réseaux sociaux internes et externes à l'organisation, l'opportunisme créateur et un ensemble de facteurs liés à la persévérance et à l'inattention dans les organisations.

Entre la fin des années 1980 et le début des années 1990 – période de notre première série d'études –, les hôpitaux canadiens s'engageaient dans ce que nous appellerons un changement stratégique, c'est-à-dire un processus où la révision de leur fonctionnement interne et la redéfinition de leurs missions ne mettaient pas en péril leur intégrité ou leur existence. À la fin des années 1990, les hôpitaux étudiés étaient au contraire engagés dans un processus de fusion, où leur nature, leur existence et leurs frontières étaient fondamentalement questionnées. Ainsi, au début de nos études de cas, les hôpitaux sortaient d'une période de munificence relative et, bien que des compressions budgétaires importantes se dessinaient à l'horizon, les dirigeants de ces organisations possédaient encore une marge de manœuvre financière suffisante pour en assurer la promotion et le maintien de leur légitimité. Cette marge de manœuvre représentait en fait un appui potentiel pour opérer des compromis viables entre les demandes d'un environnement relativement stable et les aspirations des acteurs internes (Cohen *et al.*, 1972). L'aisance sur le plan des ressources a agi en faveur d'un resserrement des différentes formes de couplage dont nous avons discuté (stratégique, organisationnel et environnemental).

Un deuxième élément de stabilisation d'une constellation observé lors de nos études concerne le degré d'implication ou d'enracinement des leaders au sein de réseaux sociaux leur permettant de mieux connaître les attentes et la texture politique du milieu organisationnel ambiant. Ainsi, bien connaître la base opérationnelle de l'organisation, gagner la confiance des groupes professionnels puissants, appartenir soit même à un de ces groupes et représenter leurs intérêts dans la prise de décisions, sont autant d'éléments qui concourent à donner du pouvoir et de la légitimité aux leaders. L'implication active dans des réseaux sociaux, en permettant de tester le projet de changement auprès d'une diversité d'acteurs, peut favoriser un resserrement de la constellation avec la base organisationnelle. Cela peut aussi jouer sur la conformité d'un projet avec les attentes de l'environnement. Paradoxalement, l'implication dans ces réseaux sociaux peut, dans le même temps, contribuer à diluer le projet de changement si les leaders se voient dans l'obligation de répondre à l'excès à des attentes difficilement réconciliables.

La troisième source de stabilité d'une constellation que nous proposons est plus dynamique. Elle prend naissance dans « l'opportunisme créateur » des membres de la constellation. En effet, si le projet de restructuration engagé peut permettre aux leaders de construire une niche ou une représentation dans laquelle les aspirations et les compétences organisationnelles sont conciliables avec les opportunités et les pressions environnementales existantes, alors la probabilité que le changement se produise est accrue. Pour exemple, nous pourrions citer l'un de nos cas où un projet de développement d'une mission universitaire dans un hôpital de banlieue par les médecins de cette organisation rejoignait parfaitement les aspirations d'une petite faculté de médecine qui cherchait à élargir son mandat pour survivre. Ou, encore, nous pourrions citer le cas d'un hôpital universitaire qui, en projetant le développement d'une structure ambulatoire – donc l'augmentation de la file active des patients – garantissait *de facto* un gain financier pour les médecins et augmentait ainsi leur appui au changement. L'opportunisme créateur se rapproche en fait d'une gestion symbolique du changement où il s'agit de convertir les incertitudes, l'insécurité et les risques en opportunités pour des acteurs incontournables ou pour ceux que l'on cherche à mobiliser. Il a le potentiel d'accroître le couplage de la constellation avec la base organisationnelle.

La quatrième source de stabilité d'une constellation donne un appui utile mais momentané à l'« opportunisme créateur ». Elle concerne le temps, l'inattention et la protection qu'octroie une position formelle au sein de l'organisation. Le temps est une donnée que l'on ne peut ignorer en stratégie des organisations qui, pour paraphraser Avenier (1997), se construit « chemin faisant ». En ce sens, il faut du temps aux leaders pour construire le projet de restructuration et pour réaffirmer à maintes reprises les orientations en matière de changement. La persévérance des leaders peut contribuer à l'acceptabilité d'un projet de changement auprès des membres internes et externes de l'organisation. L'inattention est un attribut des processus décisionnels dans les organisations. Les leaders sont en mesure de consacrer de l'énergie et de focaliser leur attention sur le développement des projets de restructuration. Ils ont à cet égard un avantage puisque nombre de leurs initiatives peuvent passer inaperçues et devenir des faits accomplis pour des membres de l'organisation. Même s'il y a des risques à placer les membres de l'organisation devant des faits accomplis (Denis *et al.*, 1995), cela peut toutefois contribuer à mettre en œuvre des changements irréversibles ou précurseurs de transformations encore plus importantes. Si ces changements sont perçus comme des réalisations positives, ils renforcent alors la stabilité de la constellation. La position formelle d'autorité occupée par certains leaders au sein de l'organisation peut aussi offrir une protection provisoire contre les pressions des opposants à un projet. Ainsi, si l'élection du conseil médical exécutif (CMDP) a lieu chaque année ou tous les deux ans et qu'un D.G. est généralement en poste pour plusieurs années, on peut aisément concevoir que des leaders puissent s'engager dans le changement avec détermination et connaître des périodes de fluctuation de leur légitimité tout en maintenant leur position dans l'organisation.

Ces quatre facteurs organisationnels peuvent favoriser l'émergence d'un leadership collectif efficace. Dans le cadre de restructurations majeures comme les fusions, le pouvoir d'action de ces facteurs apparaît plus limité tant il semble difficile pour un groupe de leaders d'harmoniser une multitude de sources de pouvoir, d'expertise et de légitimité tout en gardant un lien fort avec une base organisationnelle en voie de reconstruction.

CONCLUSION

Ce chapitre a été l'occasion pour nous d'offrir une lecture du leadership organisationnel qui met en perspective de nouvelles dynamiques, permettant de mieux comprendre le rôle des dirigeants dans des processus de restructuration significatifs. En tenant pour acquis que ce rôle s'exerce au sein d'organisations pluralistes complexes, composées de stratifications professionnelles autonomes et influentes, nous résumerons en quelques points les principaux éléments abordés au long de ce texte qui constituent autant de messages à l'endroit des dirigeants.

En tout premier lieu, nonobstant l'intérêt d'un leadership individuel fort qui demeure un atout indispensable pour conduire un projet de restructuration, nous soutenons à l'instar d'autres auteurs (Hambrick et Mason, 1984; Pettigrew, 1991) que dans ce type d'organisation complexe où le pouvoir est diffus et fragmenté, ce leadership doit épouser une forme collective consensuelle. Ce modèle suppose la mise en scène d'une constellation d'acteurs qui accèdent à des positions de leaders et qui acceptent de partager le leadership avec d'autres ou même de céder leur place pour lancer ou relancer le processus de changement à des moments critiques de son évolution. Si un acteur seul ne peut imposer ses propres visions et préférences à l'organisation, une équipe réunissant une multitude de compétences, d'expertises, de légitimité et de sources d'influence, peut y parvenir. Cette idée simple et attrayante, suggérée à l'origine par Hodgson *et al.* (1965), est peu usitée en stratégie organisationnelle souvent plus encline à glorifier un leader, seul capitaine à bord.

En second lieu, dans une période de changement fortement marquée par l'incertitude et où des tensions s'exercent entre des pressions environnementales, des aspirations organisationnelles et les préférences des leaders en place, le maintien d'un leadership collectif efficace est difficile. Trois risques menacent la stabilité d'une constellation : le découplage stratégique, le découplage organisationnel et le découplage environnemental. La difficulté à resserrer simultanément ces trois couplages donne vraisemblablement corps à un processus cyclique de changement où les leaders portent attention de façon séquentielle à des enjeux d'adaptation face à l'environnement, au maintien d'un appui interne suffisant et à la cohésion des membres de la constellation. Cette dynamique peut jouer sur l'appréciation que feront les acteurs internes et externes de l'utilité et des performances des restructurations. Enfin, ces exercices de « couplage » exercent une forte influence sur la position politique occupée par les leaders au sein de la constellation. Comme nous l'avions déjà relevé dans une de nos études précédentes, le leadership est un phénomène entropique où le capital politique d'un acteur est soumis à un cycle d'accumulation et d'érosion. Ainsi, si le choix d'un couplage peut s'avérer payant dans un premier temps, notamment parce qu'il augmente la crédibilité du leader, il peut, dans un second temps, miner son capital politique ou sa marge de manœuvre en fonction des actions qu'il aura entreprises. Assumer pleinement un rôle de dirigeant dans un processus de restructuration suppose, dès lors, que l'on soit prêt à s'effacer au bon moment pour permettre l'expression de nouvelles compétences ou sources de légitimité.

Le modèle de leadership collectif que nous avons développé ici, bien qu'il ne puisse à lui seul couvrir l'ensemble des dynamiques stratégiques à l'œuvre dans les processus de restructuration hospitalière, nous permet néanmoins d'étendre notre compréhension du rôle des dirigeants engagés dans de tels changements. En conclusion, nous retiendrons que la dynamique organisationnelle est un phénomène complexe dont la modélisation reste inachevée (Van de Ven, 1992). Les emprunts récents à la théorie de la complexité et des systèmes dynamiques non linéaires (Browning *et al.*, 1995 ; Stacey, 1995) viennent appuyer, plus que jamais, l'idée d'organisations possédant des caractéristiques intrinsèques et des comportements où coexistent l'ordre et le chaos sur fond de dialectique permanente (Thiétart et Forgues, 1997 ; Desreumaux, 1998). La dynamique de leadership que nous venons de décrire montre bien les liens étroits et complexes qu'entretient l'action dirigeante avec le changement.

PARTIE 3

Restructurer avec ou en dépit de la clinique : le professionnel dans sa communauté de pratiques

Annick Valette

Comprendre les processus de restructuration nécessite à un moment donné d'ouvrir « la boîte noire » des professionnels, source de structuration, de restructuration ou de déstructuration.

Par professionnels, nous entendons ici principalement les médecins. Le personnel paramédical est remarquablement absent des textes de recherche. Quand il en est fait mention, il est intégré au monde de la clinique par opposition à celui de l'administration. Plus récemment, il réapparaît en France comme au Québec sous la forme « d'effectif manquant » amené à jouer un rôle de facteur déclenchant ou limitant des projets stratégiques des établissements.

Les deux textes présentés portent des regards différents sur le professionnel. Le texte français examine la relation entre le médecin, la technologie et le capital financier dans un contexte où les professionnels ont une autonomie stratégique puisqu'ils travaillent dans des établissements privés. Ils apparaissent comme des entrepreneurs mais toujours aux prises avec une communauté de pairs. Le texte suit les bouleversements de la structure formelle des cliniques privées sous l'effet d'une action conjuguée de la rationalité gestionnaire et de la rationalité clinique. Le texte québécois regarde le médecin, organisateur de sa pratique clinique, dans ses relations avec son collectif de travail. Les réorganisations plus formelles peuvent lui échapper et provoquer une dichotomie entre la structure profonde de production et la structure formelle ou, au pire, une déstructuration des compétences collectives étroitement tissées.

Des traitements différents peuvent être faits de la place du professionnel dans le processus de restructuration. Nous en proposons trois.

Le premier est conforme à la place attribuée au médecin dans le modèle organisationnel de la bureaucratie professionnelle. Le fondement de l'organisation est l'activité des médecins. Les changements sont induits par les évolutions de leurs projets professionnels et des conditions requises pour leur pratique. L'administration joue alors un rôle support qui met en forme et négocie au mieux les moyens de ces transformations. Le texte québécois et le texte français, pour partie, mettent en scène cette représentation du professionnel. L'un insiste sur le rôle du collectif de professionnels qui détermine les modes de coordination et de division du travail qui lui sont propres et représentent « la structure profonde » de l'organisation. L'autre met en avant l'importance de l'accès à la technologie qui peut conduire à modifier les structures des établissements. La recherche d'une certaine intensité de pratique médicale, la coopération avec des services plus spécialisés ou « avals » pour ajuster la pratique aux compétences spécifiques sont d'autres ressorts. Le changement est alors plutôt incrémental et amorcé par ce que nous avons appelé une restructuration des échanges. L'innovation organisationnelle est au service de la préservation de l'activité et de l'identité professionnelle. Le texte français pointe « des réussites » : les restructurations des cliniques privées épousent cette dynamique professionnelle. Le texte québécois met en garde contre les risques qu'il y a à ignorer cette dynamique.

Le deuxième traitement met en scène un professionnel extérieur au projet de restructuration. La restructuration est le fait de la direction de l'établissement ou du conseil d'administration qui répond à des attentes des tutelles. Le levier d'action est le changement des structures formelles. L'objectif en est la recherche d'économies d'échelle, la suppression de doublons, ou le respect de normes de qualité et de sécurité (taille critique, ratios d'encadrement) qui ne relèvent pas de la stricte pratique clinique. Ces changements peuvent même être contraires à l'intérêt des professionnels, remettre en cause les conditions de leur pratique, voire même la dégrader. Ces changements ne peuvent toutefois se faire en opposition au professionnel. Il intervient alors dans un second temps, comme acteur avec lequel il faut négocier pour rendre le projet de changement possible. Le projet initial devra être adapté, traduit en projet clinique pour intéresser les professionnels. Beaucoup de récits de restructuration, qu'ils soient français ou québécois, mettent en scène des professionnels dans cette position. Si le processus ne peut s'engager sans eux, l'implication de tous n'est pas nécessaire. Les changements de pratiques, de territoires, de pouvoirs, de normes professionnelles induits par ces restructurations génèrent alors inéluctablement des résistances, du conflit, voire « des épreuves de renégociation identitaires » (Cauvin *et al.*, 2002) d'autant plus importantes que ces changements ne sont pas toujours logiques pour ces professionnels.

Le professionnel peut enfin être considéré comme « multi-casquettes », par exemple médecin et propriétaire, médecin et entrepreneur. Le texte français illustre cette position. Le comportement du professionnel dans les restructurations n'est pas uniquement guidé par son projet clinique. On peut faire l'hypothèse que la dynamique de restructuration est portée par un ensemble de facteurs exogènes ou endogènes qui poussent à privilégier l'un ou l'autre des rôles à un moment donné. Toutefois, la structure ainsi transformée doit rester compatible avec la co-existence des autres rôles. Il serait intéressant de poursuivre l'analyse des procédures d'arbitrage entre les logiques en regardant par exemple l'action de médecins qui sont aussi dirigeants. Absents du système public français, ils sont plus nombreux au Québec. Les dirigeants des deux CHU en cours de fusion, le CHUM et le CHU McGill, sont tous deux médecins et font suite à des dirigeants « managers ». On pourrait imaginer que leur connaissance intime des structures d'échange leur permet de proposer des structures formelles en meilleure adéquation avec les pratiques et les projets cliniques des professionnels.

6

Une nouvelle chrysalide : le médecin entrepreneur ?

Jean-Pierre Claveranne, David Piovesan,
Christophe Pascal

L'histoire moderne des cliniques privées françaises repose sur une succession de restructurations qui se résume par le développement de trois configurations. La première forme de clinique (la *clinique villa*) constitue le prolongement de l'exercice individuel du médecin par adjonction d'un mini-plateau technique. Cette petite PME repose tout entière dans les mains du leader fondateur omniscient. Mais très rapidement, celui-ci perçoit la nécessité de s'agrandir ; en recrutant de jeunes médecins (ses « disciples »), il fonde la *clinique éponyme*. Celle-ci, malgré son évolution, reste caractérisée par le mode d'association des médecins qui repose sur *l'intuitu personnæ* (relations interindividuelles). Le modèle de la clinique éponyme demeure marqué par l'attachement de la structure à son fondateur : la clinique, très souvent, porte le nom de celui-ci. Cette configuration évolue au fil de la succession de générations de médecins et de l'ouverture du capital des sociétés. Trois générations de cliniques peuvent ainsi se ranger sous ce même modèle éponyme :

– « *le fondateur et les disciples* » marque la première époque de la clinique éponyme durant laquelle le fondateur est encore présent et dirige, tel un « patron » de PME, l'entreprise ;

– « *les héritiers* » correspond à la deuxième époque de clinique éponyme à la suite du décès ou du départ du fondateur mais dont l'esprit perdure par les héritiers sanguins (organisation familiale) et spirituels (les médecins) ;

– « *les affranchis* » marque la rupture avec les mythes fondateurs de la clinique éponyme : à l'occasion du départ des héritiers, le capital s'ouvre sur des investisseurs non médicaux et engage la transformation de la clinique éponyme vers la troisième configuration.

Enfin, la *clinique anonyme*, dont la clinique de groupe représente la version juridiquement la plus aboutie, correspond à une entreprise dans laquelle le capital n'appartient plus au médecin mais à des investisseurs extérieurs, rompant définitivement avec les caractéristiques des configurations précédentes marquées par *l'intuitu personnæ*.

Si les restructurations dans le secteur des cliniques privées offrent un intérêt certain, c'est qu'elles permettent de remettre en question les rapports patrimoniaux qu'entretenaient les médecins spécialistes libéraux jusqu'alors avec l'un de leurs instruments de travail, la clinique. Cette remise en question, parce qu'elle oblige à une mise à plat des liens contractuels entre la « clinique » et le médecin, permet de s'interroger sur ce qu'est vraiment une « clinique », sur ce que sont la « loyauté » du médecin et son attachement vis-à-vis de cette « clinique » et sur ce que sont, enfin, les dynamiques disciplinaires spécifiques sur un marché local.

Les restructurations qui se sont déroulées ces dernières années dans les cliniques privées ont fait ressortir la complexité organisationnelle de ce type d'organisation, ainsi que l'existence de formes spécifiques à l'action collective médicale. La clinique privée est en réalité une « simplification de langage » car cette organisation porte en son sein une pluralité de modes d'action collective et cache, ce faisant, une multiplicité d'intérêts potentiellement divergents et contradictoires.

Ce chapitre se propose ainsi d'appréhender le développement des formes d'action collective des médecins à partir de l'approche de Denis Segrestin (Segrestin, 1980). Selon cet auteur, les communautés d'action ne reposent pas seulement sur un partage d'intérêts mais aussi sur une conscience collective des problèmes et des enjeux. Complétée par les travaux de Catherine Paradeise, cette analyse montre que les approches sociologiques traditionnelles appréhendent difficilement l'hétérogénéité des organisations et met dès lors en lumière la pluralité des « acteurs collectifs » au sein d'une même organisation (Paradeise, 1990).

Il s'agit donc de comprendre les motifs qui ont poussé les médecins à rejeter la clinique anonyme comme forme d'action collective pertinente et à s'identifier à d'autres communautés. L'hypothèse de notre propos s'articule autour de la définition même du médecin libéral en tant que professionnel (Freidson, 1984b). Il doit ainsi s'envisager comme un professionnel dont les principales caractéristiques reposent, d'une part, sur son autonomie et son indépendance et, d'autre part, sur la propriété de son outil de travail (Bucher et Strauss, 1961). C'est par le souci de préserver ces deux fondements que se justifie le développement de communautés alternatives. En outre, l'étude de celles-ci prend tout son sens quand on les compare, comme nous le ferons ici, à des formes plus « traditionnelles » de mobilisation collective comme le syndicat, la société savante ou la discipline médicale.

C'est donc la genèse des communautés pertinentes de l'action collective médicale que ce chapitre se propose de décrire en trois temps. La première partie relate le déclin de la « communauté-organisation » dans laquelle les médecins s'identifient à la clinique éponyme. La deuxième partie montre le développement de communautés d'un ordre infra-organisationnel dans lesquelles les médecins s'identifient davantage que dans la clinique anonyme. Enfin, la troisième partie est consacrée à l'analyse d'un « acteur collectif » émergent et alternatif à la clinique anonyme : la « communauté entrepreuneuriale ».

MÉTHODOLOGIE

Ce chapitre s'inscrit à la suite d'une étude réalisée dans le cadre du Programme de recherche de la MIRE sur les restructurations hospitalières (Claveranne *et al.*, 2002). Cette étude spécifique sur les restructurations des cliniques réalisée par le Graphos – Université Lyon 3 conjugue quatre stratégies de recherche :

Une revue de la littérature sur le sujet.

Des accompagnements longitudinaux de cliniques privées depuis une dizaine d'années dans leurs projets d'établissement ou leurs restructurations, complétés par des entretiens semi-directifs ciblés avec les porteurs de ces opérations, les équipes de certaines ARH et des représentants, nationaux et régionaux, actuels et passés, des syndicats hospitaliers privés (FEHAP, UHP, FIEHP et FHP).

Une étude financière exhaustive sur les cliniques privées réalisant des activités de médecine, chirurgie et obstétrique sur la période 1993-2000.

Des travaux d'expertise menés par J.-P. Claveranne depuis le début des années 1990 pour
le compte des DDASS, des ARH, des tribunaux de commerce, etc. Ces travaux ont permis au
Graphos, d'une part, de pénétrer et d'étudier un secteur mal connu et, d'autre part, de
disséquer et d'analyser des restructurations de cliniques afin de construire, après anony-
misation, des études de cas. L'étude réalisée dans le cadre du programme de recherche
de la MIRE a ainsi pu profiter de l'expérience accumulée par le Graphos au fil de ses travaux. Une thèse de gestion a été réalisée sur le sujet (Piovesan, 2003).

LE DÉCLIN DE LA « COMMUNAUTÉ-ORGANISATION »

L'analyse des relations entre la clinique privée en tant que structure et les
médecins comme acteurs individuels passe par l'histoire du secteur hospitalier privé. Celle-ci fait ressortir que la clinique, si elle a pu constituer, dans
le modèle d'origine de la clinique éponyme, une communauté pertinente
de l'action collective du médecin au travers de l'identité qui existait alors
entre la société d'exploitation, la société civile immobilière et la communauté médicale, n'est plus aujourd'hui considérée par les médecins comme
une entité à laquelle ils s'identifient.

En effet, l'exercice originel de l'art médical repose sur un exercice individuel. Très vite cependant, le développement des technologies diagnostiques
et thérapeutiques va contraindre le médecin à investir plus lourdement dans
des équipements. Les premières cliniques naissent ainsi comme extensions
du cabinet individuel du médecin sous la forme de mini-plateaux techniques. Ces petites cliniques, construites sur le modèle de la clinique villa,
sont fréquemment spécialisées dans une discipline. Le médecin, à une
époque où son statut social lui fait occuper une place de notable local,
demeure seul dans son exercice professionnel. La nécessité, d'une part,
d'agrandir le plateau technique et, d'autre part, de le moderniser sous l'effet
des progrès incessants de la médecine amène d'autres médecins libéraux (les
disciples du fondateur), le plus souvent de la même spécialité, à rejoindre la
clinique villa pour augmenter leur capacité d'investissement face à un équipement technologique dont le coût s'est renchéri.

Cette transformation de l'artisanat individuel en un artisanat collectif constitue l'acte de naissance de la clinique privée comme clinique éponyme. Celle-ci reste la propriété des médecins. Il y a ainsi identification forte, tant affective que financière, entre l'outil de travail et les praticiens. Ce modèle ne peut être que difficilement daté car, bien souvent, il a pu résulter de la transformation progressive de congrégations religieuses en cliniques dans le cadre de rachat d'établissements par des médecins. La clinique éponyme, de première génération (« le fondateur et les disciples ») ou de seconde génération (« les héritiers »), constitue ainsi le socle de la communauté-organisation. Le déclin de l'une entraîne le déclin de l'autre.

Ces organisations se transmettent fréquemment de gré à gré, par le biais de relations où le facteur déterminant de la transaction repose davantage sur la *confiance*, issue de l'appartenance à une même « école » ou à une même discipline, que sur l'apport financier d'un médecin. Le choix du successeur ou même d'un intervenant repose alors sur des critères de savoir-faire technique, de légitimité, de réputation et de « proximité culturelle ».

Le développement de la clinique éponyme de troisième génération (« les affranchis »), et sa transformation en une clinique anonyme dont l'aboutissement juridique est constitué par la clinique de groupe, vient remettre en cause cette identification entre la clinique-organisation et les médecins.

D'abord, parce que l'évolution progressive de la clinique éponyme implique la perte de la possession de l'outil de travail. En effet, la fin de la clinique éponyme se conjugue avec le (et est issue du) départ à la retraite du médecin fondateur et de ses disciples. À l'origine des premières cliniques, les trois parties prenantes étaient les mêmes : le médecin fondateur avait créé la société civile immobilière (sci), détenait la société d'exploitation et exerçait dans son établissement. La sci était dédiée à l'investissement immobilier pour améliorer l'outil de travail. Avec le départ en retraite du fondateur et des héritiers, la situation change.

Dans ce contexte, la sci de la clinique éponyme des affranchis va devenir une possibilité de rémunération supplémentaire pour le médecin retraité et non un support à l'amélioration de l'outil de travail ; le loyer étant dès lors soumis à des tensions à la hausse afin de rémunérer les associés de la sci. La clinique des affranchis conduit à un élargissement de l'actionnariat des sociétés de clinique et l'introduction dans le capital d'investisseurs extérieurs : notables locaux, pharmaciens, laboratoires d'analyse, investisseurs étrangers au monde de la santé.

L'arrivée au début des années 1980 dans le paysage hospitalier français de chaînes de cliniques a amplifié cette rupture entre le médecin opérateur et le médecin propriétaire (Heinrich et Valérian, 1991). Si les groupes de cliniques représentent environ 15 % du marché privé (Générale de santé, Capio Santé, Hexagone, UHS), il n'en reste pas moins que la prise de possession d'une clinique par un groupe implique des changements importants dans les établissements, notamment *dans ce que peut représenter la clinique pour les médecins*.

La situation actuelle se caractérise toutefois par une grande diversité. Certains groupes d'envergure locale cherchent à maintenir un actionnariat médical minoritaire dans les cliniques détenues. Des groupes d'envergure nationale, par le biais de formules juridiques souvent complexes, donnent la possibilité aux cadres des établissements (médecins et directeurs) d'être actionnaires du groupe. Ces montages visent à développer le sentiment d'appartenance et d'identification des personnels aux groupes et aux cliniques, avec un succès, cependant, qui reste relatif et très modeste.

Les restructurations passées des cliniques privées ont consacré le divorce entre la propriété des établissements et les médecins. Les transformations de la clinique éponyme et le développement de la clinique de groupe ont affaibli le sentiment d'appartenance et d'identification des praticiens libéraux avec l'organisation. La fin de la clinique éponyme a consacré la rupture de l'identification des médecins à leur organisation et témoigne ainsi de la fin de la communauté organisation. Les médecins ont alors investi, animé et construit d'autres formes d'action qui correspondent davantage à leurs besoins d'identification collective et à leurs désirs d'investissement matériel et symbolique.

L'AVÈNEMENT DES « COMMUNAUTÉS MÉDICALES »

Alors que la clinique villa et la clinique éponyme consacraient l'identification du médecin avec « sa » clinique, les configurations suivantes de cliniques correspondent à un divorce consommé entre le médecin et l'organisation. Le médecin, ne trouvant pas satisfaction dans le sentiment d'appartenance à une organisation, va se réfugier dans des modalités d'investissement et d'action plus proches de ses besoins et désirs.

Les acteurs, lorsqu'ils sont en désaccord avec l'orientation ou le mode de fonctionnement de l'organisation à laquelle ils appartiennent, se retrouvent dans l'alternative entre la défection (« *exit* ») et la prise de parole (« *voice* ») exposée par Albert Hirschman (1995). La *prise de parole* désigne toute tentative visant à modifier un état de fait jugé insatisfaisant, que ce soit en adressant des pétitions individuelles ou collectives, en faisant appel à une instance supérieure ayant barre sur la direction ou en ayant recours à divers types d'action, notamment ceux qui ont pour but de modifier l'opinion publique. La *défection* conduit à quitter l'organisation avec laquelle l'on est en désaccord, c'est-à-dire à abandonner la relation dans laquelle on intervient en tant qu'acheteur d'une marchandise ou en tant que membre d'une organisation. La *fidélité* d'un individu à une organisation freine la défection et favorise la prise de parole.

À la lumière des apports de Hirschman, on peut dire que les restructurations qu'a subies la clinique éponyme ont conduit à deux mouvements simultanés : d'une part, la défection des médecins en portant atteinte à leur loyalisme organisationnel envers la clinique éponyme des affranchis et la clinique anonyme et, d'autre part, leur mobilisation au sein de nouvelles communautés d'action collective. Comme le souligne Philippe Bernoux, les actions collectives fortes se déclenchent lorsque des individus, se sentant menacés, perçoivent que la seule résistance individuelle ne suffira pas à endiguer les dangers qu'une action collective pourrait, elle, contenir, voire vaincre (Bernoux, 1990). Les communautés médicales se forment ainsi *contre* l'anonymat du capital, *contre* les groupes de cliniques et *pour* maintenir l'autonomie professionnelle.

Les stratégies de contournement développées par les médecins rappellent la situation des cabinets d'avocats français, organisés jusqu'aux années 1970 selon un système artisanal, qui ont été confrontés, alors, à l'affirmation du pouvoir des « méga-firmes juridiques » caractérisées par la recherche d'une organisation du travail plus rationalisée (Karpik, 1995). Les problématiques soulevées à cette occasion (notamment sur la déchéance d'une « profession devenue business ») se rapprochent de la désillusion médicale issue de l'arrivée des groupes de cliniques.

La Commission médicale d'établissement, créée par le législateur en 1991, a pour vocation de formaliser la communauté médicale dans une instance officielle dotée d'attributions spécifiques. Elle réunit l'ensemble des professionnels libéraux exerçant dans la clinique, à titre exclusif ou non. Cependant, les pouvoirs de la CME demeurent exclusivement consultatifs, et le périmètre large de cet organe ne doit pas laisser accroire l'idée d'une unité médicale tout entière regroupée derrière un président de CME. Le fonctionnement et le poids effectif de la CME sont variables et dépendent étroitement de la personnalité du président et du sens qu'il entend donner aux travaux réalisés par l'assemblée médicale. Le rôle de celle-ci, quand elle dépasse le fonctionnement d'une « simple chambre d'enregistrement » des décisions, reste limité ; celle-ci n'arrive pas toujours à réellement fédérer les intérêts souvent divergents, voire antagonistes des différentes composantes du corps médical pour parvenir à se prononcer d'une même voix sur les choix stratégiques et médicaux à développer dans l'établissement. La prétention du législateur, en instituant cet organe, qui ne repose pas toutefois sur une assise juridique solide et communément admise, a été de regrouper la communauté médicale entière et de la faire parler d'une seule voix. Il faut toutefois prendre soin de distinguer la CME comme un lieu institutionnel (dont l'exercice effectif des attributions qui lui sont conférées reste modeste et très variable) et un lieu d'action où des médecins peuvent se rassembler et, c'est le cas dans la clinique anonyme, utiliser la CME comme canal d'expression privilégié de la représentation minoritaire du capital. Alors, et seulement dans cette seconde configuration, la CME institutionnelle peut devenir une communauté médicale au sens de Denis Segrestin.

L'analyse des nouvelles communautés pertinentes nécessite cependant de revenir sur le design organisationnel de la clinique privée. Par-delà la diversité des configurations, la clinique est en réalité une « structure transactionnelle » (Piovesan et Claveranne, 2003), dans le sens où elle associe plusieurs entreprises indépendantes et autonomes qui coopèrent dans une succession de transactions. L'architecture organisationnelle de la clinique repose ainsi sur l'assemblage d'une société d'exploitation, d'une société immobilière et d'une multitude d'entreprises détenues par les médecins. L'essentiel des ressources humaines participant à la production (en dehors des médecins eux-mêmes) est constitué des salariés de la clinique exploitation. Cette structure conduit à caractériser la clinique comme un «nœud de contrats» (Jensen, 1983).

La complexité d'une telle structure provient du fait, d'une part, que les professionnels libéraux peuvent s'associer avec des confrères afin de contracter avec la clinique pour exercer leur activité au sein des locaux de cette dernière et, d'autre part, que ces groupes de médecins peuvent salarier eux-mêmes des personnels. Ces regroupements médicaux sont fondés principalement sur l'appartenance à une même discipline. Ces «communautés médicales», bien qu'indépendantes et autonomes, n'en restent pas moins relativement intégrées autour de la clinique exploitation (qui possède et entretient le plateau technique) et dans la structure transactionnelle.

Si le ressort d'un tel investissement est nécessairement multiple et en grande partie contingent aux situations locales et personnelles des acteurs, la quête de meilleures conditions de travail demeure cependant un critère important d'association avec d'autres confrères dans un même établissement. En effet, alors que la réduction du nombre de médecins conjuguée à l'accroissement des normes d'exercice de la profession font peser de lourdes contraintes en termes de temps de présence et de garde, la mise en commun des compétences est perçue comme un moyen d'allègement des contraintes. Cette conception trouve un écho particulièrement favorable parmi les nouvelles générations de médecins à la recherche d'une meilleure conciliation entre la sphère domestique et la sphère professionnelle. Elle se trouve également sans doute renforcée par l'affaiblissement du statut historique du médecin dans la société.

Mais d'autres critères ont poussé au développement de ces communautés. Les associations qui se créent se fondent sur *l'appartenance à une même discipline*. C'est entre orthopédistes que l'on se regroupe, voire entre chirurgiens si l'établissement n'est pas assez grand pour compter un nombre suffisant d'orthopédistes. La récurrence d'une même culture professionnelle, issue du long cheminement de la formation des médecins, facilite l'agrégation des médecins dans une communauté.

Certaines disciplines se sont plus investies que d'autres dans ces communautés médicales. La chirurgie a été particulièrement active, comme la radiologie ou l'anesthésie. Les spécialités de la tête (ophtalmologie et ORL notamment), plus récemment, ont participé à ce mouvement de regroupement. Cet investissement plus actif relève, il est vrai, de la nature des disciplines et de l'organisation du travail qui en est induite, des caractéristiques des tâches et activités (durée, fréquence, intensité, rythme).

Comme le montre la sociologie de l'organisation, c'est par le partage d'une même logique d'acteurs que se fonde l'identité collective (Reynaud, 1982). Ce qui fonde dès lors la « communauté médicale », c'est la défense des caractéristiques de la profession médicale, en particulier son autonomie.

Certaines communautés médicales parviennent même à s'ériger en « porte-parole » des membres du groupe. La communauté « urologie » parle au nom des urologues, la communauté « orthopédie » parle au nom des chirurgiens orthopédistes. Dès lors, les questions contractuelles (taux de redevance, modalités de calcul, locations immobilières) et stratégiques (projet médical, chiffre d'affaires) sont débattues non plus entre la clinique et le médecin (ce que semble pourtant indiquer la nature individuelle du contrat du médecin) mais entre la clinique et la communauté médicale.

Le développement de ces formes d'action collective permet aussi de fonder un « groupe » qui peut regrouper plus d'une dizaine de praticiens de même discipline dans le cas d'un établissement de grande taille. Dès lors, la communauté profite aussi des effets de seuil lui conférant un avantage certain sur le marché local de la profession et la détention de parts de marché supérieures qui sont autant de promesses d'une rentabilité financière plus élevée.

Les communautés disciplinaires n'ont pas toutes investi les mêmes structures juridiques. Si la société civile professionnelle (destinée à partager un exercice) ou la société civile de moyens (destinée à partager des moyens et équipements) demeurent les formules juridiques les plus choisies dans le cadre de groupements infra-organisationnels, d'autres formes ont été préférées par certaines disciplines. Par exemple, il semble que les chirurgiens orthopédistes se soient particulièrement investis dans la société de fait (du fait notamment de la souplesse des arrangements qu'elle permet entre deux associés). De nouvelles formules juridiques connaissent un engouement certain ces dernières années (notamment la société d'exercice libéral). Il serait intéressant de préciser les motifs de choix des professions pour telle ou telle structure juridique, compte tenu des critères patrimoniaux, fiscaux, juridiques, financiers.

Finalement, l'essor de ces communautés médicales nous semble correspondre à la perte du sentiment d'appartenance à la clinique du fait de la perte de vitesse de la clinique éponyme au profit notamment de la clinique de groupe.

Tout se passe alors comme si le médecin retrouvait son identité dans un réinvestissement dans d'autres communautés d'action collectives plus à même de lui apporter les ressources (affectives, sociales, financières, cognitives) qu'il recherche. La communauté médicale permet de consolider une indépendance et une autonomie professionnelle par le poids que peut représenter un collectif médical parlant d'une même voix. La mobilisation de la communauté médicale se construit *pour* préserver un statut d'indépendant, *pour* maîtriser un marché local, *contre* l'intrusion du gestionnaire.

Cependant, ces communautés, comme la Commission médicale d'établissement, ont eu des effets limités par rapport à leurs objectifs. Au sein des groupes de cliniques, bien qu'en la matière une certaine diversité prévale, la participation des médecins aux réflexions stratégiques demeure réduite. Un encadrement fort est imposé par les directions des groupes sur les pratiques médicales en matière de tarifs (dépassement d'honoraire et secteurs) et le rôle des communautés médicales, malgré les efforts des médecins, reste fréquemment cantonné à la défense d'intérêts professionnels. Dès lors, puisque les communautés médicales n'ont pas permis aux médecins de reprendre la main sur les choix décisionnels des cliniques, les médecins ont imaginé de nouvelles modalités d'investissement collectif.

L'aboutissement de la logique des professionnels médicaux désireux de protéger leur indépendance et de conserver la propriété de leur outil de travail est consacré par la rupture de la communauté médicale avec la structure transactionnelle dans laquelle elle se situait jusque-là. Les médecins se regroupent dès lors pour fonder une communauté d'action collective autonome et indépendante de la structure transactionnelle que nous appelons « communauté entrepreneuriale ». Cette dernière constitue ainsi le point final de l'investissement collectif du médecin parmi ses pairs au détriment de son investissement dans un établissement.

L'ÉMERGENCE DE LA « COMMUNAUTÉ ENTREPRENEURIALE »

Si au début des années 1980, le rachat par des groupes ou des chaînes de cliniques semblait ne devoir entraîner, pour les médecins, que des conséquences favorables sur l'optimisation de l'usage des ressources et sur les équipements technologiques à acquérir par le biais de capacités d'investissements plus importantes, il est assez vite apparu de nouveaux éléments qui ont modifié fortement le paysage du point de vue des médecins.

Ce qui semblait *inéluctable* à l'origine – la montée du groupe, l'impuissance des communautés médicales, la résignation des médecins dans la défense de leur profession – est aujourd'hui perçu par les médecins comme un phénomène éventuellement *réversible*. Par ailleurs, l'implication des médecins vis-à-vis d'un projet collectif apparaît aujourd'hui, dans un contexte de rareté des ressources médicales, comme un élément clé de la survie des cliniques privées dont est seule garante la communauté médicale d'un établissement, alors qu'il y a encore quelques années, cette responsabilité de nature stratégique semblait devoir incomber principalement aux seules équipes dirigeantes du groupe.

Dans cette période récente, tout s'est passé comme si les médecins, après avoir admis qu'ils pouvaient se désengager des réflexions stratégiques et de gestion de leur établissement et donc devenir des « employés » du groupe, se sont trouvés confrontés assez rapidement à l'idée qu'ils devaient par eux-mêmes constituer des forces de stabilisation du système de production sous peine d'être entraînés par une conception inadaptée du management de la ressource et de la dynamique professionnelle.

N'ayant plus de prise directe sur le devenir de leur établissement, les médecins s'activent aujourd'hui à formaliser des « stratégies disciplinaires » qui les aident à garder une certaine forme de contrôle sur le développement, dans leurs établissements, de leurs disciplines et des disciplines avec lesquelles ils sont en étroite interaction.

Ces stratégies les conduisent à constituer une nouvelle forme de communauté pertinente – la « communauté entrepreneuriale » – afin de pallier tant l'échec de la communauté organisation dans laquelle il ne se retrouve plus que les insuffisances des communautés médicales, impuissantes à repousser les intrusions gestionnaires dans l'organisation des professionnels médicaux dans la clinique.

La communauté entrepreneuriale se distingue aussi des formes traditionnelles de la mobilisation collective de la médecine libérale que sont le
syndicat et la *société savante*. Alors que le syndicat s'inscrit dans un projet de
défense des intérêts catégoriels et concentre notamment la « lutte » sur la
recherche d'un rapport de force avec le régulateur du système de santé
(notamment à propos des modalités financières de l'exercice médical), la
société savante rassemble des professionnels mais à un niveau national et
poursuit plutôt une stratégie de défense de « territoire disciplinaire » dans
un contexte de concurrence interdisciplines. La « communauté entrepreneuriale » reprend ces arguments et les dépasse en les inscrivant dans une
problématique locale et directement actionnable.

La traduction organisationnelle de la communauté entrepreneuriale

La mise en œuvre de ces stratégies disciplinaires s'articule autour de la création ou de la (re)prise de contrôle capitalistique par les médecins d'un
établissement monodisciplinaire, voire par la transformation d'un établissement pluridisciplinaire en un établissement monodisciplinaire. Ce type
de structure se comprend dans des situations où l'offre de soins est dense
et très concurrentielle comme dans les grandes agglomérations ou dans les
régions du sud de la France. Il s'agit alors d'atteindre une taille assez grande
(en nombre de praticiens) pour pouvoir jouer un rôle sur le bassin donné.

Ce mode de regroupement rejoint l'exercice en clinique traditionnelle
et le dépasse par l'approfondissement de la spécialisation ; il ne s'agit plus
seulement d'organiser la chirurgie orthopédique, mais de segmenter la spécialité en sous-spécialités : la chirurgie de la main, de l'épaule, des membres
supérieurs et inférieurs.

La génération actuelle de médecins constitue un retour à la situation initiale dans le sens où le médecin passe d'un statut d'opérateur au sein de la
clinique (sans participation au capital ou avec une participation minoritaire) à un statut d'entrepreneur. Dans ce cadre-là, des médecins de même
spécialité se regroupent pour former une équipe spécialisée et deviennent
de véritables entrepreneurs au sens schumpetérien du terme.

De façon purement théorique, on pourrait même imaginer que la mise en œuvre de ce modèle puisse s'effectuer « hors les murs », c'est-à-dire sans recours à un établissement fondateur. Dans ce cas, les médecins deviennent des « *entrepreneurs nomades* », organisés le plus souvent en sociétés civiles professionnelles, en sociétés civiles de moyens, voire en sociétés de fait et plus récemment en sociétés d'exercice libéral, naviguant de plateaux techniques en plateaux techniques selon des critères qu'ils ont choisis. Ils vendent leur force de travail quel que soit le statut de l'établissement de santé : public, privé ou privé participant au service public hospitalier. Ce mode de regroupement se pratique déjà dans certaines disciplines très mobiles (anesthésie, pneumologie) et dans certaines régions du sud de la France.

Ainsi, lors d'une recherche intervention dans une clinique privée dans une ville du sud de la France, nous avons pu constater que le marché de la pneumologie est détenu par un groupe de spécialistes libéraux autonomes et indépendants des établissements dans lesquels les pneumologues interviennent. L'offre de soins est ainsi structurée par la stratégie de cette communauté entrepreneuriale et non plus par les orientations du régulateur public (par le biais des schémas régionaux d'organisation sanitaire) ou par les choix stratégiques des établissements de santé. La communauté se comporte alors comme un fournisseur de prestations à des clients que sont les établissements. Les choix de s'implanter dans une structure reposent sur des mobiles financiers et d'effet de masse.

Jean-Daniel Reynaud soulignait que les nouvelles communautés se formaient toujours sur des héritages du passé : « *Une communauté nouvelle, sauf cas exceptionnel, n'est pas une belle construction cohérente. Elle utilise les pièces et les morceaux hérités du passé, elle retisse comme elle peut le tissu des liens communautaires. Elle est un ravaudage ou un bricolage, réutilisant à des fins nouvelles des morceaux de charpente anciens* » (Reynaud, 1997, p. 86).

Le développement de la communauté entrepreneuriale repose à cet égard sur les anciennes formes d'action collective des médecins qu'ils ont réinvesties différemment en les inscrivant dans une dynamique stratégique plus active. Alors que ces « communautés » ont joué jusqu'à présent le rôle d'organes de résistance au délitement du lien social et de la cohésion médicale de la clinique artisanale, le réinvestissement des médecins dans ces formes suppose de les doter de nouveaux rôles représentant pour ces derniers une

« reprise en main » de leur carrière professionnelle et du devenir de la dynamique disciplinaire.

La « communauté entrepreneuriale » ne se superpose pas complètement à la « communauté médicale » décrite plus haut bien que ces deux formes d'action collective soient fondées sur le regroupement de professionnels d'une même discipline. La différence repose en réalité sur le degré d'intégration de la communauté à la clinique. La communauté médicale reste intégrée à la clinique (malgré son indépendance juridique) dans le cadre de la succession de transactions qui les lient. La communauté entrepreneuriale n'est plus intégrée dans une chaîne de transactions exclusives.

Le concept de « communauté entrepreneuriale » présente des parentés avec la notion de clan telle que William Ouchi (1980) a pu la formaliser. Au-delà des aspects culturels internationaux liés à la spécificité du Japon et de son économie (marché du travail, système de la carrière, relation d'emploi), Ouchi souligne la spécificité des organisations reposant sur des logiques claniques : confiance, intimité, fidélité aux valeurs communes du groupe, prise de décision consensuelle. Le clan constitue dès lors une forme organisationnelle originale – ni hiérarchie ni marché – qui a pour singulier paradoxe de conjuguer forte socialisation et autonomie des acteurs.

Les ressorts de la communauté entrepreneuriale

La motivation de la masse critique nécessaire à atteindre pour survivre a été mise en œuvre de façon très importante lors des restructurations des grands groupes de l'hospitalisation privée qui ont ainsi initié la « chasse aux économies d'échelles ».

Suivant un mécanisme bien étudié par la théorie de la dépendance envers les ressources (Pfeffer et Salancik, 1978), les cliniques se sont engagées depuis quelques années dans une recherche de la taille critique en ce qui a trait au nombre de praticiens libéraux et mettent en place des dispositifs visant à acquérir et protéger les ressources humaines médicales.

Nous avons pu observer cette dynamique au cours d'une de nos recherches interventions. Dans une grande agglomération du centre de la France, l'orthopédie était jusqu'à très récemment concentrée majoritairement sur une clinique privée de renom, le reste de l'activité étant partagé entre plusieurs autres établissements de santé, publics et privés.

Mais le jeu et les rapports de force ont été modifiés lorsqu'un grand groupe de l'hospitalisation privée a décidé de rapidement développer sa part de marché en chirurgie orthopédique en débauchant notamment deux des cinq chirurgiens de la clinique spécialisée.

Cette dernière a, en réaction, recruté sept nouveaux chirurgiens ortho-pédistes afin de contrecarrer la dynamique du groupe et d'atteindre avant lui la masse critique optimale. Pour le médecin représentant cette clinique, il s'agit bien ici de maîtriser la ressource rare. L'équation de cette restruc-turation s'est écrite de la façon suivante selon ses propres mots : « $5 - 2 + 7 = 10$. » On voit bien ici que ce qui importe, c'est de faire venir des praticiens dans les spécialités exercées dans l'établissement.

La logique de maîtrise des ressources médicales est d'autant plus difficile à mettre en œuvre que les ressources sont rares, c'est-à-dire que ces disci-plines sont en pénurie. C'est le cas par exemple de la chirurgie digestive choisie par très peu d'internes lors des récentes promotions. Ironiquement, cette dynamique a été et est reprise aujourd'hui par les cliniques détenues par les médecins, voire par les médecins eux-mêmes lorsqu'ils se transfor-ment en véritables « entrepreneurs de santé ».

Dans ce contexte, la *capacité d'attraction* des cliniques et la *fidélisation* du corps médical constituent des facteurs critiques pour la survie et le déve-loppement de l'établissement. Dans ce cadre-là, il semble que le modèle de la clinique mono-activité, spécialisée dans une discipline déclinée ensuite par praticien selon une logique d'hyper-segmentation, soit une voie de développement particulièrement pratiquée par les cliniques privées possé-dées par des médecins. Ces établissements offrent des avantages attractifs pour les médecins libéraux.

Plusieurs raisons poussent aujourd'hui les médecins à développer de telles stratégies d'investissement dans ces « communautés entrepreneuriales » :

– quitter une situation de dépendance et de contrôle par la clinique — les jeunes médecins investis dans ces structures parlent de « clinique du bonheur » ;

– se regrouper entre praticiens de même spécialité souvent formés à la même école et ainsi cultiver un sentiment d'appartenance à une équipe ;

– exercer une attraction forte pour les jeunes médecins dans un contexte de rareté des ressources et de pénurie dans certaines disciplines médicales ;

– former un pôle d'activité qui répond aux ratios minima de praticiens pour exercer une activité médicale dans des conditions acceptables de qualité et de sécurité ;

– maîtriser les parts de marché dans un bassin donné en érigeant des barrières très fortes à l'entrée.

À ce sujet, soulignons que l'apprentissage médical relève d'un compagnonnage propre à développer le sentiment d'appartenance à un groupe, à une « école ». Formé par un « maître », le disciple inspire à rester membre de l'école. Si d'autres critères peuvent constituer des variables dans les choix que réalise le jeune médecin dans son entrée dans la carrière – *intérêt technique* pour une pratique particulière de la chirurgie (maîtrise d'une innovation technologique, goût pour une pathologie « rare » ou un organe « noble »), *intérêt économique* (perspective de croissance rapide des revenus), *intérêt scientifique* (pratique de l'enseignement et de la recherche), *recherche d'harmonisation entre vie de famille et vie professionnelle* (au moment où ils ont à « faire des choix », ces jeunes chirurgiens ont déjà une trentaine d'années, sont souvent installés en couple et ont des enfants) –, il nous semble que le désir d'appartenir à une communauté constitue un motif hiérarchisant dans les voies que le jeune médecin peut emprunter.

L'arrivée d'investisseurs non médicaux dans le monde des cliniques, associée à la chute de la clinique éponyme et la montée en puissance des groupes, aura réussi à faire évoluer les praticiens libéraux vers une conscience renforcée de l'importance du rôle qu'ils doivent jouer. La menace, plus fantasmée que réelle, de la prise du pouvoir stratégique par le groupe, conjuguée à une rareté de la ressource médicale, a contribué à faire émerger des stratégies disciplinaires, qui consistent ainsi à : renforcer sur un même site les équipes ; essayer de regrouper dans une même société d'exercice un plus grand nombre de médecins de même discipline, soit au titre d'associé, soit au titre d'invité ; tenter de tisser des liens de complémentarité plus étroits entre spécialistes de la même discipline appartenant à des établissements ou des groupes différents ; renforcer les associations disciplinaires de formation et d'échange de savoir.

Il nous semble en définitive que la « communauté entrepreneuriale » se construit comme un retour à la source des fondements de la profession médicale. Alors que les communautés médicales ne parvenaient que difficilement à préserver l'autonomie et l'indépendance et avaient cédé sur la propriété de l'outil de travail, la « communauté entrepreneuriale » correspond à une stratégie de ré-accession à la propriété de l'outil de travail (le médecin entrepreneur redevient maître de l'entreprise dans laquelle il travaille) et de réaffirmation de l'autonomie professionnelle.

CONCLUSION

Certains spécialistes libéraux sont en train de se constituer en vrais « entrepreneurs de santé », transformant de façon assez innovante la question de l'entité sur laquelle le chercheur doit poser son regard pour parler des restructurations.

Les établissements ne sont donc probablement pas les seules catégories d'analyse pour parler des restructurations dans le secteur hospitalier privé. À l'avenir, les restructurations disciplinaires au travers des regroupements de médecins de même discipline, au travers des nouvelles formes d'alliance et de complémentarité qu'ils développent entre eux et avec les disciplines avec lesquelles ils interagissent principalement, constitueront un élément central pour analyser et comprendre les métamorphoses du système de santé.

Ces éléments apportent un éclairage supplémentaire aux configurations que nous avions pu élaborer (Piovesan, 2003). Jusqu'à présent, trois configurations stables avaient été identifiées (clinique villa, clinique éponyme, clinique anonyme) et un modèle de développement, non déterministe, avait schématisé à grands traits l'évolution des cliniques depuis l'après-Seconde Guerre mondiale. Le développement de la « communauté entrepreneuriale » signe sans doute l'émergence d'un nouvel idéal type dont on ne peut prédire aujourd'hui la stabilité et encore moins la pérennité.

Il reste bien sûr à documenter cette re-naissance du médecin entrepreneur, à montrer l'impact de la démographie et de la sociologie médicale sur l'émergence de cette forme organisationnelle et à analyser comment ces disciplines se structurent et négocient leur intervention au sein des cliniques. Quel succès pourra avoir cette forme d'exercice auprès des jeunes médecins ? Quelles seront ses conséquences sur l'offre de soins ? Comment situer le rôle des médecins intérimaires ? Telles sont quelques-unes des questions que posent ces communautés.

7

La dynamique interprofessionnelle :
la clé de voûte de la transformation de l'organisation des services de santé

Lise Lamothe

Depuis le début de la dernière décennie, l'organisation des services de santé est entraînée dans un courant de transformations. Ce courant est l'expression d'une recherche de solutions au problème d'accessibilité, de continuité et d'inflation des coûts résultant d'une organisation des services jugée inadéquate ou inadaptée aux pressions cliniques et technologiques actuelles. À cause de son rôle central dans la production de soins et services, l'hôpital est une cible privilégiée de ces transformations. Certains auteurs ont même avancé que l'hôpital était devenu une organisation incomplète (Shortell, 1985 ; Packwood *et al.*, 1992) parce qu'elle ne permettait pas de combiner une approche stratégique intégrée avec la gestion détaillée et opérationnelle requise sur le plan de la production de services individuels. Dans cette recherche d'une meilleure efficacité, l'accent a jusqu'à présent été mis sur le remaniement des structures : réorganisations internes, fusions verticales et horizontales, et ouverture des frontières organisationnelles pour la formation de réseaux de services intégrés. Or, l'expérience des dernières années nous confronte aux limites de l'utilisation du levier structurel. En effet, malgré la turbulence qui a agité la production de soins et services dans le système de santé ces dernières années, les problèmes d'efficience identifiés se posent toujours avec beaucoup d'acuité. Les progrès sont lents à venir. Pourquoi ?

Une explication des difficultés à mener à terme les projets de restructuration provient de facteurs internes aux organisations. En effet, les dynamiques associées aux relations interprofessionnelles jouent un rôle déterminant (Burns, 1989; Lamothe, 1999; 2002a). Il apparaît que ce qui peut sembler être une résistance au changement de la part des professionnels est en fait l'expression de la dynamique profonde de ce type d'organisation, celle qui est responsable de la physiologie de son fonctionnement. À ce jour, notre compréhension des organisations professionnelles s'appuie sur l'analyse qu'en fait Mintzberg (1982), qui identifie le centre opérationnel comme leur partie clé. L'autonomie conférée aux professionnels porte sur les décisions d'ordre clinique mais elle s'exprime aussi par le contrôle collectif qu'ils exercent sur les décisions administratives qui les affectent.

Ainsi, la gestion des organisations professionnelles serait caractérisée par un système d'influence mutuelle entre les dirigeants et les professionnels, lequel placerait les dirigeants dans un rôle de support ou de gardiens de l'organisation dans son ensemble. Malgré l'intérêt de cette analyse, elle ne permet pas de saisir toute la complexité des organisations de santé, notamment celle des hôpitaux. En effet, la présence de diverses catégories de professionnels dans ces organisations entraîne la création d'une organisation sociale qui leur est propre à l'intérieur même de l'organisation plus large (Bucher et Stelling, 1969). Celle-ci est encore mal comprise. Malgré l'importance et l'étendue du contrôle des professionnels sur la production des soins et services, peu d'études se sont penchées sur les impacts organisationnels de la dynamique résultant de la rencontre de plusieurs catégories de professionnels au sein de l'organisation. Pourtant, elle apparaît comme la clé de voûte de la transformation de l'organisation des services de santé. La prise en compte de cette dynamique interprofessionnelle est incontournable dans la progression de tout projet de restructuration.

Dans ce chapitre, nous nous appuyons sur les données recueillies dans deux projets de recherche pour, d'une part, exposer la microdynamique du fonctionnement de cette boîte noire que demeure le centre opérationnel de l'hôpital et ses conséquences pour la gestion de l'organisation. Notre analyse permet d'illustrer l'influence déterminante des ordres négociés entre les professionnels sur l'émergence d'une variété d'unités de production dont le mode de fonctionnement varie en fonction des impératifs cliniques. Ceci nous permet d'expliquer la dynamique dans laquelle s'inscrit tout projet de restructuration. D'autre part, à la lumière de l'analyse de transformations de l'organisation de la prestation de services visant la formation de réseaux de services intégrés, nous tentons d'illustrer l'influence de cette microdynamique sur la réussite d'un tel projet de changement. Notre analyse permet de mettre en évidence l'émergence d'une variété de formes de réseaux, lesquelles sont largement tributaires de la reconstruction de nouveaux ordres négociés entre les professionnels concernés. En conclusion, nous discutons des implications pour la gestion d'un tel projet de changement.

CONTEXTE D'ÉTUDE

Le premier projet de recherche, mené de façon inductive dans un hôpital de soins ultraspécialisés, avait pour objectif de mieux comprendre le fonctionnement de l'organisation des services cliniques et ses relations avec le système administratif de l'établissement. De façon plus précise, l'étude a permis de cibler les interrelations et les divers mécanismes de coordination utilisés par les professionnels dans l'exercice de leurs fonctions. De plus, elle a permis de décrire le fonctionnement du système administratif afin d'identifier ses liens avec le centre opérationnel. L'étude comporte cinq sous-unités d'analyse associées aux processus de soins prodigués à cinq catégories de patients : gériatrie, rhumatologie, chirurgie vasculaire, chirurgie ophtalmologique et brachythérapie gynécologique. La sélection des catégories de patients a été influencée par les professionnels de l'établissement en fonction de leur perception de la complexité relative de l'organisation de la production de soins à ces patients. Leur perception de la complexité était associée à une augmentation du nombre de professionnels directement engagés dans la production de soins aux patients (Lamothe, 1999). Bien que cette étude ne porte pas directement sur un projet de restructuration, elle permet de dégager une compréhension plus fine de la complexité du centre opérationnel hospitalier. En permettant d'exposer la dynamique fondamentale de l'organisation, elle établit les bases sur lesquelles s'appuie tout projet de restructuration.

La deuxième étude avait pour but de suivre l'évolution de la mise en place de réseaux de services intégrés dans une région socio-sanitaire au

Québec et d'en mesurer les effets. Le territoire de cette région étant divisé en cinq sous-régions (bassins), nous avons pu procéder à une analyse comparative du processus d'évolution des réseaux. La recherche avait pour objectifs spécifiques (1) de décrire les dynamiques ayant prévalu à l'émergence des modes d'intégration dans chacun des bassins de la région, (2) de dégager le ou les modes d'intégration susceptibles de produire les effets escomptés et (3) de repérer les conditions associées à l'obtention de ces effets. Les réseaux de services en santé physique (ex. périnatalité, antibiothérapie à domicile, etc.) et ceux pour les personnes âgées en perte d'autonomie (PAPA) ont constitué les objets spécifiques d'analyse au cours de cette étude ; cette variété visait à enrichir les données. Dans ce chapitre, nos observations et discussion portent de façon plus spécifique sur les conditions d'émergence des réseaux (Lamarche *et al.*, 2002). Celles-ci permettent d'illustrer comment un projet de restructuration qui commande une transformation des frontières organisationnelles doit composer avec les microdynamiques interprofessionnelles existantes dans les organisations.

Un centre opérationnel hétérogène sous le contrôle d'une hiérarchie interprofessionnelle

L'exploration du fonctionnement de l'organisation des services cliniques de l'hôpital révèle que (1) son centre opérationnel est hétérogène ; il comporte une variété d'unités de production répondant aux impératifs de soins requis par la condition clinique de diverses catégories de patients ; (2) le mode de fonctionnement de ces unités varie en fonction des impératifs cliniques rencontrés ; (3) ces unités de production émergent du contrôle des professionnels conjointement engagés dans la production de soins à une clientèle donnée ; (4) le contrôle exercé par les professionnels est tributaire de leur organisation sociale, laquelle prend la forme d'une hiérarchie interprofessionnelle en constante redéfinition.

L'exploration du centre opérationnel de l'hôpital révèle la présence d'une variété d'unités de production qui se superposent aux bases traditionnelles de regroupement de l'organisation (unités de soins, services professionnels, groupes de spécialités médicales) ; ces unités ne sont habituellement pas reconnues comme telles par l'établissement. Notre étude de ces unités a permis d'en dégager une typologie (tableau 1), laquelle permet d'analyser leurs caractéristiques respectives. Quatre types d'unités de production sont identifiés sur une échelle. À une extrémité de l'échelle, on trouve les unités où les mesures thérapeutiques utilisées ne correspondent qu'à un seul traitement spécialisé, donnant lieu à une forme d'organisation du travail des professionnels dénommée *standardisation pure*. Des catégories de patients correspondant à ce type ont été observées en chirurgie ophtalmologique et en brachythérapie gynécologique. À l'autre extrémité de l'échelle, on trouve une unité de production où les patients sont soumis à un traitement global composé de plusieurs traitements spécialisés. La forme d'organisation du travail correspondant à ce type est dénommée *personnalisation intégrée*. Elle a été observée auprès des patients de la catégorie gériatrie. La typologie met aussi en évidence deux types intermédiaires : la *standardisation segmentée* et la *personnalisation segmentée* (Lamothe, 1999).

Cette variété d'unités de production dans l'organisation apparaît comme une réponse à la complexité relative des impératifs de soins requis par la condition clinique des diverses catégories de patients traités dans l'établissement. En effet, selon le degré d'incertitude associée à la condition clinique des patients (nombre de pathologies) et les soins requis, le nombre de professionnels impliqués varie, les obligeant à avoir recours à divers mécanismes de coordination adaptés à la situation. Ainsi, lorsque la condition clinique ne comporte pas beaucoup d'incertitude, le nombre de professionnels est limité et ceux-ci ont tendance à standardiser les procédés de soins pour se coordonner (standardisation pure). Sous le contrôle hiérarchique du médecin traitant, le système de production formé est simple et stable, cible un organe particulier et est habituellement structuré autour d'une technologie particulière. Par ailleurs, lorsque le degré d'incertitude augmente, les nombreux professionnels conjointement engagés dans la production de soins doivent se coordonner en faisant appel à plusieurs mécanismes parmi lesquels l'ajustement mutuel domine ; il permet le développement de consensus cliniques jouant le rôle d'un système normatif qui guide l'action des professionnels. Tout en convergeant vers le médecin traitant, le système de production formé est complexe, cible la personne dans sa globalité et est structuré autour d'une équipe de professionnels (personnalisation intégrée). Le tableau 1 résume les principales caractéristiques des unités de production formées.

TABLEAU 1   Caractéristiques des unités de production

Caractéristiques	Standardisation pure	Standardisation segmentée	Personnalisation segmentée	Personnalisation intégrée
Patients				
-Nombre de pathologies	unique	plus d'une	plusieurs	plusieurs
-Catégorisation	spécialité médicale	spécialité médicale	type de client sans dénomination particulière	type de client défini de façon claire
Système				
-Barrière à l'entrée	fermé	semi-ouvert	ouvert	fermé
	oui	non (condition d'entrée)	non (condition d'entrée)	oui
-Traitement	unique	un traitement central avec addition de traitement annexe	un traitement central avec addition de traitement annexe	traitement global
-Cible (patient)	organe	organe	organe-systèmes	personne
Structure de collaboration	hiérarchie	système hiérarchique ramifié	système hiérarchique en éventail	matrice fermée
-Rôle du médecin traitant	chef	chef répartiteur	chef de projet	chef d'orchestre
-Contrôle sur le traitement d'ensemble	concentré auprès du médecin traitant	distribué - origine du médecin traitant	distribué, partiellement intégré par le médecin traitant	converge vers le médecin traitant
-Nombre d'intervenants	réduit et stable	plus important et variable, contraint par le médecin traitant	plus important et variable, contraint par le médecin traitant	important et stable

TABLEAU 1

Caractéristiques des unités de production (suite)

Caractéristiques	Standardisation pure	Standardisation segmentée	Personnalisation segmentée	Personnalisation intégrée
-Mécanismes de coordination	-standardisation des qualifiquations -supervision professionnelle directe par le médecin traitant -standardisation des procédés	-standardisation des qualifications -supervision professionnelle dirrecte des médecins sur leur traitement individuel -standardisaton des procédés individuels -ajustements mutuels occasionnels -standardisation des procédés	-standardisation des qualifications -supervision professionnelle dirrecte des médecins sur leur traitement individuel -standardisaton des procédés individuels -ajustements mutuels occasionnels -standardisation des procédés	-standardisation des qualifications -supervision professionnelle dirrecte des médecins sur leur traitement individuel -standardisaton des procédés individuels -ajustements mutuels occasionnels -standardisation des procédés
Technologie				
-Type	appareils sophistiqués	**traitement central** instruments et fournitures spécialisés **traitement annexe** médicament	médicaments	technologie d'équipe
-Rôle	dessin le procédé	**traitement central** dessine le procédé **traitement annexe** source d'incertitude	source d'incertitude	oriente les choix des procédés
Participation des patients	limitée-passive	limitée-plus active	active	active

En plus de nous renseigner sur la variété des formes d'organisation du travail dans un hôpital, l'analyse de ces unités de production met en lumière leur caractère émergeant. En effet, de façon générale, l'organisation du travail entre les professionnels intervenant directement dans la production de soins aux patients est le résultat émergeant d'un jeu de forces en tension entre une approche individuelle au traitement, axée sur une vision spécialisée de la part des professionnels (qualifications), et la collaboration nécessaire entre ces professionnels. L'efficacité de la production de soins est directement liée à ces formes émergeantes d'organisation du travail. Aussi, c'est par leur engagement dans cette dynamique que les professionnels arrivent à avoir globalement le contrôle sur les diverses unités de production et, plus généralement, sur le centre opérationnel de l'organisation.

Une analyse plus fine de cette dynamique interprofessionnelle permet de mettre au jour un système de négociation où le pouvoir relatif de chaque catégorie de professionnels (médecins, infirmières et autres professionnels non-médecins [ergothérapeutes, physiothérapeutes, etc.]) est tributaire de leur positionnement dans une hiérarchie interprofessionnelle formée au sein de l'organisation (Lamothe, 1999). En effet, il apparaît que leurs interactions les entraînent dans une lutte constante visant un positionnement et un élargissement de leur domaine d'action sur le plan professionnel. De cette dynamique émerge une forme de hiérarchie où le pouvoir relatif s'appuie sur la maîtrise d'un savoir et le degré de jugement ou d'inférence utilisé dans l'exercice de leurs fonctions (activité purement professionnelle) (Abbott, 1988). Un faible degré d'inférence peut être source de vulnérabilité pour des professionnels, les entraînant dans une position de subordination professionnelle. La hiérarchie formée est donc un aménagement des espaces professionnels, lequel est en constante redéfinition puisque constamment soumis à de nouvelles négociations stimulées par les développements scientifiques et technologiques. La hiérarchie interprofessionnelle est donc le reflet de divers ordres négociés (Strauss *et al.*, 1963 ; Strauss *et al.*, 1964) entre les professionnels au sein de l'organisation. Leur stabilisation momentanée, grâce au développement de relations de confiance entre les professionnels, assure l'efficacité opérationnelle.

Les études portant sur les relations interprofessionnelles mettent en évidence que les luttes interprofessionnelles sont au cœur même du professionnalisme; c'est par la concurrence avec les autres professions que chacune définit sa zone de contrôle du travail (Freidson, 1970; 1984a; 1985; Strauss *et al.*, 1963; Strauss *et al.*, 1964). Un regard historique sur la professionnalisation des intervenants de la santé révèle la position socialement et structurellement dominante des médecins sur les autres professionnels qui, pour la plupart, sont apparus grâce aux développements du savoir et des technologies médicales. En effet, dans sa première phase de développement, la technologie a permis la consolidation de la domination des médecins. Le système hospitalier lui-même s'est donc construit sur une structure hiérarchique dominée globalement par les médecins. Toutefois, la poursuite des développements scientifiques et technologiques a favorisé le développement d'un savoir propre chez d'autres professionnels (ex: évaluation nutritionnelle sophistiquée par les nutritionnistes, contrôle de l'aérosolthérapie par les inhalothérapeutes) et c'est par un système de règles (ex: participation d'un professionnel non-médecin autorisée par le médecin traitant; délégation d'actes) que les médecins arrivent à maintenir les autres professionnels à l'intérieur d'une relation de subordination relative. Tout en exerçant une fonction de contrôle certaine, ces règles permettent la formation d'une hiérarchie interprofessionnelle composée de sous-groupes reliés de façon souple (*loosely coupled*). Au sein de l'organisation, c'est cette hiérarchie qui exerce le principal contrôle sur les opérations cliniques. Sa structure lâche assure la flexibilité requise pour l'adaptation du travail interprofessionnel aux impératifs des diverses unités de production. L'existence de cette hiérarchie permet d'expliquer la relative immunité du système de production et de mieux comprendre pourquoi les décisions prises par la haute direction de l'organisation doivent émerger de négociations entre le groupe professionnel dominant et les membres de l'encadrement administratif.

Cette plongée dans ce qui peut être vu comme la structure profonde de l'hôpital permet de mieux saisir l'ampleur des défis qui se posent en contexte de restructuration. Il se dégage que (1) tout projet de restructuration devra compter sur la participation active des leaders professionnels concernés par le changement, (2) le projet devra être adapté à la variété des modes de production, (3) sa progression aura un fort caractère émergeant associé à la création de nouveaux ordres négociés entre les divers professionnels. L'analyse des conditions d'émergence des réseaux de services intégrés tend à confirmer ces observations.

L'ÉMERGENCE DE RÉSEAUX SOUS L'INFLUENCE DES PROFESSIONNELS

Une réorganisation de la production de soins sous la forme de réseaux de services intégrés est plus complexe que la simple ouverture des frontières organisationnelles; elle implique l'ouverture des frontières des diverses unités de production de plus d'une organisation en vue de les arrimer. Son processus implique donc une déstabilisation des ordres négociés existants pour en créer de nouveaux dans un contexte élargi. À cet égard, nos travaux portant sur la formation de réseaux de services intégrés ont permis de mettre en évidence que la réussite de tout projet de restructuration des opérations cliniques était fortement associée à son ancrage dans leur fonctionnement existant (Lamarche *et al.*, 2002). En effet, notre analyse a permis de révéler (1) l'apparition d'une variété de formes et de modes de fonctionnement adaptés aux types de soins prodigués (santé physique et PAPA); (2) leur émergence des dynamiques interprofessionnelles locales et d'un leadership clinique affirmé; (3) l'influence du contexte organisationnel local.

Une variété de réseaux adaptés aux types de soins dispensés

Dans la région à l'étude, les réseaux de services mis en place permettent de distinguer la production de soins et services de courte durée en santé physique (antibiothérapie à domicile, périnatalité) de celle requise pour des patients atteints de maladies chroniques (ex. MPOC, PAPA).

Pour les conditions cliniques de courte durée étudiées, nous avons observé que le faible degré d'incertitude associé à la condition clinique des patients favorise l'émergence de réseaux dont la forme et le mode de fonctionnement s'apparentent à une extension d'une unité de production de type standardisation pure. En effet, la forme des réseaux est plus simple parce qu'elle implique généralement un nombre plus limité de partenaires gravitant autour du centre hospitalier; nous les avons qualifiés de monocentriques. Leur efficacité dépend de celle des mécanismes de liaison négociés entre les partenaires. Ces ententes portent sur le transfert des patients et de l'information requise à la poursuite des soins et services. Elles sont négociées « à la pièce » entre les partenaires. Dans ces réseaux, la coordination des soins est surtout de type séquentiel (Alter et Hage, 1993) et entraîne une plus grande standardisation des procédés. Comme ce type de coordination porte surtout sur la gestion de l'interface entre les professionnels concernés, elle entraîne moins de changements dans les pratiques internes aux organisations.

Par ailleurs, le degré plus élevé d'incertitude associé au traitement des conditions chroniques étudiées favorise l'émergence de réseaux dont la forme et le mode de fonctionnement s'apparentent à l'unité de production de type personnalisation intégrée. Ces réseaux impliquent généralement un plus grand nombre de partenaires, collectivement engagés dans le design du plan de traitement; nous les avons qualifiés de multicentriques. Leur efficacité dépend aussi de celle des mécanismes de liaison négociés collectivement entre les partenaires. Toutefois, ces ententes ne portent pas uniquement sur le transfert des patients et de l'information requise; elles portent aussi sur les consensus cliniques qui guident l'élaboration des plans de traitement, leur rôle de cadre normatif est de première importance dans la coordination des activités. Ainsi, dans ces réseaux, la coordination des soins est surtout de type collectif (Alter et Hage, 1993) et elle entraîne habituellement des changements plus importants dans les pratiques internes aux organisations.

L'influence des dynamiques interprofessionnelles locales et d'un leadership clinique affirmé

Notre analyse de la dynamique d'émergence de ces réseaux met en évidence l'importance cruciale de l'engagement des professionnels à modifier leurs pratiques; l'enclenchement même du processus de changement en dépend directement. En effet, dans les bassins où les négociations sur les pratiques professionnelles étaient absentes ou conflictuelles, la mise en place des réseaux est restée embryonnaire. De plus, nous avons pu constater que les nouvelles pratiques se construisaient sur celles déjà existantes. Ceci explique en partie la variété des modes de production observée (hétérogénéité du système de production) et rappelle que les nouveaux ordres négociés permettant l'émergence de nouvelles unités de production doivent prendre appui sur les rapports interprofessionnels stabilisés localement. Le projet de changement doit donc s'enraciner dans les pratiques existantes tout en les transformant.

Il nous est apparu que l'engagement des professionnels dans des négociations visant l'ouverture des unités de production et ainsi des changements dans leurs pratiques reposait sur un enjeu central : la confiance que les professionnels d'une organisation manifestent envers les pratiques des professionnels d'autres organisations. De nouvelles relations de confiance doivent être créées, lesquelles deviennent un ingrédient fondamental de la coopération et de la coordination entre les professionnels et les organisations (Coleman, 1990 ; Ring et Van de Ven, 1994). En effet, puisqu'elles scellent les ententes sur les règles, elles évitent de constamment reprendre les négociations et permettent un partage des responsabilités de soins, même (surtout) lorsque le degré d'incertitude est important (Lascoumes, 1996 ; Breton et Wintrobe, 1982). Rappelons que dans notre analyse du contexte clinique hospitalier présentée dans la première partie, nous avons pu constater que les relations de confiance entre les professionnels permettaient une stabilisation momentanée des ordres négociés et ainsi l'efficacité opérationnelle. Un besoin de créer de nouvelles relations de confiance s'est exprimé dans les deux types de réseaux étudiés (conditions cliniques de courte et de longue durée) ; toutefois, c'est auprès des patients ayant une condition clinique chronique que ce besoin est le plus aigu. En effet, le travail en réseau entraîne les professionnels dans des relations d'interdépendance plus complexes et chacun se voit donc davantage dépendant des autres pour satisfaire ses buts professionnels et organisationnels. Dans les réseaux où le degré d'incertitude est plus élevé et le besoin pour une responsabilité partagée plus important (conditions chroniques), la confiance interprofessionnelle permet l'élaboration d'un cadre normatif exerçant une fonction de contrôle sur les pratiques tout en réduisant le besoin pour des ajustements mutuels répétés en contexte interorganisationnel.

Des auteurs (Golembiewski et Mc Conkie, 1975 ; Larson et La Fasto, 1989) ont souligné l'importance du rôle de la confiance dans les milieux organisationnels où le travail s'appuyait sur des équipes et où le contrôle managérial était plus distant. Dans un tel contexte, la confiance permet d'anticiper des autres un comportement jugé « normal » (Gabarro, 1978) ; elle prédispose à la coopération. En quelque sorte, la confiance devient un « opérateur pratique de la division/coopération » parce qu' « elle évite à chacun de vérifier à la source la véracité des informations, de ne compter que sur soi-même, ou

de maîtriser des savoirs difficilement maîtrisables car spécialisés ou collecti-
visés »; on délègue alors à d'autres une partie de sa capacité d'action (Thuderoz, 1999). Une délégation basée sur la confiance peut toutefois être
spécifique à un échange donné. Elle est en quelque sorte le résultat d'un processus d'apprentissage singulier résultant d'interactions répétées entre les
acteurs concernés. Par exemple, la confiance accordée à un professionnel
n'est pas automatiquement accordée au groupe auquel il appartient. Il y
aurait donc des « zones de confiance partielle » (Thuderoz, 1999) entre individus et groupes d'une organisation. Un projet de changement bouscule les
rapports existants et oblige à créer de nouvelles zones de confiance.

Nous avons noté l'importance des interactions répétées entre les professionnels d'organisations différentes pour la formation des réseaux de services. Elles sont apparues essentielles à l'acquisition de nouvelles
connaissances, tacites et explicites, qui à leur tour permettent une stabilisation des rapports de production (protocoles, ententes informelles, etc.).
L'efficacité de ces mécanismes de liaison découle donc directement du
degré de confiance généré entre les professionnels conjointement engagés
dans la production de soins et services à une clientèle donnée. Nous avons
observé que divers mécanismes facilitant les interactions entre les professionnels peuvent canaliser cet apprentissage (formation, stages, etc.)
(Lamarche *et al.*, 2001; 2002). L'apprentissage et la confiance apparaissent
donc être des médiateurs de changement importants pour la transformation de l'organisation de la production des services de santé.

La présence d'un leadership clinique crédible et affirmé (habituellement
médical) s'est aussi avérée essentielle à la progression du projet de changement. Nous avons observé que la crédibilité du leader était directement associée à la confiance que les autres professionnels accordaient à son expertise
et ses compétences. Ceci nous rappelle que le contrôle exercé par les professionnels sur la production de soins est tributaire de leur organisation sociale,
laquelle prend la forme d'une hiérarchie interprofessionnelle s'appuyant sur
le savoir et la maîtrise des technologies. D'ailleurs, nous avons observé que,
dans sa progression, le changement offrait aux individus et groupes professionnels des opportunités nouvelles de positionnement dans ces rapports de
pouvoir interprofessionnels. À titre d'exemple, dans les cas à l'étude, les infirmières avaient tendance à s'appuyer sur leur connaissance de la condition

générale des patients pour se positionner d'une façon plus favorable. Un nouvel aménagement des espaces professionnels en émerge.

L'influence du contexte organisationnel local

Nos travaux nous ont aussi permis de mettre au jour l'importance des pratiques organisationnelles locales et de leurs interrelations dans la poursuite d'un projet de réorganisation de la production de services. Celles-ci sont d'ailleurs intimement liées aux pratiques professionnelles et à leurs conditions de changement. Leurs pratiques se modifieront si les dirigeants des organisations prennent des décisions facilitant le changement dans l'orientation souhaitée ; la mise en place de réseaux de services intégrés exige donc une adaptation cohérente du cadre structurel/administratif.

La création de réseaux de services intégrés suscite une dynamique d'interactions entre les organisations au centre de laquelle l'autonomie (voire la survie) de l'établissement se pose comme un enjeu central. Les négociations enclenchées autour de cet enjeu sont influencées par certaines caractéristiques du contexte local. En premier lieu, certains traits des organisations comme leur style de gestion respectif et l'historique de leurs relations donnent un ton aux négociations. Par exemple, dans la région à l'étude, là où les relations interorganisationnelles avaient un passé conflictuel, il s'est avéré difficile, voire impossible d'arriver à s'entendre sur les réseaux de services à mettre en place. Aussi, les caractéristiques sociodémographiques (âge, état de santé, etc.) et géographiques locales (distances à parcourir ou présence d'une diversité géographique) ont des effets déterminants sur la forme des réseaux émergents. De plus, les dynamiques interorganisationnelles locales sont influencées par les incitations d'ordre structurel (ex. fusion), économique (ex. réallocations budgétaires), normatif (ex. protocoles) ou interactionnel (ex. création de tables de concertation) utilisées par les instances décisionnelles supérieures (Régie régionale, ministère de la Santé) ; des rapports de négociation s'installent aussi à ce niveau. Ainsi, l'adaptation du cadre structurel/administratif doit émerger d'un processus de négociation soumis à l'influence combinée des dynamiques interprofessionnelles, interorganisationnelles, entre les organisations et la Régie ainsi que directement entre les professionnels et la Régie.

De façon générale, une restructuration visant l'implantation de réseaux de services intégrés nécessite l'ouverture d'un dialogue nouveau, générateur d'un apprentissage clinique et organisationnel. Le projet de changement est complexe et exige de la créativité. Toute tentative de restructuration qui viserait à implanter un modèle unique serait vouée à un échec partiel, car un modèle unique ne serait pas adapté au fonctionnement naturel d'une partie du système de production (Lamothe, 1999).

DISCUSSION ET CONCLUSION

Il est généralement reconnu que l'organisation de la prestation des services de santé doit être transformée afin, entre autres, de l'adapter aux besoins des patients (évolution des pathologies), aux pressions scientifiques et technologiques. Il est aussi généralement reconnu qu'elle doit prendre la forme de réseaux. Toutefois, l'expérience à cet égard nous renseigne sur la complexité d'un tel projet de changement. Il s'avère qu'une telle reconceptualisation de l'offre de services génère beaucoup d'incertitude tant en ce qui concerne l'objet même du changement que la manière d'y arriver (Lamothe, 2002a). L'objet de changement est en fait la création de nouvelles formes organisationnelles soumises à une double influence du contexte et de la microdynamique des processus. Face à l'incertitude, l'innovation et l'expérimentation (Meyer, 1982; Meyer *et al.*, 1990) de même qu'un engagement dans les débats sur les enjeux qui structurent le champ organisationnel (Hoffman, 1999) seraient parmi les conditions permettant l'émergence de nouvelles formes organisationnelles. Une poursuite des débats sur l'enjeu de la transformation du système de santé par la formation de réseaux est donc importante. Un enrichissement des débats grâce à l'apprentissage généré par l'expérimentation s'avère essentiel pour l'aboutissement des transformations du système de santé.

Avec les réseaux de services intégrés, le centre de production n'est plus à l'intérieur des frontières d'une organisation mais à la rencontre d'une variété de partenaires qui contribuent à la fonction de production (Schilling et Steensma, 2001). L'explosion des frontières professionnelles et organisationnelles force ces partenaires à se centrer sur leurs interdépendances et à développer des relations plus serrées (*tightly coupled*) alors que paradoxalement le système dans sa globalité devient plus lâche parce que structuré autour d'une variété de processus de production interreliés (réseaux) (Orton et Weick, 1990). D'ailleurs, dans les industries où les processus de production sont hétérogènes à cause de la variété de la demande et des intrants, un niveau élevé de modularité serait requis; des changements technologiques rapides exerceraient des pressions en ce sens (Schilling et Steensma, 2001). Le défi est donc de créer une forme organisationnelle flexible, structurée autour d'une variété de petites unités semi-autonomes adaptées à la nature du travail clinique. Dans une telle forme organisationnelle, tant la différenciation que l'intégration sont augmentées (Powell *et al.*, 1999) et une adaptation rapide aux changements est rendue possible parce qu'un espace est laissé aux patterns d'interactions. Ceci exige de mettre un accent sur l'apprentissage à l'intérieur et entre les unités constituantes. L'efficience dépend alors de la circulation de l'information entre les partenaires concernés. Ces formes organisationnelles complexes demeurent difficiles à rendre tangibles. Pourtant, elles s'appuient sur la conviction que, dans un environnement changeant, la planification n'est pas rendue possible par une réduction de l'incertitude et de la complexité mais par son augmentation; c'est alors que la créativité peut intervenir (Lamothe *et al.*, 2002a; 2002b).

Un projet d'une telle envergure soulève des défis particuliers pour la gestion. À la lumière de l'apprentissage généré par les expériences menées jusqu'à ce jour, une participation active des dirigeants locaux s'avère essentielle. C'est à ce niveau qu'on peut espérer arrimer la gestion de la production locale des services sur celle du système (Lamothe, 2000). Ceci suppose toutefois qu'ils disposent d'une marge de manœuvre décisionnelle plus grande. La dérive bureaucratique de la gestion du système de santé a eu pour effet d'accroître l'ambiguïté de la position des dirigeants et leur difficulté à maintenir leur légitimité. Cependant, dans un contexte de création de réseaux de services, un élargissement de la marge de manœuvre décisionnelle ne peut suffire; les rôles des dirigeants sont aussi modifiés. En premier lieu, le contexte particulier des transformations force les dirigeants à créer un leadership collectif interorganisationnel sur un territoire donné. Aucun établissement n'est lié à son rôle historique dans le système; chacun doit se repositionner dans un champ où la concurrence et la collaboration interorganisationnelles sont constamment entremêlées dans un effort d'adaptation de services interdépendants (Lamothe, 2002a). La gouverne doit alors se centrer sur les mécanismes d'intégration entre des réseaux qui partagent des ressources.

En deuxième lieu, l'exercice de ce leadership doit davantage permettre la participation des professionnels à la prise de décision. Bien qu'un discours répété insiste sur la nécessité de créer un partenariat nouveau entre l'administratif et le clinique, il se concrétise difficilement. Une explication pourrait être à l'effet que l'apparition d'une « gouverne clinique » contribue à modifier le positionnement des dirigeants. En effet, une réelle gouverne clinique tend à déplacer le groupe des dirigeants d'une position au sommet d'une hiérarchie administrative à celle d'un groupe participant aux négociations interprofessionnelles ; les deux formes de hiérarchie de l'organisation professionnelle tendent ainsi à se fondre. Malgré les difficultés que cela représente, il devient impératif de développer une synergie entre les compétences cliniques et les compétences administratives pour favoriser la créativité et assurer une institutionnalisation des changements (Lamothe, 2002a).

L'analyse de la transformation du système de santé par la mise en place de réseaux de services intégrés apparaît comme une formidable occasion d'enrichir à la fois notre compréhension du fonctionnement des organisations de santé et celle du changement dans les systèmes complexes. La transition en cours permet de mettre en lumière les interactions complexes entre les composantes délibérée et émergente d'un processus visant l'institutionnalisation d'un changement radical. À ce jour, la composante émergente, liée à la dynamique interprofessionnelle, demeure peu comprise. Pourtant, elle apparaît comme la clé de voûte de la transformation de l'organisation des services de santé.

PARTIE 4

La télémédecine : une promesse de restructuration en suspens

Annick Valette

Si la technologie est souvent présentée comme un facteur puissant de restructuration à court et moyen terme, la télémédecine occupe une place spécifique puisqu'elle a comme projet explicite d'établir de nouvelles relations entre les professionnels, les services, les établissements, et de modifier les frontières des pratiques.

La politique d'implantation de la télémédecine en France et au Québec présente de grandes proximités. Elle est au Québec étroitement liée au projet politique de « virage ambulatoire ». Dès 1994, le ministère de la Santé et des Services sociaux annonce son projet de réaliser une *inforoute* desservant le système de santé. On pouvait lire dans les documents d'orientation qu'une « utilisation accrue des télécommunications est incontournable pour soutenir les échanges d'informations, essentiels au fonctionnement efficace des processus de travail, dans un contexte de collaboration multi-établissements ». La télémédecine occupe déjà une place importante dans ces orientations. En matière d'applications cliniques, l'effort principal du Québec a été le lancement, au printemps 2000, d'un vaste réseau de télé-expertise en pédiatrie couvrant l'ensemble du territoire québécois : le Réseau québécois de télésanté de l'enfant (RQTE) qui relie 150 sites. Les bénéfices recherchés sont une meilleure accessibilité à des soins spécialisés et la diminution des transferts des patients vivant en régions éloignées. Ces projets visent aussi généralement une diminution des coûts de santé. En France, en 1994, le gouvernement lance lui aussi des appels d'offre sur « les autoroutes de l'information » qui dépassent le secteur de la santé. En 2001, on compte 28 000 médecins et 300 établissements de santé raccordés au Réseau de santé social. Des projets plus spécifiques s'appuyant sur cette technologie se réclament à partir de 1999 d'une politique d'organisation de l'offre. Il en est ainsi du programme Périn@t de mise en réseau des maternités, du projet e-s@nté2000 destiné à promouvoir l'utilisation des technologies pour « favoriser la coopération et la formation entre les établissements de soins et des partenaires extérieurs ». En 2000, le ministère de la Solidarité et de l'Emploi fait l'effort de dresser une carte des expériences de télémédecine.

Cette politique volontariste se traduit bien souvent par des opérations d'expérimentation/évaluation. Elles permettent à la fois de coopter des professionnels de la santé et d'autres types d'intervenants à des fins de recherche ou d'étude, de créer une communauté d'intérêts et de connaissances et participent en cela à l'évolution de la structure des relations d'échange. Force est de constater toutefois que les résultats en termes de transformation des pratiques, réorganisation de l'activité des établissements, de limitation des transferts, sont en deçà des promesses. Bon nombre d'études portent finalement sur l'analyse des échecs ou pointent les difficultés pour réussir une implantation technologique. La rapport français « télémédecine et industrialisation » (2001) mentionne ainsi dès ses premières pages que « la seule retombée incontestable de la télémédecine est le partage et le transfert d'expertise et donc l'augmentation à moyen terme de l'expertise disponible ». Les deux textes présentés ici ne font pas exception.

Face à l'échec de l'implantation de certaines technologies, l'hypothèse souvent émise est que la « solution technologique » est proposée indépendamment d'une véritable analyse des problèmes qu'elle est supposée solutionner. La question de la distance est l'archétype du problème qu'est censé résoudre la télémédecine : éviter les transferts, rendre disponible de l'expertise médicale là où elle n'est pas. Ce que nous montre le cas québécois, et en cela il complète le cas français, est que les exigences de distance ne suffisent pas à assurer la mise en œuvre de la technologie. L'identification d'un problème à résoudre ne doit pas être confondu avec l'existence d'une demande technologique. L'implantation d'un réseau de télé-expertise suppose au moins que les médecins consultants et les médecins référants soient prêts, par exemple parce qu'ils y trouvent un intérêt, à s'engager dans cette pratique. De plus, les exigences de mise en œuvre de la technologie sont telles que les chances sont élevées que les acteurs cherchent à les contourner. Ces exigences sont énoncées en termes de couplages à réaliser par le texte québécois. Elles obligent par exemple à une formalisation et standardisation des pratiques. Procéder à ces transformations suppose des incitations fortes qui ne relèvent pas de la seule volonté d'utiliser la technologie. Elles exigent des évolutions d'organisations, de pratiques et de relations. Elles peuvent se faire *ex ante* (texte français) et la technologie n'est alors pas un facteur de changement mais de consolidation, d'inscription dans un « objet » qui définit une structure formelle. Tout au plus, peut-on la considérer comme créant une certaine irréversibilité. Cette hypothèse d'une réorganisation préalable nécessaire à l'implantation fait dire à certains auteurs que « *c'est quand une technologie ne modifie pas les pratiques, que son implantation sera un succès* » (Viens-Bikter, 2000). La télémédecine n'aurait alors aucun pouvoir de restructuration « en soi » et c'est ce qui en ferait une condition d'adoption. Lorsque les évolutions organisationnelles n'ont pas eu lieu *ex ante*, les chances d'abandon de la technologie en cours de route sont plus grandes.

Le texte français ajoute une pierre de plus à l'édifice des conditions d'implantation. Il suggère que les chances d'adoption sont plus grandes si ce changement des pratiques et des relations s'accompagne de celui du contexte institutionnel, particulièrement générateur en France d'injonctions paradoxales, puisqu'il incite à l'utilisation de la technologie et, dans le même temps, bloque le processus d'implantation. À défaut d'une évolution du contexte institutionnel, une gestion de projet forte, permettant de lever les contradictions et paradoxes est nécessaire.

Ces constats portés sur la difficulté de la télémédecine à restructurer doivent être remis dans leur contexte avant d'être généralisés à d'autres technologies.

La nature de la technologie présentée dans les deux textes, c'est-à-dire la télé-expertise, est particulièrement exigeante en réorganisation. Son effet d'entraînement sur l'organisation est alors faible car celle-ci résiste fort. On peut faire l'hypothèse que les technologies moins exigeantes ont finalement une capacité de restructuration plus importante.

La temporalité joue par ailleurs un rôle important. On reste ici sur des analyses de court terme. La télémédecine n'est pas une innovation bien circonscrite avec des effets prévisibles. On peut imaginer que la restructuration, si elle a lieu, va se faire chemin faisant par une série d'accommodations permettant aux acteurs de s'approprier la technologie. Même s'il n'y a pas de « risques professionnels » à court terme à ne pas l'utiliser car elle n'améliore pas de manière radicale la prise en charge de l'usager, l'investissement réalisé est important et nécessite, de surcroît, d'être accompagné d'efforts de maintenance qui peuvent « justifier » qu'on lui en trouve un usage.

8

La télémédecine et la transformation des formes organisationnelles de l'hôpital

Claude Sicotte, Pascale Lehoux

Grâce à des réseaux de télécommunications à haut débit, la télémédecine ouvre des opportunités nouvelles à la pratique médicale et aux formes organisationnelles qui la soutiennent et la structurent. Cette nouvelle technologie peut permettre à des équipes médicales distantes d'échanger de l'information clinique et d'ainsi coordonner leurs interventions auprès d'un même patient. Un tel dispositif pourrait permettre de mieux desservir les régions éloignées et d'améliorer l'accessibilité aux soins médicaux secondaires et tertiaires tout en offrant une diminution des coûts entraînée par la diminution des transferts de patients.

La télémédecine moderne, qui tente de mettre à profit les opportunités offertes par les nouvelles technologies de type Internet, représente un moyen novateur de communication. En même temps, cette technologie marque une rupture importante des modes usuels d'échanges entre médecins. Elle implique une transformation des modes de coordination de la pratique médicale qui, actuellement, reposent principalement sur le déplacement des patients. Pour être efficace, la télémédecine doit pouvoir compter sur des mécanismes organisationnels et professionnels appropriés qui impliquent une restructuration des structures traditionnelles de coordination des soins médicaux.

Ce chapitre vise à comprendre, à la lumière d'expériences québécoises en la matière, comment ces nouvelles technologies transforment les structures traditionnelles de soins – particulièrement celles de l'hôpital – et sous quelles conditions ces technologies produisent une valeur ajoutée réelle. Ces questions sont d'autant plus pertinentes que la littérature scientifique montre que les projets de télémédecine, malgré l'accueil favorable dont ils font l'objet, parviennent difficilement à maintenir leur pérennité une fois que les investissements financiers initiaux sont épuisés (Roine *et al.*, 2001; Wootton, 2001; Wootton et Craig, 1999).

Dans la suite de ce texte, nous décrivons les mécanismes associés aux nouvelles technologies de l'information et de la communication, dont fait partie la télémédecine, de manière à illustrer le potentiel de cette technologie émergeante à transformer les formes organisationnelles traditionnelles des soins médicaux et de l'hôpital. Nous présentons ensuite un court état de la question sur la place prise par le télémédecine au sein du système de santé québécois. Par la suite, nous exposons notre démarche analytique accompagnée d'une description de deux cas d'application qui nous servent de matériau empirique. Nos résultats suivent. Finalement, nous terminons par une discussion de la portée des phénomènes observés sur la restructuration de l'organisation de la pratique médicale et de l'hôpital.

La télémédecine, une technologie de l'information et de la communication

Il faut le reconnaître, les nouvelles technologies, dites de l'Internet, ont eu, ces dernières années, un impact majeur dans nos vies personnelle et professionnelle. Ces technologies ont entraîné des transformations profondes de plusieurs industries et leurs effets dans le domaine de la santé en sont à leurs premiers balbutiements (DeSanctis et Fulk, 1999; Institute of Medecine, 1996). De façon générale, les observateurs reconnaissent trois effets principaux associés aux nouvelles technologies Internet qui offrent des avancées potentielles importantes pour les organisations.

Elles réduisent considérablement les temps de transmission de l'information, accroissant la capacité de disperser les individus partageant de l'information et pouvant ainsi coordonner leurs efforts.

Les coûts de communication sont nettement diminués. Or, comme le soulignait Thompson (1967), les coûts de communication nécessaires à la coordination organisationnelle figurent parmi les coûts les plus élevés d'une organisation. Ainsi, les structures organisationnelles traditionnelles sont conçues de manière à réduire ces coûts en localisant à proximité les activités interdépendantes. Les nouvelles technologies remettent en question cette barrière spatiale naturelle.

L'intégration des capacités informatiques avec les capacités communicationnelles a rehaussé la complexité de l'information qui peut être communiquée rapidement et de manière efficiente, permettant un plus grand partage informationnel collectif (Child, 1987; DeSanctis et Fulk, 1999; Koppel *et al.*, 1988; Monge et Fulk, 1999).

L'engouement récent, observé dans plusieurs pays autour de la télémédecine, s'inspire de ce potentiel prêté aux nouvelles technologies de l'information et de la communication. En principe, la télémédecine pourrait permettre de contourner les barrières temporelles et spatiales usuelles autour desquelles les organisations de santé, les hôpitaux notamment, se sont traditionnellement organisées. Cette perspective implique que de nouvelles formes organisationnelles émergent grâce à la capacité des technologies à modifier les moyens traditionnels par lesquels les médecins communiquent et se coordonnent. À titre illustratif, soulignons que les technologies de l'information et de la communication ont suscité, dans d'autres industries, de nouvelles structures de coordination du travail telles que la coordination électronique des flux de travail, les équipes de travail transversales et virtuelles, et les collecticiels –, des applications informatiques et communicationnelles permettant le travail de groupe à distance (DeSanctis et Fulk, 1999; Koppel *et al.*, 1988).

Ces nouveaux modes d'organisation offrent des leviers importants de transformation des formes organisationnelles traditionnelles. Mais, en même temps, ces modes représentent des défis importants, compte tenu de l'ampleur et de la complexité des restructurations organisationnelles requises, d'autant plus que ces transformations concernent le cœur des organisations de santé : la production des soins. Cette complexité émerge en grande partie du fait que la technologie ne se limite pas à de simples dispositifs techniques. Elle englobe les connaissances, les normes, les valeurs et les façons de faire qui façonnent la pratique clinique. Ainsi, la télémédecine, appelée à jouer un rôle d'information et de communication, s'insère dans les pratiques et devient un mode d'intervention clinique qui en fait un système socio-technique complexe formé de composantes techniques et humaines interdépendantes.

Une application populaire de ces mécanismes d'information et de communication à la médecine est la télé-expertise médicale. La technologie est utilisée par le médecin traitant comme moyen de communication pour obtenir l'avis d'un médecin expert, le consultant, de manière à préciser le diagnostic ou la stratégie thérapeutique. Tous ces projets de télémédecine ont pour pierre angulaire l'objectif de s'affranchir des barrières organisationnelles autour desquelles la pratique médicale traditionnelle est organisée, à savoir des barrières temporelles et physiques. Le but principal est d'intervenir plus rapidement en surmontant, grâce aux capacités communicationnelles de la technologie, les contraintes usuelles de temps et de distance. Ainsi, les principaux bénéfices recherchés sont d'accélérer la prise de décision médicale, d'améliorer l'accessibilité à des soins spécialisés et d'ainsi rehausser la qualité des soins tout en diminuant les coûts associés aux déplacements et aux multiples visites des patients qui, faute de moyens de communication, doivent eux-mêmes se déplacer. Notre étude porte sur ce type d'applications qui demeure la forme la plus populaire au Québec.

CONTEXTE DE DÉPLOIEMENT DE LA TÉLÉMÉDECINE AU QUÉBEC

Le Québec a fait des efforts relativement importants, compte tenu de ressources financières limitées, dans le déploiement de technologies de l'information de type Internet. Le principal des investissements a été consacré à la mise en œuvre d'un large intranet sécurisé couvrant l'ensemble des structures de soins du système de santé du Québec. Le Réseau de télécommunications en santé et services sociaux (RTSS), un système similaire au RSS français, est un réseau à large bande passante. Il permet une large gamme d'usages : du simple courrier électronique à l'imagerie médicale complète en passant par la visioconférence. Le système peut donc soutenir la télémédecine dans toutes ses formes. L'adoption de cette structure communicationnelle a été rapide et massive, du moins sur le plan des usages administratifs. La seconde phase qui vise le déploiement de ces technologies dans la sphère clinique se révèle beaucoup plus laborieuse. De nombreux projets de télémédecine ont été lancés mais les résultats sont loin de répondre aux attentes.

Approche analytique

Notre analyse est une analyse multiple de cas pour laquelle nous avons mobilisé les résultats empiriques des travaux de recherche entourant le déploiement de deux projets de télémédecine menés au Québec. Chaque cas avait fait l'objet d'une analyse individuelle. Dans le cadre de la présente analyse, nous avons mené une analyse transversale, en comparant les cas entre eux, de manière à dégager un modèle intégrateur mettant en lumière les conditions d'usage de la télémédecine. L'analyse transversale analyse les régularités qui sont observées entre les cas grâce à un exercice de recherche des contrastes et des similitudes.

L'analyse transversale a été conduite selon une perspective d'analyse de l'intervention (Contandriopoulos *et al.*, 2000). En recherche évaluative, l'analyse de l'intervention permet d'étudier la logique de l'intervention. Ce type d'analyse vise à établir dans quelle mesure les fondements logiques de l'intervention – ici, une technologie de télé-expertise – et les mécanismes de son fonctionnement sont opérationnels en contexte réel d'action. L'analyse de l'intervention confronte la logique de la technologie à la logique de la clinique de manière à vérifier sous quelles conditions l'arrimage de ces deux logiques est viable. L'avantage de cette approche est de mobiliser un raisonnement théorique pour tirer des leçons de cas pratiques. Cette approche correspond bien à la préoccupation centrale de notre analyse qui est de comprendre la nature des restructurations technologiques et d'en déduire l'impact sur les formes organisationnelles de l'hôpital. Ce type d'analyse délaisse l'analyse du jeu stratégique des acteurs et l'étude du processus d'implantation pour se situer en amont de ces phénomènes. L'analyse de l'intervention offre une contribution complémentaire à la compréhension de l'introduction de ces technologies dans l'univers médical et hospitalier. Ainsi, le chapitre suivant de Moisdon et Midy illustre très bien comment le jeu stratégique des acteurs et la qualité de gestion de ces projets sont également des déterminants importants d'adoption de ces technologies.

Le choix des deux cas sous étude offre une perspective analytique intéressante. D'abord, ces cas représentent, tant du point de vue technologique
que médical, des modèles à la fois similaires et différents d'application de
la télémédecine à l'organisation du travail médical. Ce sont deux réseaux
de télé-expertise. Un cas représente un réseau uni-spécialité en cardiologie
pédiatrique (Sicotte *et al.*, 2004). Le second est un réseau multi-spécialités,
le réseau interrégional de télémédecine du Québec (Lehoux *et al.*, 2000;
Lehoux *et al.*, 2002; Sicotte *et al.*, 1999; Sicotte et Lehoux, 2003). Ensuite, ce
type de réseau, destiné à offrir une expertise médicale à distance, est l'usage
le plus fréquent de la télémédecine tant au Québec que sur le plan international. La télé-expertise compte également les applications les plus matures
de la télémédecine que l'on puisse trouver, telles que la télécardiologie et la
télépathologie (Roine *et al.*, 2001; Wootton, 2001). Finalement, nous
sommes en présence de cas contrastes : dans un cas, l'usage de la technologie a été abandonné par les médecins alors que dans le second, les médecins
en poursuivent l'utilisation après cinq années.

Pour permettre au lecteur de comprendre les technologies analysées et
de saisir la portée de nos résultats, nous présentons ci-dessous trois tableaux
qui décrivent les projets sous étude. Le Tableau 1 présente les modèles ou
les logiques des réseaux de télé-expertise tels qu'ils étaient prévus initialement. Le Tableau 2, plus factuel, présente la technologie et les partenaires
institutionnels. Le Tableau 3 s'attarde aux résultats tels qu'ils étaient ima-
ginés initialement et tels qu'on a pu les constater lors de nos analyses anté-
rieures (Lehoux *et al.*, 2000; Lehoux *et al.*, 2002; Sicotte *et al.*, 1999; Sicotte
et al., 2004; Sicotte et Lehoux, 2003).

RÉSULTATS

Les résultats de l'analyse des cas montrent que les caractéristiques de la
télé-expertise exigent des restructurations difficiles pour produire un dispositif adéquat apte à soutenir la coordination de la pratique médicale à
distance. Cette technologie qui vise à surmonter les barrières temporelles
et spatiales requiert une infrastucture plus élaborée que les acteurs contri-
buant aux projets de déploiement ne l'anticipent. La capacité à capturer le
potentiel de la technologie et à pouvoir réaliser une coordination à distance

TABLEAU 1   Description des modèles de télé-expertise analysés

	RÉSEAU DE CARDIOLOGIE PÉDIATRIQUE	RÉSEAU INTERRÉGIONAL DE TÉLÉMÉDECINE
Concept	Télé-expertise en cardiologie pédiatrique	Télé-expertise couvrant toutes les spécialités médicales
Organisation	Petit nombre de médecins spécialistes (2-3) en cardiologie pédiatrique d'un centre tertiaire en appui à 5-6 médecins traitants	L'ensemble des médecins spécialistes de garde d'un centre tertiaire répondant aux demandes de consultations externes (hôpital éloigné)
Nature de la communication Médecin traitant – Consultant	Communication interactive en temps réel par visioconférence	Communication interactive en temps réel par visioconférence
Nature de l'information clinique transmise	Film de l'échographie (bande vidéo analogique)	Informations diverses et variables selon la nature du cas (histoire clinique, laboratoires, médication...)
Nature de la clientèle	Nouveau-nés présentant des malformations congénitales	Clientèle ambulatoire connue Patients très complexes

TABLEAU 2   Description des réseaux de télé-expertise

	RÉSEAU DE CARDIOLOGIE PÉDIATRIQUE	RÉSEAU INTERRÉGIONAL DE TÉLÉMÉDECINE
Nature du projet	Projet mature (en cours depuis 1997)	Projet expérimental (1 an)
Taille du projet	Un centre pédiatrique tertiaire + 1 hôpital éloigné	Un centre tertiaire + 3 hôpitaux généraux spécialisés
Caractéristiques technologiques	Plateforme spécialisée (Visioconférence et échographie cardiaque)	Plateforme multifonctionnelle (Visioconférence et radiologie diagnostique)
Coût de l'équipement	Moins de 100 000 $ par hôpital	Moins de 100 000 $ par hôpital

TABLEAU 3   Résultats attendus et observés

	RÉSEAU DE CARDIOLOGIE PÉDIATRIQUE	RÉSEAU INTERRÉGIONAL DE TÉLÉMÉDECINE
Résultats attendus	Meilleure accessibilité à des services médicaux spécialisés Diminution des transferts de patients vers des centres tertiaires	Meilleure accessibilité à des services médicaux spécialisés Diminution des transferts de patients vers des centres tertiaires Économies financières
Résultats observés	Intérêt soutenu (plus de 5 ans) Usage limité (moyenne : 15 patients/an) Diminution significative des transferts de patients Exigeant en temps pour les médecins traitants et consultants	Intérêt temporaire (3 premiers mois d'un projet de 12 mois) Demandes de consultation limitées à des médecins internistes Exigeant en temps pour les médecins traitants et consultants

de la pratique médicale implique la présence d'un dispositif sophistiqué qui, à son tour, implique une restructuration profonde des processus professionnels et organisationnels. À notre avis, la surestimation des capacités de la technologie et la sous-estimation conséquente de la restructuration nécessaire à la réorganisation de la pratique médicale expliquent la difficulté de mise en place des réseaux de télémédecine et leur faible pérennité en dépit des bénéfices affichés.

La télé-expertise requiert la création d'un réseau de liens techniques et humains qui va au-delà de l'installation technique qui forme l'essentiel des efforts de déploiement. Ce réseau plus « riche » que le simple réseau technique associé à la télémédecine vise à renforcer l'interaction existant entre deux systèmes ou deux parties d'un même système (Orton et Weick, 1990). Ce couplage interorganisationnel, favorisant une intégration plus étroite entre des organisations très faiblement couplées, doit être déployé simultanément à la plateforme technologique de télé-expertise pour permettre la communication efficace entre des équipes médicales exerçant dans des établissements distants.

Notre analyse nous a permis d'identifier cinq types différents de couplage interoganisationnel. Chaque couplage doit fournir une solution satisfaisante

à cinq contraintes associées à l'introduction de la télé-expertise. Ces contraintes émergent de nouveaux problèmes de coordination issus de l'interactivité en temps réel (barrière temporelle) et de la distance (barrière spatiale) entre les équipes médicales qui doivent dorénavant collaborer ensemble. Ces couplages sont les suivants :
- un couplage informationnel ;
- un couplage cognitif ;
- un couplage interpersonnel ;
- un couplage médico-légal ;
- un couplage clinico-technique.

Le couplage informationnel : dans quelle mesure, le nouveau réseau parvient-il à produire un patient virtuel ?

Le couplage informationnel correspond à la capacité du réseau technique à transmettre des informations cliniques sous divers formats (texte, son, graphique, image). En situation de télé-expertise, le médecin consultant est délocalisé et n'a plus accès à ses sources usuelles d'information, à savoir le patient lui-même, le dossier médical et l'équipe immédiate de soins, notamment les infirmières. Le défi technologique est alors de créer un patient virtuel qui, grâce à la transmission d'informations électroniques, permettra au médecin consultant d'apprécier adéquatement l'état clinique du patient de manière à pouvoir donner un avis médical éclairé. Cette délocalisation, et l'inaccessibilité aux sources informationnelles usuelles qui en résulte, sont des barrières importantes à l'usage de la télémédecine. Il faut reconnaître, qu'en cette matière, les hôpitaux demeurent des organisations qui possèdent peu de données cliniques sous forme électronique : un format qui s'affranchit plus facilement que le papier des barrières spatiales usuelles. Les hôpitaux demeurent des organisations fondées sur des systèmes d'information-papier. Un bel exemple est le dossier médical du patient, un document-papier qui intègre toute l'information pertinente sur l'état du patient mais dont la consultation nécessite d'être sur place. Dans un contexte d'intervention médicale délocalisée, le papier devient une barrière physique. Des données cliniques, sous forme électronique, seraient plus appropriées dans la mesure où le consultant pourrait lui-même accéder à ces données à distance et les traiter à son bon vouloir.

La capacité d'un dispositif de télémédecine à permettre un couplage informationnel repose sur deux caractéristiques importantes des technologies de l'information et de la communication : la connectivité et la communalité (Fulk *et al.*, 1996). La connectivité représente l'habileté d'individus à entrer en communication les uns avec les autres. Le téléphone est un bon exemple d'une technologie présentant un très haut niveau de connectivité. Le téléphone est une technologie répandue et chaque individu possède un ou plusieurs numéros de téléphone. Ainsi, il est possible d'entrer aisément en communication – se connecter – avec cet individu tout comme il peut joindre facilement d'autres individus. La seconde caractéristique, la communalité, représente la capacité d'échanger des données à distance. La communalité repose sur l'habileté d'individus à contribuer à des bases collectives de données, à y accéder et à les utiliser. La communalité pose un défi important entre des organisations qui n'ont pas établi d'infrastructures communes de communication et d'échanges de données. Ainsi, pour poursuivre notre exemple, le téléphone offre une grande connectivité mais représente une faible communalité dans la mesure où les individus doivent échanger de l'information verbalement (tâche particulièrement difficile pour les données quantitatives et les images). Par ailleurs, le téléphone, utilisé dans un environnement de technologies Internet, voit décupler ses capacités en matière de communalité car il peut alors communiquer du texte, des images et représentations graphiques ainsi que la voix.

La télé-expertise, pour offrir un couplage informationnel efficace, requiert simultanément une forte connectivité et une forte communalité. L'analyse des deux cas est explicite en cette matière. Dans le premier cas de télécardiologie pédiatrique, la télé-expertise profite d'une plateforme dédiée à l'échographie cardiaque. Ainsi, dans la mesure où l'image est d'une qualité suffisante pour permettre au cardiologue délocalisé de poser un diagnostic sûr, le réseau offre une communalité suffisante. Quant à la connectivité, elle était établie grâce à un intranet qui permettait le transfert des données échographiques de site à site et une communication visuelle interactive en temps réel grâce à un dispositif de visioconférence (Sicotte *et al.*, 2004). Le réseau interrégional de télémédecine du Québec, le second cas, profitait du même type de connectivité. En revanche, la communalité était limitée et ce facteur s'est révélé être un handicap important. La capacité de partager à distance des données cliniques était déficiente. Notamment, la définition de l'image était insuffisante pour permettre le diagnostic en radiologie alors que cette possibilité avait été promise. Cette carence entraîna un désenchantement chez plusieurs médecins (Sicotte *et al.*, 1999 ; Sicotte et Lehoux, 2003).

En situation de faible communalité, le médecin consultant devient dépendant du médecin traitant, qui doit alors suppléer et devenir le moyen par lequel l'information clinique est choisie, synthétisée et transmise. Il en résulte un moyen coûteux et incertain : coûteux en termes d'heures supplémentaires requises pour le médecin traitant (analyse du dossier et préparation *a priori* des données cliniques et leur narration ultérieure au médecin consultant) et pour le médecin consultant (écoute de la narration verbale du cas), et incertain car la qualité de la consultation repose, en partie, sur l'expertise du médecin traitant à bien informer le médecin consultant, un élément nouveau inexistant dans une consultation normale où le médecin consultant est sur place.

Nous terminons la présentation de ce couplage en soulignant son importance. Le couplage informationnel demeure la pierre angulaire d'un dispositif de télémédecine dans la mesure où les déficiences sur ce plan augmentent d'autant la difficulté à maîtriser les trois autres couplages que nous allons maintenant décrire, à savoir les couplages cognitif, interpersonnel et médico-légal.

Couplage cognitif et asymétrie d'expertise : dans quelle mesure le médecin traitant parvient-il à communiquer intelligemment avec le médecin spécialiste agissant comme médecin consultant ?

Comme nous venons de le souligner, un faible niveau de communalité informationnelle contraint la capacité à décrire la condition clinique du patient. Le médecin consultant, ayant perdu l'accès direct au patient et à l'information contenue dans son dossier, dépend alors du médecin traitant qui lui, grâce à sa proximité physique, bénéficie de cet accès direct. C'est le médecin traitant qui devient alors la source principale, et même unique, d'informations du médecin consultant délocalisé. De cette façon, le système humain doit compenser pour la faible performance technique du système.

Dans ce contexte, le niveau d'expertise médicale du médecin traitant prend une importance névralgique inhabituelle. En effet, le médecin traitant devient un facteur critique influençant la qualité de la décision médicale du médecin spécialiste se trouvant à distance. Le médecin traitant doit choisir la bonne information, bien l'expliquer et répondre correctement à des questions d'éclaircissements du médecin consultant. Un couplage suffisant entre les expertises des deux médecins communiquant à distance devient nécessaire. Dans un tel contexte, plus les expertises respectives des deux médecins sont éloignées, plus l'incertitude augmente, rendant d'autant plus difficile la tâche du médecin consultant.

Une faible communalité d'un dispositif de télémédecine crée donc un paradoxe dans la mesure où cette situation exige une expertise du médecin traitant alors que le rôle fondamental de la consultation médicale est précisément le contraire. L'utilité recherchée de la télé-expertise est d'aider les médecins traitants confrontés à des cas complexes. Dans ce contexte, la technologie devient contre-productive car elle limite l'usage auquel se destine la consultation médicale. L'objectif était de répondre à toutes les éventualités incluant l'écart d'expertise le plus large, à savoir entre un médecin généraliste et un ultra-spécialiste. Sur un plan technique, il y a donc une relation inverse entre le niveau de sophistication technique d'une plateforme de télé-expertise et le niveau d'expertise médicale requis : moins la plateforme est techniquement performante, plus l'expertise du médecin traitant doit être élevée.

Ces observations sont soutenues par nos cas à l'étude. Le premier cas a profité d'un couplage cognitif favorable entre les médecins communiquant à distance. En premier lieu, le dispositif met en présence des médecins spécialistes : les médecins traitants sont des pédiatres alors que les médecins consultants sont des cardiologues pédiatriques. En second lieu, les médecins consultants vont régulièrement, deux fois par année et ce, depuis plusieurs années, offrir leurs services à l'hôpital régional dans le cadre d'un programme de médecins consultants itinérants permettant de desservir les régions éloignées. Ces contacts réguliers entre les médecins, qui collaborent maintenant à distance, ont forgé un cadre de référence commun, facilitant le couplage cognitif requis en contexte de télé-expertise. Dans le second cas, en dépit des attentes, le recours à la télé-expertise s'est limitée à des échanges entre spécialistes. Aucun médecin généraliste ne tenta d'utiliser le dispositif malgré les invitations en ce sens. Par ailleurs, les quelques médecins traitants, essentiellement des internistes, qui ont expérimenté la télé-expertise la délaissèrent rapidement devant l'ampleur des efforts requis pour préparer l'information nécessaire au médecin consultant distant et la faible utilité obtenue en retour. La contribution du médecin consultant résultait, la plupart du temps, en une confirmation du plan diagnostique et thérapeutique entrepris par le médecin traitant et ce, même si les cas soumis étaient ceux de patients sévèrement malades.

Couplage interpersonnel et confiance mutuelle : dans quelle mesure le médecin consultant peut-il faire confiance au médecin traitant ?

Comme nous venons de l'analyser, la télé-expertise vise à réaliser, à distance, une coordination entre des médecins de niveaux d'expertise différents. Normalement, le médecin traitant requiert une consultation auprès d'un collègue qui possède une expertise qu'il n'a pas lui-même. Dans ce cas, la présence d'un lien de confiance préalable est utile, mais non essentielle. Cette situation correspond au modèle usuel de référence médicale. La confiance d'expertise implique le respect des opinions émises par un expert de compétence supérieure. Ainsi, un médecin généraliste va aisément appuyer sa décision médicale sur l'avis fourni par un médecin spécialiste ; de même qu'un médecin spécialiste va se fier à l'opinion d'un médecin d'une autre spécialité médicale. La confiance d'expertise est le mode usuel de fonctionnement de la consultation médicale. Or, la télé-expertise introduit un autre type de confiance : la confiance interpersonnelle.

Dans le cas de la télécardiologie pédiatrique, les médecins en présence entretenaient depuis longtemps des relations professionnelles étroites. Ces liens interpersonnels ont développé une relation de confiance facilitant la communication à distance. De surcroît, ce réseau de télé-expertise était centré sur une seule spécialité : la cardiologie. Ainsi, le nombre de médecins utilisateurs est réduit, favorisant d'autant un contact régulier entre les mêmes médecins et donc, facilitant l'établissement de liens de confiance. Le réseau de télé-expertise, observé dans le second cas à l'étude, impliquait une situation différente. Le médecin spécialiste, demandé en consultation, devait se fier, compte tenu des limites informationnelles de la technologie, à un médecin traitant possédant moins d'expertise que lui. Dans une telle situation, la relation de confiance entre les individus devenait essentielle (Lehoux *et al.*, 2000).

Couplage médico-légal : dans quelle mesure la télé-expertise représente-t-elle un risque médico-légal ?

Ce quatrième type de couplage est fortement tributaire des trois types précédents. La télé-expertise entraîne un nouveau contexte d'exercice de la consultation médicale qui a pour effet de restructurer les responsabilités respectives des médecins traitant et consultant. Hors télémédecine, la responsabilité respective de chaque médecin est claire et disjointe. Lors d'une téléconsultation, la responsabilité du médecin traitant s'accroît ainsi que celle du médecin consultant. De plus, la responsabilité devient partagée entre les deux médecins communiquant à distance. D'une part, le médecin traitant assume des responsabilités d'autant accrues qu'il devient responsable de réunir l'information nécessaire au médecin consultant devant fournir un avis médical. D'autre part, les responsabilités médico-légales du médecin consultant sont aussi accrues dans la mesure où il est responsable d'appuyer son opinion clinique sur des informations valides.

Le premier de nos deux cas offre un exemple intéressant où la qualité des couplages informationnel (communalité suffisante), cognitif (relation d'experts) et interpersonnel (relations interpersonnelles de qualité) a minimisé le risque associé à la dimension médico-légale, favorisant ainsi le recours à la télé-expertise. Le second cas représente un exemple contraste où le couplage médico-légal est devenu un enjeu important en influençant négativement l'usage. Dans la mesure où la communalité offerte par le dispositif technique était faible, que le couplage cognitif était déficient, les médecins en présence percevaient leur responsabilité respective mise à risque.

Couplage clinico-technique : dans quelle mesure le patient nécessite-t-il une investigation diagnostique ou thérapeutique sophistiquée ?

La télé-expertise, une intervention à distance, peut permettre un meilleur accès à des soins spécialisés. Mais son efficacité à éliminer les transferts de patients demeure limitée par la sévérité des cas traités. Il s'agit pourtant d'un des bénéfices fortement promus. Il faut comprendre que nous sommes ici en présence de réseaux interhospitaliers et que, malgré leur éloignement des grands centres urbains, ces centres hospitaliers profitent tout de même d'équipes médicales très qualifiées. Or, nous avons observé, dans les deux cas à l'étude, que la télé-expertise était principalement utilisée pour les patients présentant des tableaux cliniques complexes. Par conséquent, ce sont les patients les plus susceptibles de requérir des équipements diagnostiques ou thérapeutiques sophistiqués qui ne sont pas largement disponibles dans les hôpitaux éloignés. La télémédecine ne peut donc pas éviter le transfert de ces patients vers un centre tertiaire.

L'efficacité de la télémédecine à réduire les transferts de patients ne repose donc pas sur sa seule efficacité technique. La nature des équipements médicaux disponibles là où est le patient influence la qualité du couplage clinique entre les équipes médicales. Ce couplage doit donc être pris en compte si on veut optimiser l'utilité de la télémédecine. Il soulève la question de la nature des équipements dont doivent être dotés les hôpitaux éloignés si l'on veut minimiser le transfert des patients. Cette situation implique également que plusieurs cas soient transférés sans recours à la télé-expertise car les médecins traitants savent qu'un transfert est inévitable.

DISCUSSION

Les résultats ont mis en évidence que la télé-expertise demeure un dispositif complexe et que cette complexité semble échapper à ceux qui président à ses efforts de déploiement. La télé-expertise demeure un système sociotechnique dont le succès est conditionné par la nécessaire intégration d'une vaste diversité de systèmes techniques et humains. Or, seul le système technique, essentiellement composé de liens de télécommunications, propre à la télémédecine, mobilise l'attention. Trois autres réseaux sont ainsi laissés pour compte : un réseau technique élargi favorisant l'accès à des informations cliniques utiles aux médecins ; un réseau technique des capacités diagnostiques et thérapeutiques offertes par les équipements médicaux répartis entre les sites distants ; et un réseau humain composé de médecins, techniciens et personnel administratif. Il est essentiel de pouvoir compter sur une intégration suffisamment dense, à la fois technique et humaine, sans laquelle le nouveau dispositif n'est pas viable. La mise en place des divers couplages à la base de cette intégration représente des restructurations organisationnelles importantes; si importantes, qu'elles constituent, à notre avis, des impulsions aptes à transformer profondément la forme organisationnelle de l'hôpital telle que nous la connaissons aujourd'hui. C'est de ces transformations, à l'échelle du Québec, dont nous allons maintenant traiter.

Premièrement, la faiblesse du couplage informationnel est un problème connu et des applications réseaux sont en cours de déploiement. Le ministre de la Santé et des Services sociaux du Québec a entrepris des travaux d'envergure visant à offrir un environnement informationnel plus riche à l'exercice de la télémédecine. Ces travaux visent à développer un système d'index patients interétablissements et un système de dossiers patients partageables. Ce sont deux chaînons essentiels au partage de données cliniques entre des établissements différents collaborant au traitement d'un même patient. L'index est nécessaire à titre de pointeur capable de repérer parmi un réseau d'établissements les diverses informations concernant un même patient. Le dossier partageable vise à développer le réceptacle permettant l'échange d'informations cliniques entre des structures différentes de soin. Dans cette foulée, l'architecture informationnelle de l'hôpital se transforme vers une plus grande intégration des données cliniques. L'intégration locale permettra de réunir les informations cliniques concernant chaque patient et d'ainsi offrir une meilleure communalité partageable en réseau, un chaînon essentiel à la coordination des équipes médicales devant œuvrer à distance. Cette première restructuration informationnelle ouvre la porte à d'autres restructurations.

Deuxièmement, le Québec tente, depuis plusieurs années, de mettre sur pied des départements régionaux de médecine générale, une structure professionnelle transorganisationnelle traversant les frontières organisationnelles traditionnelles de l'hôpital. Or, ces structures sont à ce jour, dans l'ensemble, peu actives. La télémédecine risque de modifier l'opinion des médecins quant à l'intérêt d'une telle structure. Nous pensons qu'au fur et à mesure que s'améliorera le couplage informationnel, décrit précédemment, les échanges interorganisationnels de patients s'intensifieront et les échanges d'informations cliniques se densifieront. Il va en résulter un regain des activités médicales interorganisationnelles. Dans ce contexte, la structure des départements régionaux offre un environnement organisationnel propice, apte à accueillir les activités médicales qui se développeront dans le cadre de la télémédecine. Les médecins vont donc envahir cet espace organisationnel, consolidant ainsi des structures médicales inter-hospitalières. Trois types de restructurations sont alors prévisibles :

Émergence de structures médicales dépassant les frontières organisationnelles traditionnelles de l'hôpital. L'exercice de la télémédecine entraîne un besoin de standardiser les pratiques médicales ainsi que les échanges de l'information clinique ; ce qui favorise l'émergence de structures médico-organisationnelles transfrontalières.

Élargissement de la taille des unités structurelles (services et départements cliniques) regroupant les médecins. Dans la foulée du mécanisme décrit au point précédent, les services et les départements cliniques vont englober ceux des hôpitaux entretenant des réseaux de télémédecine.

Formalisation des « réseaux naturels ». Les réseaux naturels sont les réseaux fondés sur les relations interpersonnelles des médecins traitants, qu'ils utilisent actuellement pour obtenir des consultations médicales et transférer leurs patients. Ces réseaux vont se transformer pour devenir des réseaux institutionnalisés visibles.

Le moteur à la source de ces changements structurels est associé à deux couplages : le couplage cognitif et le couplage interpersonnel. Les médecins, d'organisations différentes, échangeant des patients et de l'information par des systèmes techniques formalisés, vont sentir le besoin de développer des structures administratives partagées de manière à développer des relations de confiance d'expertise et de confiance personnelle. Il devrait en résulter une formalisation et une standardisation des réseaux de consultation des médecins spécialistes ainsi que des pratiques de soins. À terme, il est fort possible que les nouvelles structures trans-hospitalières supplantent les structures médicales intra-organisationnelles actuelles que sont les services et les départements cliniques. Ces couplages risquent de s'étendre à l'extérieur de l'univers hospitalier en se répandant aux autres structures de soins avec lesquelles l'hôpital échange des patients et donc de l'information.

Troisièmement, la restructuration des structures médicales décrite au point précédent risque fort de se produire également au sein des structures administratives. Nous devrions observer une émergence de structures administratives partagées (et, à terme, communes) allant au-delà des frontières organisationnelles traditionnelles de l'hôpital. Dans un contexte de prises en charge des mêmes patients par des hôpitaux différents, la gestion administrative de ces patients risque, de moins en moins, d'être l'apanage d'un seul établissement hospitalier. Elle tendra à devenir la responsabilité collective des hôpitaux partageant des patients qui tendront alors à intégrer leurs structures d'admission (index patient unique/numéro de dossier unique), leurs structures de gestion et de conservation des dossiers cliniques (archives médicales) et leurs structures de rendez-vous (gestion intra et interétablissements des trajectoires des patients).

Quatrièmement, l'augmentation des échanges de patients soutenus par des systèmes informationnels et communicationnels formels, associée à l'émergence de structures médicales et administratives partagées, va redéfinir et transformer l'environnement médico-légal de l'hôpital. La formalisation des relations interétablissements a des implications médico-légales qui résultent de l'émergence d'une nouvelle entité organisationnelle plus large. De ce point de vue, le lien électronique à distance entre un hôpital régional et un hôpital universitaire peut permettre de redéfinir les droits du patient. Sur le plan légal, il deviendra possible de soutenir que la gamme des spécialités médicales disponibles à l'hôpital régional inclut dorénavant les effectifs médicaux de l'hôpital universitaire. Ainsi, les médecins de régions éloignées qui justifient, lors de poursuites judiciaires, leur pratique en fonction des ressources disponibles devront compter sur la disparition des barrières géographiques usuelles : les médecins spécialistes tertiaires ne seront dorénavant plus qu'à un *clic*. La télémédecine implique donc une restructuration significative de la responsabilité légale des médecins traitants des hôpitaux régionaux ainsi que de leurs collègues consultants (Trudel et Beaupré, 1997). Cette vision issue du droit administratif n'est pas sans avoir des implications profondes sur l'identité organisationnelle de l'hôpital de demain.

Cinquièmement et dans la foulée du mécanisme précédent, des effets importants sont à prévoir sur le plan déontologique. De ce point de vue, les médecins sont tenus d'utiliser toutes les ressources à leur disposition pour traiter un patient. Si la technologie rend accessible – malgré la distance – les spécialistes d'un centre tertiaire, les médecins traitants d'un centre éloigné n'auront guère d'autre choix que de consulter plus fréquemment : en fait, comme ils le feraient s'ils exerçaient dans un centre tertiaire. Cette tendance pourrait améliorer l'accessibilité aux soins spécialisés en région, mais elle remet en question les réductions des coûts que plusieurs associent à la télémédecine. Le recours plus fréquent à la consultation en spécialité risque d'être inéluctable dans la mesure où les liens électroniques établis entre l'hôpital régional et l'hôpital de référence ont pour effet de dissoudre les frontières organisationnelles existant entre les hôpitaux qui opèrent en réseau. Les liens électroniques signifient de fait la fusion des effectifs médicaux de ces hôpitaux ainsi que de leur parc d'équipements diagnostiques et thérapeutiques. En pratique, les patients de l'hôpital régional deviennent la clientèle commune des établissements réunis. Ainsi, nous voyons émerger une nouvelle conception de l'hôpital : un *hôpital virtuel unique* qui « fusionne » les ressources médicales et les clientèles des hôpitaux mis en réseaux. Cette nouvelle forme organisationnelle peut avoir des implications intéressantes sur un plan systémique, particulièrement en matière de planification de la main-d'œuvre professionnelle. Une intégration au sein d'un hôpital virtuel d'équipes médicales, pratiquant normalement dans des organisations différentes, peut représenter une solution novatrice au problème de la répartition des effectifs médicaux en région.

Ce concept d'hôpital virtuel unique soulève toutefois un questionnement quant à l'évolution des pratiques médicales et aux coûts du système de soins. L'augmentation des demandes de consultation faites auprès de médecins consultants par le corps médical de l'hôpital régional pose la question de la pertinence de ces consultations. De deux choses l'une, soit la télé-expertise représentera une valeur ajoutée sur les plans de l'accessibilité et de la qualité des soins si les médecins consultants sont utilisés en complémentarité aux ressources médicales spécialisées déjà en place dans les hôpitaux régionaux ; soit si l'intervention de médecins consultants distants est requise alors que les équipes médicales sur place peuvent répondre, une simple hausse des coûts en résultera. Pour être utile et productive, l'intervention de médecins consultants intervenant à distance doit être complémentaire et non se substituer à l'intervention des équipes médicales locales.

Somme toute, le cumul des diverses restructurations que nous avons déduites de l'analyse des mécanismes de couplage nécessaire au fonctionnement de la télé-expertise permet d'entrevoir l'émergence d'une nouvelle configuration organisationnelle au sein du système de santé : l'*hôpital réseau*. Le concept d'*organisation réseau* implique que les organisations indépendantes et autonomes, que sont actuellement chacun des hôpitaux intégrant un réseau de soins, se transforment. La mise en contact permanente, par l'entremise de réseaux de télécommunications, entraîne progressivement la constitution d'une seule entité organisationnelle plus large. Cette nouvelle entité organisationnelle, l'hôpital réseau, aura tendance à vouloir réagir de plus en plus de manière intégrée : comme le ferait une organisation unique. Cette organisation devient ainsi une *organisation réseau*, une organisation au sein de laquelle la répartition des ressources humaines (incluant les médecins), techniques et financières se fait au niveau du réseau et de moins en moins au niveau de chacune des composantes. Dans ce type d'organisations, la coordination des soins s'appuie principalement sur des technologies de l'information et de la communication de type Internet. Soulignons qu'une organisation réseau est une configuration organisationnelle différente du *réseau interorganisationnel*, une configuration adoptée par la plupart des réseaux de soins intégrés. Au sein d'un réseau interorganisationnel, l'autonomie de chaque organisation demeure élevée alors que l'intégration organisationnelle est beaucoup plus forte dans une organisation réseau.

CONCLUSION

En somme, les résultats de cette analyse ont permis d'identifier une série de conditions auxquelles doit répondre un dispositif de télémédecine s'il veut pouvoir soutenir une pratique médicale exercée en équipe distante. Ces conditions correspondent à une série de couplages techniques et humains qui visent à rendre viable la coordination des médecins impliqués. Ainsi, nous avons pu mettre en évidence que la télémédecine peut difficilement surmonter les barrières temporelles et spatiales actuelles sans la mise en place de nouveaux couplages organisationnels et professionnels qui vont bien au-delà du simple réseau technique de télécommunications propre à la télémédecine. Le réseau technique de la télémédecine doit être étroitement intégré au sein de trois autres réseaux : un système technique plus large permettant d'accéder aux données cliniques disponibles parmi les autres structures de soins que le patient sous consultation a fréquenté antérieurement ; un système technique formé des équipements diagnostiques et thérapeutiques requis par l'état du patient qui déterminera la capacité réelle d'intervenir à distance ; et un système humain constitué des médecins, techniciens et personnel administratif communiquant à distance. Dans un second temps, notre analyse nous a permis de nous interroger sur le devenir de l'hôpital. L'émergence de l'hôpital réseau nous paraît être la forme organisationnelle vers laquelle l'hôpital traditionnel se restructurera au fur et à mesure que les couplages nécessaires à la coordination médicale exercée à distance se mettront en place. Cette nouvelle forme organisationnelle remet en question les modèles actuels de planification et de répartition des ressources qui sont fondés sur des schémas régionaux. L'organisation réseau offre une autre forme de coordination des ressources en ce qui a trait à un système de santé.

9

TIC, restructurations et gestion de projet : le cas de deux réseaux de télémédecine en périnatalité

Albert David, Fabienne Midy,
Jean-Claude Moisdon

Peu bavarde sur les aspects organisationnels et même économiques de la télémédecine (Kerleau, Pelletier-Fleury, 2001), la littérature est en revanche prolixe sur ses potentialités : technologie sophistiquée et de plus en plus performante, elle est associée à un enjeu majeur de transformation de la nature des soins par un meilleur usage de l'expertise médicale. Par ailleurs, en modifiant les caractéristiques temporelles et spatiales de la prise en charge d'un patient, elle est susceptible d'avoir un impact organisationnel, économique, ou encore d'avoir un impact sur l'aménagement du territoire.

La télémédecine est donc un champ d'observation tout indiqué de la problématique de ce chapitre, qui s'interroge sur le pouvoir structurant ou non de la technologie quant à l'organisation des pratiques. Dans le chapitre précédent, Sicotte et Lehoux développent des arguments en faveur du premier pôle de l'alternative dans le cadre de l'hôpital. En particulier, selon les auteurs, la télémédecine nécessite et engendre la création de nouveaux liens entre les acteurs, les organisations et la technologie, qui à leur tour feront émerger de nouvelles formes organisationnelles.

L'étude de cas, présentée dans le présent chapitre[1], complète cette approche en analysant les processus qui sous-tendent le développement

1. Cette contribution a été publiée, sous une forme légèrement différente dans : A. David, F. Midy, J. C. Moisdon « Les TIC restructurent-elles ? Péripéties de deux réseaux de télémédecine en périnatalité », *Revue française des affaires sociales*, n° 3, juillet-septembre 2003, 57ᵉ année, p. 79-94.

d'un réseau de télémédecine, et donc des liens qui sont identifiés par Sicotte et Lehoux.

Le contexte de ces deux contributions est toutefois différent. En effet, dans le cas des réseaux qui sont analysés ici, la reconfiguration de la coordination des pratiques médicales est antérieure à l'implantation de la télémédecine et relève d'une réorganisation institutionnelle. L'historique des deux projets étudiés permet dans un premier temps l'analyse de leur processus de développement et met en évidence des lacunes profondes sur le plan de la gestion de projet, avec des conséquences dommageables sur le développement du réseau. Dans un deuxième temps, la mise en correspondance des enjeux potentiels et des enjeux réalisés montre que la valeur ajoutée de la télémédecine dans ce contexte particulier est faible non pas seulement en raison de dysfonctionnements organisationnels ou techniques, mais plus fondamentalement parce que, dès l'origine, les objectifs poursuivis ont été irréalistes et les projets surdimensionnés.

LA TÉLÉMÉDECINE ET LA RESTRUCTURATION DE LA PÉRINATALITÉ

Les deux expériences de télémédecine étudiées ici ont pour particularité de s'intégrer dans une opération de restructuration hospitalière visant à mieux organiser l'activité obstétricale des établissements de soins. L'objectif de l'observation est donc de savoir si la télémédecine apporte une valeur ajoutée à une réorganisation institutionnelle de la prise en charge de cette activité. Toutefois, l'objectif initial de la recherche était d'évaluer les deux réseaux en question, dans la lignée d'une recherche précédente menée en collaboration par le CRÉDÉS et le CGS, et proposant un cadre général pour une telle évaluation. Voir à ce propos : « Aide méthodologique à l'évaluation de la télémédecine », CGS-CRÉDÉS, mars 2000, disponible sur <www.sante.gouv.fr>.

La restructuration hospitalière se traduit essentiellement par trois décrets parus en 1997 et 1998, organisant la périnatalité en réseaux. Premièrement, le diagnostic anténatal est organisé autour de centres pluridisciplinaires qui constituent des pôles de compétences cliniques et biologiques de diagnostic prénatal ; leur mission est axée sur le conseil (diagnostic ou thérapeutique) auprès des autres professionnels et la formation. Ils sont seuls aptes à délivrer une attestation d'interruption médicale de grossesse après concertation. Deuxièmement, les établissements sont distingués selon le niveau de soins pour lesquels ils sont compétents, ce qui dépend, entre autres, de leur plateau technique. On a donc les maternités de niveau I qui réalisent les soins d'obstétrique, les maternités de niveau II qui peuvent prendre en charge des soins de néonatologie, et les maternités de niveau III qui ont les moyens de faire de la réanimation néonatale.

Dans le cadre de cette restructuration, le ministère de l'Emploi et de la Solidarité et le ministère de l'Aménagement du territoire et de l'Environnement ont lancé conjointement en 1999 le projet Périn@t, destiné à renforcer le travail coopératif entre les maternités grâce aux apports de la télémédecine.

Le fonds national d'aménagement et de développement du territoire (FNADT) a ainsi prévu une enveloppe de 20 millions de francs (environ 3 millions d'euros) destinée au financement partiel de l'équipement nécessaire ; les projets devaient favoriser particulièrement les établissements de proximité. Les moyens prévus faisaient appel aux technologies de la visioconférence et du transfert électronique d'informations médicales. Chaque région pouvait proposer un ou plusieurs projets de réseaux, reliant des établissements disposant d'une maternité ou d'un centre périnatal de proximité. S'ils répondaient à des critères nationaux prédéfinis, ils pouvaient recevoir un financement de 30 à 50 % du coût d'investissement, selon le nombre de propositions retenues.

Les deux réseaux étudiés (que nous nommerons réseau nord et réseau sud) ont été retenus au printemps 1999. Ils s'appuient sur un même centre hospitalier universitaire. Il était prévu qu'ils commencent à fonctionner au printemps 2000.

De 2000 à 2002, les trois chercheurs ont participé à une vingtaine de réunions d'équipe[2] de diagnostic périnatal dans les deux réseaux, effectué une vingtaine d'entretiens, participé à une dizaine de réunions de concertation entre les acteurs impliqués, et visité deux autres réseaux de télémédecine en périnatalité.

L'apport de la télémédecine à la restructuration de la périnatalité apparaît dans un premier temps comme naturel : cette technologie permet en

2. Le terme utilisé dans les institutions étudiées est « staff » comme abréviation de l'anglais « staff meeting ». Pour rendre le texte plus accessible aux lecteurs qui ne sont pas familiers avec le jargon hospitalier français nous utilisons « réunion d'équipe » au lieu de « staff » et « visioconférence » au lieu de « téléstaff ».

particulier aux médecins des maternités périphériques de participer aux réunions d'équipes pluridisciplinaires organisées par la maternité de référence sans avoir à se déplacer (possibilité de participation simultanée de plusieurs sites en visioconférence); elle permet également à l'expert de discuter une échographie réalisée sur un autre site sans que la parturiente n'ait à se déplacer (téléexpertise avec transmission d'images). Par ailleurs, un système de garde utilisant le dispositif technique dans une configuration bilatérale entre une maternité de niveau III et une autre de niveau inférieur permet de traiter les cas d'urgences sur des grossesses à risque, et donc de réguler les transferts entre établissements.

Enfin, un des avantages souvent avancés de cette technologie de communication est qu'elle conduit le corps médical à une réflexion sur ses pratiques, à une meilleure codification des cas traités pour faciliter le transfert des dossiers, et donc ultimement à une sécurisation des prises en charge.

Ces apports théoriques de la télémédecine sur les plans économique, organisationnel et sanitaire sont soulignés avec insistance par ses promoteurs les plus divers. L'observation de la gestation de deux réseaux en obstétrique permet de mesurer l'écart entre la théorie et la réalité; surtout, elle permet d'apporter une explication à cet écart en montrant l'importance de la gestion de projet dans l'implémentation de nouvelles technologies.

Les péripéties d'un réseau de télémédecine en l'absence d'une gestion de projet

Les deux réseaux devaient être prêts à fonctionner au printemps 2000; au printemps 2002, le réseau nord n'est toujours pas mis en place alors que le réseau sud ne fonctionne que partiellement.

Pour le réseau nord, la maternité de référence est équipée, ainsi que quelques-unes des dix maternités périphériques prévues, mais le dispositif technique permettant l'interconnexion de plusieurs sites (« pont multipoints ») est provisoire, et les médecins promoteurs du dispositif ont décidé d'attendre l'installation définitive. Le réseau sud obéit à une autre stratégie, dans la mesure où, confrontés aux mêmes difficultés que le réseau nord, les médecins ont malgré tout choisi de démarrer sur un « mode dégradé », c'est-à-dire avec l'équipement provisoire et une partie seulement des maternités périphériques. Mais cette mise en œuvre se situe plus de deux ans après l'acceptation par le programme Périn@t des deux réseaux.

Par ailleurs, dans un cas comme dans l'autre, la relation bilatérale destinée à réguler les transferts *in utero,* ainsi que la mise sur pied d'un dossier commun de la parturiante, ont été provisoirement abandonnées.

L'historique des deux projets

Le développement de ces deux réseaux a subi en fait de nombreux avatars : la préparation de l'appel d'offres pour l'acquisition des équipements a dû attendre une mise à niveau de l'ensemble du réseau informatique du CHU référent ; le dossier est ensuite passé de service en service au sein de l'administration, sans qu'aucun d'entre eux ne se sente impliqué dans sa prise en charge. L'idée que l'on pouvait éviter un processus d'appel d'offres en utilisant un appel d'offres déjà existant a fait naître un faux espoir, cette opération se révélant finalement impossible. Un pont multipoints a alors été loué, pendant que l'appel d'offres était de nouveau mis en chantier, mais n'a pas pu dans un premier temps être utilisé par les établissements pour des raisons techniques liées à la nature des lignes téléphoniques existantes. Alerté par cette situation préoccupante, le responsable administratif chargé de la télémédecine, qui avait aidé les établissements à préparer le dossier Périn@t, a alors pris les choses en main et organisé une série de réunions pour débloquer le projet. De nouvelles difficultés ont été éprouvées, essentiellement sur le plan des problèmes de compatibilité des matériels et sur celui de la gestion des subventions, lesquelles, relevant de l'Aménagement du territoire, avaient été déconcentrées dans les préfectures des départements d'appartenance des divers établissements impliqués.

Le réseau sud a pu enfin démarrer mais partiellement : quatre sites périphériques sur les neuf prévus sont connectés. La participation de ces quatre sites aux réunions d'équipe peut être considérée comme modeste, compte tenu de nos observations : connexion souvent tardive, faible effectif des médecins présents (réduit souvent à l'unité), absence d'internes, absence d'autres professionnels que ceux de la maternité, nombre peu important de dossiers présentés. Ce fonctionnement partiel a permis par ailleurs la mise en évidence de nombreux problèmes techniques, *a priori* non invalidants, mais peu favorables à l'ergonomie du travail médical (gestion du son et de l'image, absence d'aide technique, lourdeur des procédures de connexion, etc.).

Il convient d'ajouter que si le système actuel paraît en retrait par rapport aux prévisions initiales, les médecins interrogés dans les sites périphériques restent très favorables aux réunions d'équipe via visioconférence, notamment sous l'angle du maintien et des progrès des connaissances.

L'absence de gestion de projet conduit à des processus de développement erratiques

Cet historique du déploiement chaotique des deux réseaux conduit à la constatation d'une absence quasi totale de gestion de projet, dans une acception minimale de ce terme, c'est-à-dire celle d'une anticipation raisonnée des différents problèmes susceptibles d'être éprouvés et de la mise sur pied de méthodes de résolution qui permettent de les traiter en parallèle. Ce fait relève de plusieurs ordres de causalité. Tout d'abord, une absence générale de culture de projet, qui renvoie principalement à une tendance lourde dans le monde médical. Celui-ci est pourtant partie prenante dans des processus fortement et continûment innovateurs, mais rarement transversaux, comme peut l'être la télémédecine (c'est-à-dire mettant en jeu plusieurs entités aux intérêts différenciés et plusieurs ordres de réalité : technique, médical, économique, organisationnel, etc.). Par ailleurs, une telle culture peut se créer localement par des dispositifs organisationnels et gestionnaires appropriés, mais cela n'a pas été le cas sur les réseaux étudiés. Deuxièmement, la télémédecine possède des caractéristiques techniques ambiguës – ni réellement informatique, ni seulement téléphonique – et des enjeux en termes économiques ou d'urgence relativement faibles par rapport aux projets informatiques hospitaliers habituels. Troisièmement, le fait, davantage contextuel aux projets sous examen, que la technologie en cause est peu innovante dans ses aspects strictement techniques (essentiellement visioconférence) par rapport à de nombreux autres que l'administration hospitalière suit et aide plus précisément.

Ainsi, l'absence d'une véritable culture de projet, et d'une gestion de projet corrélative, recouvrant une appropriation collective des tenants et des aboutissements du projet et une anticipation des processus organisationnels et techniques qui le sous-tendent, est vraisemblablement le point d'achoppement principal dans cette expérience. Cela se traduit par des mécanismes de coordination sommaires et par une coopération inexistante. De fait, les interdépendances interorganisationnelles évoquées par Sicotte et Lehoux avaient peu de chances de se mettre en place.

Un développement chaotique

Les mécanismes de coordination ont en effet été très insuffisants, aucun processus collectif n'a été mis en place (réunions, notes, etc.) après la phase de préparation du dossier pour Périn@t et il y a eu très peu de transferts d'information entre les différents intervenants dans le projet : par exemple l'échographiste de référence du réseau nord n'a pas été tenue au courant des choix technologiques faits alors que cela la concerne au premier chef ; les établissements satellites ne sont pas informés de l'avancée du projet ni des contraintes techniques de compatibilité ; et les établissement de référence ignorent les raisons du retard pris par le projet sur le plan de l'administration centrale.

Évidemment, la négligence des mécanismes de coordination a un retentissement direct sur la coopération des établissements satellites : puisque les acteurs n'ont pas été impliqués dans l'élaboration du projet, ils ne manifestent aucune motivation particulière et ne se sont pas approprié le projet.

La coordination hiérarchique, même inscrite par voie réglementaire, ne suffit donc pas à instituer une véritable culture de projet et, sans ce présupposé, la coopération devient « hypocrite » en ce sens que nombre d'intervenants périphériques font semblant de suivre le leader et de participer à son projet, sans s'y impliquer véritablement.

Les professionnels promoteurs ne se sentent pas investis des problèmes correspondant à un projet collectif, et qui relèvent à leurs yeux des niveaux gestionnaires. Non seulement ils ne sont pas habitués à ce type de démarche de coordination, mais par ailleurs, personne ne les désigne dans cette fonction. Ils apparaissent plutôt comme des impulseurs initiaux, ensuite comme des utilisateurs. Or, si leur rôle dans la genèse d'une culture de projet apparaît fondamental, on peut effectivement se demander si l'aspect gestion de projet doit être à leur charge, compte tenu de leurs responsabilités déjà lourdes.

Le rôle des chercheurs a dépassé ici celui d'observateurs neutres, en rejoignant une démarche de recherche action. Notre présence a vraisemblablement constitué pendant une période assez longue (avril 2000-septembre 2001) le seul lien entre les différents intervenants; nous nous sommes trouvés, à notre corps défendant, dépositaires d'une culture de projet. Par ailleurs, les notes que nous avons fait parvenir aux différents intervenants ont permis de poser la question de l'absence de gestion de projet de manière explicite, en tirant l'alarme sur les conséquences qui en découlent (voir ci-dessous). Finalement, le responsable télémédecine du CHU prend en charge la gestion du projet en septembre 2001.

L'histoire des projets étudiés montre que le processus de décision est loin d'être rationnel et obéit plutôt au célèbre modèle du *garbage can* (Cohen *et al.*, 1972), dont une lecture positive souligne les vertus organisatrices du hasard, permettant des rencontres génératrices d'innovation. Or, ici, de telles rencontres ne se sont pas produites, toute l'énergie étant concentrée sur un certain nombre d'obstacles d'ordre administratif, technique ou financier. En ce sens, on peut dire que le *garbage can* est « grippé ».

Les projets ont alors évolué davantage malgré la structure projet censée les piloter que grâce à elle. On peut citer par exemple le code des marchés, nécessaire pour assurer la rigueur et la transparence des procédures publiques, mais dont le manque de souplesse a bloqué toute réactivité face aux incertitudes techniques du projet, ou encore la structure cloisonnée des services administratifs du CHU, qui n'est pas nécessairement adaptée pour recevoir ce type de projet. Face à l'impossibilité de faire avancer les projets dans de bonnes conditions, chacun a dû mobiliser des solutions de second choix : c'est le « système D » qui a prévalu. Les établissements qui ont effectivement réussi à faire fonctionner des réunions d'équipe en visioconférence l'ont réussi au prix d'un engagement personnel très important de certains médecins et des responsables informatiques locaux. Au total, les solutions, problèmes, décideurs et occasions de décider ne se sont pas rencontrés grâce à un « hasard organisateur » efficace.

On peut même parler ici, pour reprendre l'expression de Moisdon et Weil (1992), d'« incrémentalisme destructif » : chaque étape du processus de conception et de réalisation du projet est à la fois un pas en avant (on s'approche effectivement de la phase finale) et un pas en arrière (ce faisant, on renonce à une fonctionnalité du produit ou aux objectifs initiaux de qualité, de coût, de délais).

Les conséquences de l'absence de gestion de projet

La disparition prématurée d'une coordination entre les acteurs, notamment les médecins, a empêché ces derniers de prendre l'exacte mesure à la fois des enjeux et des problèmes auxquels ils allaient être confrontés.

Un nombre important de problèmes techniques, organisationnels et financiers sont apparus au fur et à mesure, qu'il s'agisse de la taille des écrans ; du rythme rapide des réunions d'équipe actuelles, rythme peu compatible avec une bonne transmission en visioconférence ; des horaires des réunions ; des dépenses d'exploitation liées au dispositif ; etc. Or, de tous ces problèmes, les acteurs n'ont pas eu l'occasion de discuter vraiment, les réunions préalables à l'appel d'offre Périn@t étant surtout des réunions d'accord de principe et de lancement.

Il ne s'agit pas d'épouser ici sans recul les préceptes des ouvrages qui se sont multipliés sur la gestion de projet, ces préceptes ne s'appliquant pas d'ailleurs de façon incontestable à tous les contextes, mais d'adopter quelques principes simples, le plus élémentaire consistant sans doute à concentrer dans une certaine mesure la gestion de ce type de projet entre les mains d'un acteur unique.

En dehors d'un allongement important des délais de mise en place des dispositifs techniques et organisationnels, la principale conséquence visible d'une gestion de projet pour le moins peu structurée a été l'élagage du projet : la relation bilatérale pour les transferts *in utero* n'est plus présente dans le dossier (il est vrai que pour un faisceau de raisons convergentes cet aspect du dispositif s'est révélé, au fur et à mesure des entretiens menés par les chercheurs, peu utile) ; la coordination autour du dossier unique du patient a été abandonnée. Reste uniquement l'aspect réunions d'équipe via visioconférence.

Enfin, comme nous le développerons dans la partie suivante, la myopie et la non-coopération des différents acteurs associés à ces projets n'ont pas permis de prendre la mesure des potentialités et finalités réelles de la télémédecine obstétricale. Cela aurait pu conduire à structurer la forme des réunions d'équipe d'une certaine façon et de préparer et piloter le projet de façon plus habile et plus efficace.

Le manque de coopération et le manque de gestion de projet ont amené chaque acteur du projet, au CHU ou dans les établissements hospitaliers périphériques, à développer une énergie considérable pour avancer d'une étape (grippage du *garbage can*), pour arriver finalement à un projet assez fortement dégradé (incrémentalisme destructif) par rapport aux ambitions initiales.

Au contraire, l'exemple de deux autres réseaux de télémédecine en obstétrique, que nous avons plus rapidement examinés, montre que des éléments de gestion de projet peuvent avoir des impacts positifs soit sur l'organisation des réunions d'équipe, soit sur un infléchissement des pratiques médicales, même si des constatations analogues peuvent être faites notamment sur les enjeux réels associés à ces réseaux. Par ailleurs, la comparaison entre le réseau nord et le réseau sud suggère que le second a pu démarrer tant bien que mal grâce à une meilleure coopération préalable entre les différents établissements et une vision plus horizontale et participative des relations entre sites.

LA MONTAGNE ACCOUCHE D'UNE SOURIS

Revenons maintenant à la plus-value que la télémédecine était censée apporter à la restructuration de l'activité obstétricale. Le titre de ce paragraphe est volontairement provocateur, car l'examen des différentes logiques qui nous ont été proposées pour justifier le caractère structurant de la télémédecine montre que ces logiques ne sont pas réalistes. Bref, si une meilleure gestion de projet aurait pu améliorer le développement des réseaux, il est vraisemblable que cela n'aurait pas conduit à une organisation très différente de ce qui se fait actuellement et qui est la conséquence des décrets réglementaires. De notre point de vue, dans ce contexte particulier, ce n'est pas la technologie qui constitue l'innovation majeure mais la discipline du diagnostic anténatal et la façon dont elle s'est organisée.

Peu d'enjeux réalisés, mais finalement
peu d'enjeux avec des potentialités réelles

Au cours des différents entretiens menés auprès d'acteurs divers du monde médical, informatique et administratif, nous avons pu distinguer sept logiques permettant de décrire les enjeux potentiels d'un tel réseau de télémédecine :

- logique d'assurance, de caution ou de réassurance : l'accès à un pôle de compétence permettrait d'avoir confirmation et légitimation d'une décision ;
- logique d'harmonisation des pratiques : la collectivisation de la procédure diagnostique et de la décision permettrait cette harmonisation par exemple dans l'organisation et la présentation des dossiers, ou dans la manière d'instruire et de prendre les décisions ;
- logique de contrôle : en rendant les pratiques plus transparentes, le réseau de télémédecine permettrait à la maternité de niveau III de connaître ce qui se passe dans les autres niveaux ;
- logique de coopération dans la construction d'un savoir : le réseau permettrait une meilleure coordination des décisions quotidiennes et de la recherche, ainsi qu'un apprentissage collectif du diagnostic anténatal et des bonnes pratiques ;
- logique d'économie et de restructuration : une meilleure coordination permettrait des économies en termes surtout de déplacements évités (de patientes et de médecins) et soutiendrait la restructuration hospitalière institutionnelle ;
- logique de formation : l'ouverture de la réunion d'équipe hebdomadaire du centre de référence à d'autres établissements permettrait de former certains professionnels à des pathologies non courantes, à des techniques pointues, etc. ;
- logique de socialisation : le réseau permettrait l'intégration à un groupe professionnel en facilitant la participation aux réunions d'équipe du centre de référence.

Parmi ces différentes logiques décrites par les personnes interviewées comme potentiellement restructurantes des pratiques ou des relations, peu ont été mises en œuvre en réalité. Le tableau ci-dessous synthétise cette

TABLEAU 1 Résultats attendus et observés

LOGIQUES (ENJEUX)	POTENTIALITÉ RÉELLE	CONCRÉTISATION
Assurance/réassurance	oui	oui
Harmonisation des pratiques	oui	non
Contrôle	non	non
Construction d'un savoir	oui	oui
Économie, restructuration	non	non
Formation	oui	non
Socialisation	contradictoire	non

observation en indiquant dans une première colonne si chacune des différentes logiques mentionnées ci-dessus correspond *a priori* à un enjeu
important ou non, compte tenu de la réalité du projet et, dans une
deuxième colonne, s'il y a eu concrétisation ou non. Nous essayons ainsi de
séparer les résultats dépendant de la gestion de projet (ou de ses lacunes) de
ceux qui n'en dépendent pas.

Alors que la logique économique est souvent évoquée comme l'un des
enjeux principaux, nos entretiens ont montré qu'à court terme, ce type de
réseau ne pouvait se justifier sur une base purement économique. En effet,
l'analyse des processus réels montre que les flux de dossiers qui peuvent faire
l'objet d'une présentation télématique sont faibles et que les parturientes
concernées sont en général transférées de toute façon au centre référent.

Il faut rappeler à ce niveau la particularité de la discipline du diagnostique anténatal qui est centrée sur l'acte « opérateur dépendant » que constitue l'échographie : la qualité de l'acte, à savoir la pertinence et la lisibilité des
informations qu'il apporte au clinicien, dépend beaucoup du savoir-faire
du professionnel qui le pratique (contrairement à beaucoup d'autres actes
diagnostics, comme en biologie). Dès lors, un réseau informel, fonction-
nant sur la confiance, se greffe sur le réseau de périnatalité. Cette dernière
variable joue de façon différenciée selon les équipes, mais conduit en tout
état de cause à des déplacements de patientes pour une nouvelle réalisation
de l'acte, inévitable dès lors que cette composante de confiance est déficiente. Par ailleurs, dans beaucoup de cas, seul le centre référent dispose
d'un plateau technique adapté. Quant aux déplacements de médecins, ils

devraient également peu changer, notamment à cause de l'existence d'un autre réseau informel, que l'on peut appeler de reconnaissance, par lequel les médecins des unités périphériques cherchent à rester en contact direct avec leurs collègues référents, ce qui peut les conduire à se rendre de toute façon aux réunions d'équipe (parfois sans dossier). Cette constatation relativise en même temps, sinon contredit, l'enjeu de socialisation spontanément associé à ce type d'innovation technique : le processus de socialisation préféré semble être le contact direct avec la communauté alors que la visioconférence conduit chacun à rester dans son établissement.

Par ailleurs, nous avons pu observer un mouvement de spécialisation de la médecine qui conduit les maternités périphériques à confier le diagnostic périnatal à un nombre réduit de médecins (parfois un seul), ce qui relativise les enjeux en termes de déplacements évitables, mais également en termes d'assurance/réassurance. C'est également un enjeu de restructuration qui apparaît peu présent dans les réseaux étudiés. En effet, si la restructuration ne concerne de toute façon qu'un seul médecin dans l'établissement périphérique, l'apport de la télémédecine par rapport à une technologie de communication bilatérale (de type téléphone) apparaît limité. Ce faible impact potentiel en termes de restructuration est vraisemblablement accentué par la configuration géographique de la région considérée, où les établissements sont proches les uns des autres. Cet enjeu de restructuration apparaît davantage dans une expérience analogue, mais caractérisée par un réseau routier difficile qui isole certaines maternités : dans ce cas, la télémédecine semble avoir consolidé le statut de certaines maternités et a même permis à deux établissements d'atteindre un niveau supérieur (passage du niveau I au niveau II). Cet exemple contrasté montre bien, si besoin était, la très forte contextualisation des processus d'implantation et des conséquences des technologies de l'information.

Si l'on revient à l'analyse de nos deux réseaux, outre le fait que la logique de contrôle n'est apparue que dans un seul entretien, elle disparaît automatiquement avec l'abandon du partage d'informations dans une base de données commune.

L'analyse du contexte permet donc de réduire les potentialités réelles des projets étudiés à des logiques d'assurance/réassurance, d'harmonisation des pratiques, de construction d'un savoir et de formation. Par ailleurs, nous estimons que la concrétisation de ces enjeux est limitée au regard du peu d'assiduité des médecins et des internes dans les établissements périphériques lors des réunions par visioconférence ; assiduité qui se limite parfois à une personne, uniquement lorsqu'elle a un dossier à présenter et dans un laps de temps limité.

De ce fait, l'innovation n'a fait qu'épouser tant bien que mal les contours de l'existant, les potentialités en question ne se concrétisant que très partiellement. Outre l'impact négatif d'une gestion de projet qui n'a pas su instaurer une véritable coopération entre les différents établissements, cette distorsion entre la représentation de la télémédecine, les potentialités réelles et la réalisation des enjeux peut s'expliquer par un contexte particulier où le pouvoir innovant est principalement porté par la discipline elle-même (le diagnostique anténatal) et par le mode d'organisation qui la structure (les réunions d'équipes pluridisciplinaires). Dans la mesure où cette innovation apparaît comme un processus de long terme de constitution des savoirs (voir ci-dessous), il est illusoire de vouloir observer un impact de court et moyen terme de la télémédecine.

La révolution a déjà eu lieu

Pour relativiser l'examen critique précédent, on peut considérer que nous nous sommes complètement focalisés sur le seul dispositif technique et non sur l'organisation qu'il venait compléter, à savoir les réunions d'équipe anténatales, comme si l'existence et le fonctionnement de ces dernières allaient de soi. Or, on peut se demander si ces réunions de médecins, stimulées par le cadre réglementaire qui, en 1997, a proposé le concept de centre pluridisciplinaire de diagnostic prénatal, ne constituent pas l'innovation essentielle, sur laquelle vient simplement s'ajouter la télémédecine.

Dès nos premiers contacts avec ce type de réunions d'équipe, il était en effet déroutant de constater le contraste entre le caractère embryonnaire de la coordination autour du projet télémédecine et le fonctionnement du diagnostic anténatal. Ce dernier est manifestement fondé sur un réseau interne d'une quarantaine de spécialistes qui se connaissent bien et travaillent ensemble, qui se coordonnent dans le cadre des réunions sans difficultés notables sur les cas examinés, même si la gestion du temps et de l'ordre de passage des dossiers (afin que les spécialistes concernés, par exemple obs-tétriciens, chirurgiens, cardiologues, réanimateurs, généticiens, biologistes, etc. soient présents) apparaît souvent acrobatique.

Par ailleurs, le rôle de ces réunions ne se limite pas à insuffler une cul-ture et une pratique de la coordination, mais l'innovation tient également à l'objet, c'est-à-dire le diagnostic anténatal. Selon certains de nos interlo-cuteurs, il y a encore dans ce domaine un long chemin à parcourir pour les praticiens, qui ont majoritairement une vision pédiatrique de la grossesse (« on peut agir après la naissance »). Le diagnostic anténatal apparaît ainsi comme une discipline jeune et qui doit encore convaincre de son intérêt. En outre, les savoirs du diagnostic anténatal sont en voie de constitution ; ils supposent une maîtrise de l'exploration des différents aspects du fœtus, en liaison avec une liste de pathologies ou de malformations possibles, ainsi que de leurs conséquences potentielles, et ce savoir-faire de l'association morphologie-risque n'est pas encore très répandu. D'où une incertitude qui se décline en termes de diagnostic proprement dit et de pronostic ; les incidences de telle ou telle pathologie sur les conditions de vie de l'enfant après la naissance n'étant que rarement prévisibles, à part un certain nombre de situations bien répertoriées (trisomies 21 par exemple), qui d'ailleurs ne sont pas traitées systématiquement en réunions d'équipe.

Mais les décisions et les savoirs, produits ou échangés, ne se limitent pas à la dimension technique de la clinique. Dans les discussions entre profes-sionnels des équipes, les aspects psychologiques et même sociologiques sont très nombreux, les décisions à prendre étant souvent très lourdes (persua-der un couple que l'interruption de grossesse paraît constituer le choix rai-sonnable n'est pas toujours facile) et les échanges à ce niveau sont manifestement très utiles (Membrado, 2001).

Dans ces conditions, les discussions entre les médecins de la maternité de référence et les autres portent de façon conjointe sur deux aspects essen-tiels de l'incertitude : une incertitude liée à la technique médicale et une incertitude liée à la dimension humaine des décisions à prendre. Il s'agit aussi bien de se mettre d'accord sur un diagnostic, une présomption de dia-gnostic, une poursuite des investigations, que sur la conduite à tenir vis-à-vis de la parturiente ou du couple. À ce niveau d'ailleurs, et cette notation est tout à fait essentielle pour cerner les enjeux réels de la télémédecine, il est clair que la grande majorité des dossiers renvoie à la fonction de réassurance évoquée précédemment : le médecin périphérique se voit confirmé dans des propositions qu'il allait défendre de toute façon devant la patiente ou le couple. Ce n'est donc pas au niveau de changements dans la décision médicale qu'il faut chercher l'utilité d'un tel dispositif technique, en tout cas à court ou même moyen terme (des évolutions à plus long terme étant potentiellement portées par l'intensification des apprentissages permis par le dispositif technique).

Dans le contexte des réseaux étudiés, la télémédecine apparaît alors comme une simple extension des réunions d'équipe anténatales, ne transformant ni leur logique ni leurs finalités et peu leur fonctionnement. On peut estimer qu'il s'agit déjà d'un progrès, mais aussi que la gestion de projet particulière à laquelle les acteurs ont eu affaire ne leur a pas permis de se saisir de toutes les potentialités de la technologie dans la construction de ce nouveau savoir.

À ce titre, l'expérience différente précédemment évoquée, se situant dans un contexte géographique différent et présentant un impact réel de la télémédecine sur la restructuration hospitalière, offre un autre exemple d'effets indirects de la mise en place d'un réseau de télémédecine. Pour qu'il puisse y avoir réassurance au travers d'un processus de décision collective, il faut des outils de décision communs. L'image échographique n'est pas indispensable pour l'échange (le moyen de communication privilégié précédemment, à savoir le téléphone, suffit dans certains cas), mais elle constitue néanmoins un des outils principaux de la décision dans le cadre du diagnostic anténatal. Avant même son démarrage effectif, ce projet a déjà eu un impact important sur les pratiques, précisément en cherchant à mettre en place les conditions nécessaires à sa réussite. En particulier, une phase préalable de travail commun entre les obstétriciens des différents hôpitaux et l'échographiste de référence a permis d'aboutir à l'établissement d'une grille de lecture échographique commune, constituant un standard normatif devant être atteint par tous pour rendre possible la lecture collective. Cela a permis d'évaluer la compétence initiale des obstétriciens réalisant les échographies et de se rendre compte de l'évolution de cette compétence lors de la phase de travail en commun avec l'échographiste expert.

Cette autre expérience de visioconférence dans le contexte particulier du diagnostic anténatal relativise donc les observations menées dans le cadre des deux projets étudiés en montrant qu'elles ne sont pas généralisables à l'ensemble de la télémédecine. Les apports de la télémédecine deviennent plus visibles : certes, elle n'induit pas de transformation notable ni de l'organisation en place ni des systèmes de relation, mais elle permet l'extension des mécanismes de réassurance vers quelques acteurs supplémentaires. De même, elle facilite l'échange et la construction de connaissances dans une discipline en émergence. Même si nous sommes loin de la révolution promise par certains, ce rôle certes modeste n'est pas à négliger ; il remet seulement la technologie à sa juste place, qui est bien plutôt du côté des apprentissages collectifs d'une discipline (le diagnostic anténatal) en évolution, avec des infléchissements à moyen et long terme des pratiques, que du côté économique ou de la restructuration hospitalière, avec des infléchissements de court terme.

CONCLUSION

En guise de conclusion, nous mettons l'accent sur la notion de coopération qui doit être instituée dès l'origine du projet, ce qui permettra, entre autres, de bien définir les enjeux réels du projet, compte tenu de son environnement. L'une des conséquences de cela est la nécessité d'une évaluation organisationnelle. Enfin, nous proposons certains éléments qui, s'ils avaient été explorés, auraient pu changer le déroulement de l'histoire...

La définition et le débat des vrais enjeux sont stratégiques pour la réussite du projet

Les potentialités importantes de cette nouvelle technique se situent ailleurs que dans des gains en déplacement (surtout pour des réseaux qui se constituent dans des zones fortement urbanisées, denses en expertise médicale, comme ceux que nous étudions). Elles visent bien davantage des aspects organisationnels, se traduisant peu dans un premier temps sur le plan des implications sur l'état de santé des populations visées, mais changeant à la marge le système de relations et de compétences qui lie les professionnels entre eux.

Nous insistons notamment sur l'importance du travail qui doit être réalisé en amont du démarrage du réseau (réflexion sur la pertinence et la cohérence de la démarche, coopération des participants potentiels, etc.), en particulier afin de préciser les attentes des différents acteurs.

L'évaluation doit être technique et organisationnelle

L'évaluation doit mettre l'accent sur des surcroîts de coordination et de coopération, sur l'élaboration concertée de bonnes pratiques, sur l'amélioration des standards pour échanger l'information, et également sur les apprentissages en cause, aussi bien du côté médical proprement dit que de celui des conditions de l'activité; autant d'éléments fortement résistants à la quantification. L'objet que l'on doit étudier est donc double (un processus et un résultat) et son évaluation le sera également avec un niveau organisationnel et un niveau technique axé sur l'efficacité et l'efficience.

Pouvait-on modifier l'histoire ?

L'étude de cas présentée ici nous amène à la même conclusion que Sicotte et Lehoux, à savoir que l'innovation technique doit se doubler d'une innovation organisationnelle. Nous ajoutons que cette double innovation doit être soutenue par une véritable gestion de projet, d'autant plus lorsque le réseau d'acteurs associé au réseau technique est davantage en émergence que déjà constitué. Reprenons, parmi les logiques mentionnées plus haut, celles que nous avons repérées comme pouvant effectivement se développer et voyons ce qui aurait pu se passer s'il y avait eu une gestion de projet plus efficace et s'il y avait eu une prise en conscience des enjeux et de l'horizon réels de cette application.

Logique d'assurance et de réassurance

Ce point aurait pu être discuté davantage entre équipes médicales, entre autres sur le plan crucial de la responsabilité. Bien qu'il nous ait été régulièrement précisé que la responsabilité de la décision est du côté de l'établissement qui s'occupe de la patiente, l'assurance et la réassurance supposent un double engagement de responsabilité : celui de la maternité périphérique qui instruit le dossier et demande un avis, et celui du centre référent qui donne cet avis. La question de l'assurance et de la réassurance met donc en cause, explicitement ou implicitement, le partage du diagnostic entre les équipes et le contenu médical de la relation à distance. À partir de là, les équipes auraient pu explorer plus finement des questions qui ont été insuffisamment évoquées, comme le degré de définition minimal des images à distance – en particulier les échographies –, ou le délai dans lequel le dossier doit parvenir au centre référent avant décision. Autrement dit, expliciter l'interdépendance entre la construction du diagnostic et la nature des relations entre acteurs (qualité, répartition des expertises, modes d'expression et de consultation de ces expertises) aurait probablement permis un développement plus important de cette logique.

Logique d'harmonisation des pratiques

Il était peut-être possible de ne pas abandonner le projet de dossier patient partagé si l'intérêt stratégique de cette partie du projet avait été défendu, alors que dans l'urgence et par souci pragmatique il a été mis de côté, sans autre forme de procès. Le projet a perdu là un de ses leviers les plus puissants, même si c'est aussi le plus délicat et le plus conflictuel. Là encore, c'est toute une partie des savoirs médicaux en jeu qui aurait pu être mieux anticipée, même si c'est probablement une question très difficile, à la fois pour des raisons médicales (risques éventuels liés à la standardisation *a priori* du contenu du dossier) et pour des raisons de stratégies d'acteurs (cultures différentes d'une équipe à l'autre, rivalités entre établissements, etc.).

Logique de construction d'un savoir

La coopération est un mécanisme de coordination fondamental dans toute organisation ; dans ce cas précis elle est également un ingrédient indispensable au processus de construction des savoirs autour du diagnostic anténatal. En effet, penser le passage des réunions d'équipe traditionnelles à celles par visioconférence en termes d'accroissement ou de changement de nature de la coopération aurait permis de donner un sens à un certain nombre de questions : par exemple le fait que l'échographiste de l'un des deux centres de référence demande quasi systématiquement à pouvoir refaire elle-même un certain nombre d'échographies constitue un frein important à la diffusion des connaissances. À quelles conditions peut-on envisager un fonctionnement plus « en réseau » des échographistes ? Quelles mesures – formation, accréditation... – faudrait-il prendre dans cette optique ? Poser ces questions sur la nature et la répartition des compétences, sur le caractère plus ou moins hiérarchique ou, au contraire, plus ou moins plat, du réseau aurait peut-être permis de prendre conscience des enjeux sous-jacents en termes de construction des savoirs. Développer la coopération aurait pu agir sur la motivation des établissements concernés à se connecter effectivement, à assister aux réunions d'équipe et à soumettre leurs dossiers.

Logique d'économie et de restructuration

Si la logique économique est vraisemblablement illusoire compte tenu des flux potentiels, tant en ce qui concerne les transferts évitables de patientes et les déplacements de médecins, la logique de restructuration peut effectivement être soulignée dans certains cas. En particulier lorsque l'accessibilité du centre de référence est limitée et lorsque certains établissements sont isolés, ce qui n'est pas le cas dans la région considérée.

Logique de socialisation

Éviter les déplacements, nous l'avons vu, est à la fois souhaitable et décalé par rapport au souhait de certains médecins de participer physiquement aux réunions. Évoquer plus tôt le caractère artificiel de cet avantage annoncé des visioconférences aurait permis, éventuellement tacitement, de tenir compte dans l'organisation des visioconférences des souhaits d'un certain nombre de médecins quant à un mixte présence physique/présence virtuelle, compte tenu du rôle de socialisation joué par les réunions d'équipe. Cela étant, il est possible que le professionnalisme de l'organisation et du déroulement des réunions ainsi que le nombre important de dossiers à traiter, à moyen terme, laissent assez peu de place à cet aspect de socialisation : peut-être est-ce pour l'instant un effet de relative jeunesse des réunions d'équipe et un effet temporaire lié à la transition réunions physiques/visioconférences.

Logique de formation scientifique et technique

La formation est selon nous l'un des enjeux réels majeurs et la télémédecine pourrait le soutenir au moins sur deux plans. Le premier est celui de l'enseignement du diagnostic anténatal : les établissements périphériques ont accès à des cas rares et à des discussions entre spécialistes ; les internes peuvent se sensibiliser à un certain nombre de pathologies et compléter leur initiation à la prise de décision. Le second est celui de la capitalisation des décisions et du suivi des cas dans une optique de recherche. On déduit des impératifs du premier qu'il est nécessaire d'organiser les séances d'une manière qui laisse une place importante à la pédagogie. On déduit des impératifs du second qu'il faut retranscrire les éléments du dossier d'une manière qui permette ensuite de faire de la recherche, ce qui relance l'intérêt de constituer un dossier patient commun malgré toutes les difficultés que cela suppose.

En conclusion, une meilleure organisation du projet aurait permis de mieux cerner les enjeux et les potentialités de l'application des TIC aux réunions de diagnostic anténatal. Paradoxalement, pourtant, rien n'est perdu : le fait que l'innovation technique n'ait qu'épousé tant bien que mal les contours des pratiques existantes laisse intactes les possibilités de réflexion présentées ci-dessus, permettant ainsi, avec l'accord des différentes parties prenantes, une exploration prudente et avisée des potentialités d'innovation et de développement portées par ce type de télémédecine.

PARTIE 5

La restructuration comme coopération : le réseau dans tous ses états

Annick Valette

Le terme réseau fait « mouche » tant du côté des établissements que du côté des régulateurs. En France, les lois n'ont cessé de rappeler leurs nécessités en 1991, 1996 et le ministre de la Santé en 2001 parle du développement des réseaux comme « d'une évidence ». Plus clairement encore, avec le projet de loi 25 sur les « Réseaux locaux », le gouvernement du Québec remet en 2003 le terme sur le devant des réformes. Le réseau renvoie à une forme de structure spécifique censée porter l'action coopérative et témoigne d'une évolution importante au cours de la décennie des normes de l'action. La coopération est érigée en vertu. Elle permet de mieux faire face aux exigences de qualité tout en maîtrisant la consommation de ressources ; elle est compatible avec les intérêts stratégiques des établissements, comme celui d'accroître le contrôle des ressources disponibles ou, à l'inverse, de se recentrer sur les compétences propres ; elle répond à l'intérêt collectif d'une meilleure utilisation des ressources disponibles et d'une continuité de la prise en charge.

Parler des réseaux, c'est souligner la polysémie du terme, allant de la signature d'accords de partage d'activité entre multi-offreurs à l'action de coopération plus ou moins formalisée entre professionnels. Les deux textes présentés ici sont porteurs d'une acception différente de la notion de réseau. Le texte français part du constat de l'importance du nombre de réseaux déclarés et cherche à dresser un état des lieux des pratiques et à identifier les facteurs qui favorisent les accords de coopération. Le réseau est donc ici une pratique d'organisations formalisée. Le texte québécois étudie le transfert vers le secteur des soins à domicile, de prises en charge faites traditionnellement à l'hôpital, mobilisant des technologies coûteuses. Il montre qu'une densité d'interactions doit être maintenue entre l'hôpital et les services de soins à domicile, impliquant des transformation de l'organisation, des pratiques et des représentations. Ces interactions accroissent finalement l'implication de l'hôpital hors de ses frontières et créent, de fait, des réseaux de coopération, de circulation de malades, d'échange de savoir.

Les textes mobilisent ainsi des grilles d'analyse différentes et complémentaires pour rendre compte de la dynamique de changement. Le premier s'interroge sur les poids relatifs des attentes externes et de la stratégie interne. Il montre qu'il y a une imbrication étroite des deux dynamiques, et que l'une ne saurait produire d'effets sans l'autre. Il y a, globalement, pour la population des établissements, une certaine adéquation entre la politique d'incitation à la coopération, les intérêts des établissements, les valeurs des professionnels. Cette relative concordance donne du sens à la politique et la rend plus coordonnée aux changements effectivement observés. Toutefois, si cette constitution de réseaux témoigne d'une évolution des représentations et produit des changements d'organisation, on ne sait rien des pratiques et des actions de coopération effectives auprès des usagers. Pour reprendre les termes de l'introduction générale, rien ne dit que les transformations de la structure formelle sont suffisamment incitatives pour « aligner » les pratiques. Le second texte met l'accent sur les facteurs qui participent à la constitution de réseaux de pratiques, dans le cas présent la technologie et les professionnels. Ces facteurs ne sont pas univoques et ont des exigences contradictoires qui, là encore, font du réseau un compromis acceptable. Ces facteurs rendent possible l'externalisation des activités, mais nécessitent, parce qu'il y a des enjeux de risque, de compétence, de contrôle, de construire des relations d'échange de nature coopérative entre les acteurs. Le changement se fonde donc sur une exigence de modification des relations dont on pressent, dans le texte, que pour être consolidées, elles devront s'appuyer sur des éléments plus formels de réorganisation comme l'évolution des budgets et des rémunérations, le partage formel du risque, le système d'information.

Ces textes ont toutefois en commun de faire émerger en creux, par leur silence, une question importante. Alors que le réseau fait l'objet de promotion par les tutelles et de stratégie par les établissements, la réflexion généralisée sur sa gouverne et, par là même, sur la transformation nécessaire de la gouverne des établissements, paraît étonnamment absente. Par gouverne, nous entendons ici les modalités de contrôle, de coordination, d'incitation. Seule la question du financement est posée de manière un peu systématique. Finalement, la structure réseau est encore, dans le domaine de la santé, immature. Si la plupart des établissements sont dans des réseaux, c'est-à-dire coopèrent, on ne trouve pas ou peu d'organisations réseaux suffisamment autonomes par rapport à ceux qui la composent pour que soient réfléchis, expérimentés, des dispositifs de pilotage conséquents. Le texte québécois parle de réseaux produits par la désintégration ou la desinstitutionnalisation de l'hôpital. Il ne s'agit pas d'une simple réduction d'activité mais d'une métamorphose de la structure qui passe d'une structure intégrée à une structure en réseau. Ces réseaux posent de manière spécifique les raisons de leur constitution, les modalités de leur consolidation et de leur gouvernance. La politique du « virage ambulatoire », en cherchant à externaliser une partie de l'activité, fournit un vivier d'expériences au Québec. Les expériences en cours sur la contractualisation, la mise en concurrence interne en France et au Québec devraient permettre de consolider cette approche.

10

Réseaux et restructuration hospitalière

Sandrine Cueille

Le terme « réseau » fait désormais partie du vocabulaire de la gestion hospitalière. En témoigne le recensement des mouvements de recomposition du tissu hospitalier français effectué récemment par le ministère chargé de la santé : dans l'ensemble des régions françaises, quelque 340 « opérations de rapprochement et de transfert d'activités entre établissements hospitaliers », plus de 110 « communautés d'établissements » et plus de 100 « réseaux » ont été répertoriés début 2001 (source : ministère de l'Emploi et de la Solidarité, 2001). Le constat établi à cette date révèle également une dynamique soutenue de la recomposition hospitalière, puisque, parmi les opérations recensées, 60 % sont postérieures à 1998.

Sur le plan des hôpitaux, ces opérations de recomposition se traduisent par la mise en œuvre de démarches de coopération. Celles-ci peuvent prendre de multiples formes organisationnelles et juridiques, plus ou moins « impliquantes » pour l'établissement, et dont le nombre s'est accru au fil des textes : convention de partage de ressources, syndicat interhospitalier, Groupement d'intérêt public, Groupement d'intérêt économique, Communauté d'établissements de santé, Groupement de coopération sanitaire... La recomposition hospitalière peut également conduire à des fusions partielles ou totales d'activités entre établissements. Les réseaux de soins à proprement parler sont définis comme « un ensemble de moyens organisés dans une aire géographique déterminée afin de coordonner le suivi de pathologies ou le suivi de populations » (source : ministère de l'Emploi et de la Solidarité, 2001). Ils constituent donc une forme parmi d'autres de coopération hospitalière. Trois catégories de réseaux de soins peuvent être distinguées : ceux associant différents établissements du système de santé, ceux associant établissements de santé et acteurs de la médecine libérale (répondant à l'appellation « réseaux hôpital-ville ») et ceux concernant exclusivement les acteurs de la médecine libérale (appelés « réseaux de ville »). L'analyse proposée dans cet article concerne les deux premières catégories de réseaux de soins.

L'objet de cette recherche est de repérer et d'analyser les facteurs, qui, sur le plan des hôpitaux, favorisent la conclusion d'accords de coopération, et notamment l'engagement dans un réseau. Certaines caractéristiques de l'environnement des établissements (comme la nature et l'intensité de la concurrence subie) les conduisent-ils à s'engager dans un réseau ? Certains éléments d'ordre organisationnel (relatifs par exemple à la structure, à la culture ou au comportement des acteurs) facilitent-ils la participation à un réseau ?

LES RÉSEAUX : RÉPONSE AU DILEMME
« MAÎTRISE DES COÛTS/QUALITÉ DES SOINS » ?

Depuis plusieurs décennies, les réformes du cadre de fonctionnement institutionnel des hôpitaux publics français poursuivent un double objectif de maîtrise des dépenses du secteur public hospitalier et de préservation – voire d'amélioration – de la qualité des soins dispensés. La formation de réseaux, pouvant associer différents acteurs du système de santé (hôpitaux publics, établissements hospitaliers « participant » au service public hospitalier, établissements hospitaliers privés, médecins libéraux), permettrait d'éviter les redondances dans l'offre de soins, tout en assurant aux patients d'être accueillis dans des services ayant des moyens humains et techniques importants et où la forte fréquence des actes médicaux ou chirurgicaux dispensés serait source d'une sécurité accrue. Dès lors, il semblerait que « le développement des réseaux s'impose comme une évidence » (B. Kouchner, ministre de la Santé, 2001).

Les modalités d'engagement dans un réseau

L'expression « réseau de soins » apparaît relativement récemment dans les discours des responsables du secteur de la santé. En revanche, l'emploi des termes « coopération » ou « partenariat » est plus ancien. Ainsi, la loi hospitalière de 1991 (Loi n° 91-748, p. 10255, *Journal officiel de la République française*, 1991) puis l'ordonnance d'avril 1996 (Ordonnance n° 96-346, p. 6320, *Journal officiel de la République française*, 1996) sur l'hospitalisation publique et privée placent la coopération – associée à une contractualisation des relations entre les établissements et la tutelle de l'État – au cœur de la réforme du système de santé : le recours à la coopération devient en effet explicitement l'une des voies privilégiées de réalisation des objectifs formulés dans le « contrat d'objectifs et de moyens ». Il s'agit d'un contrat signé entre le responsable de l'hôpital et le représentant de l'agence régionale de l'hospitalisation, et qui précise, comme son nom l'indique, les objectifs que se fixe l'établissement (notamment en termes de prestations dispensées) et les moyens alloués pour y parvenir.

La coopération hospitalière correspond à un mode relationnel différent de l'affrontement direct ou de l'évitement (Koenig, 1996). Elle répond à la définition classique de l'alliance stratégique, qui suppose que des organisations partenaires s'associent pour poursuivre des objectifs communs, tout en gardant leur autonomie stratégique et en conservant des intérêts qui leur sont propres (Dussauge et Garette, 1997). En effet, les hôpitaux profitent d'une grande latitude de choix concernant la forme juridique prise par les partenariats. De plus, différentes mesures garantissent une relative souplesse dans le recours aux coopérations : suppression de la tutelle administrative s'exerçant *a priori* sur les délibérations relatives aux coopérations (lors du conseil d'administration des établissements) ; élargissement des domaines d'application de la coopération à toutes les missions des hôpitaux publics ; octroi aux établissements d'un pouvoir de négociation des modalités de mise en œuvre des partenariats (instruction du 11 septembre 1986 relative aux conventions de fonctionnement pour la co-utilisation d'équipements matériels lourds, *in* Direction des hôpitaux [1992]). De nombreuses recherches témoignent d'ailleurs de l'autonomie de décision dont disposent, dans la réalité, les hôpitaux en matière de coopération.

Cette capacité décisionnelle est soulignée par Moisdon et Tonneau (1996), dont les études monograhiques révèlent, par delà « *le discours parfois incantatoire* » des autorités de tutelle, la « *position d'impulseur* » qu'occupent le plus souvent les établissements dans la réalisation des démarches de coopération. Kerleau *et al.* (1996), étudiant les caractéristiques de la formation des coopérations hospitalières, constatent également que les établissements utilisent pleinement, dans la construction des stratégies d'alliance, les marges de liberté dont ils disposent. Pour Valette (1996), l'engagement des établissements dans des stratégies d'alliance témoigne aussi de la liberté d'initiative des établissements et, plus précisément, de leur capacité à modifier en leur faveur la répartition des ressources entre « offreurs de soins » et à construire une trajectoire de développement. De même, des responsables hospitaliers relèvent l'existence d'une capacité d'initiative forte des établissements en matière de coopération (Ludec et Massiot, 1996).

Les coopérations dans le secteur hospitalier peuvent prendre les deux formes principales de l'alliance stratégique, à savoir les partenariats entre organisations concurrentes (entre deux établissements hospitaliers ayant une activité généraliste, par exemple) et les partenariats entre organisations non concurrentes (entre un établissement hospitalier ayant exclusivement une activité en court séjour et un centre de convalescence, par exemple).

Le recours au réseau : la tentation de la « recette managériale » ?

Si le recours au réseau est fréquemment présenté par les acteurs institutionnels – appartenant aux agences régionales de l'hospitalisation (ARH) ou aux directions régionales des affaires sanitaires et sociales (DRASS) – comme une voie privilégiée pour améliorer la maîtrise des dépenses de santé tout en améliorant la qualité des soins (voir Encadré 1), ce mode de fonctionnement peut également apparaître aux établissements comme un moyen de faire face aux pressions accrues émanant de leur environnement concurrentiel. Il posséderait des vertus analogues à celles que l'on a pu prêter, dans le secteur privé, aux « organisations virtuelles », « entreprises étendues » ou autres « structures transactionnelles » (Fréry, 1996). De même, à l'instar de ce qui est observé dans les entreprises, la coopération entre hôpitaux repose sur l'association de ressources similaires ou complémentaires. Il peut s'agir, dans le premier cas, de la mise en commun de moyens financiers pour acquérir un équipement lourd, ou encore du partage d'une population de patients permettant l'atteinte d'un certain volume d'activité. Le second cas peut être illustré par la conclusion d'accords entre établissements, dont

ENCADRÉ 1
Le thème du réseau dans le discours des acteurs institutionnels

« (...) si l'offre de soins est abondante et diversifiée en Alsace, les indicateurs de santé n'y sont pas satisfaisants. Des efforts restent donc à faire pour améliorer la santé des habitants de notre région. Ces efforts portent non seulement sur l'organisation du secteur hospitalier, mais aussi sur l'ensemble du parcours que suit le patient à travers le dispositif de soins. (...) En aval, une amélioration de la qualité des soins mais aussi de la qualité de vie à la sortie de l'hôpital sera obtenue par une meilleure coordination des acteurs, quand le relais passera mieux entre les professionnels hospitaliers et les médecins libéraux, quand sera pris en compte le contexte familial et social de chaque malade. (...) Travailler en complémentarité et non pas en concurrence (...), voilà quelques pistes de réflexion à explorer. » (Directeur de l'ARH Alsace, introduction au schéma régional d'organisation sanitaire 1999-2004)

« L'un des paris du SROS sera de développer l'efficacité d'ensemble du système, en améliorant le parcours du patient au sein du système de soins. Un tel objectif passe clairement par le développement de réseaux ou de groupements de coopération formalisés. » (Schéma régional d'organisation sanitaire d'Aquitaine 1999-2004)

« Coordonner l'activité (se fait) par la mise en œuvre de complémentarité entre les établissements et d'action de coopération entre les établissements et la médecine de ville par la création de réseaux. » (ARH Auvergne, définition des missions de l'ARH)

« La qualité des soins et la promotion de la santé nécessitent la coopération de tous les acteurs de soins (établissements, professionnels de santé et du médico-social), décideurs, usagers et citoyens... » (ARH Bourgogne)

« L'organisation de l'offre de soins doit répondre aux attentes de l'usager, qui s'expriment en termes d'exigence de qualité des prises en charge et de volonté d'une réponse de proximité. La promotion de la coopération entre acteurs de soins vise à concilier ces impératifs parfois contradictoires. » (Schéma régional d'organisation sanitaire de Bretagne)

« Une meilleure prise en charge des besoins prioritaires passe (...) par le développement des réseaux de soins. » (Schéma régional d'organisation sanitaire de Franche-Comté)

ENCADRÉ 1 *(suite)*

> « Dans une région vaste qui dispose d'une armature sanitaire assez dense, le fonctionnement en réseau sera recherché pour garantir à tous l'égalité d'accès à des soins de qualité. » (ARH Midi-Pyrénées)

l'objet est de permettre aux patients de bénéficier de manière coordonnée des structures les mieux adaptées, au fil de l'évolution de leur pathologie. Pour un hôpital, l'engagement dans un réseau constitue un choix de mode de mise en œuvre de ses orientations stratégiques. L'élaboration des choix stratégiques résulte de l'interaction entre différentes variables : entre l'organisation et son environnement, d'une part ; entre les différentes composantes de l'organisation, d'autre part. Le but de la stratégie peut en effet être défini comme la réalisation d'une adéquation viable (*fit*) entre l'organisation et son environnement (Chaffee, 1985). Selon une conception organique de l'entreprise, celle-ci, assimilée à un organisme vivant, cherche à survivre et à se développer en s'adaptant sans cesse aux évolutions de son environnement (Morgan, 1989). Les théoriciens de la « contingence structurelle », en montrant l'importance de l'adéquation entre les caractéristiques de la structure organisationnelle et celles de l'environnement de l'entreprise, traduisent également le caractère indissociable de l'étude de l'organisation et de celle de son environnement (Lawrence et Lorsch, 1973). De plus, la prise en compte, au sein de l'organisation, de dimensions sociales et politiques, indissociables des aspects économiques, constitue l'un des fondements des recherches en management stratégique (Ansoff *et al.*, 1976). L'existence de processus interactifs entre les variables structurelles, culturelles, comportementales et stratégiques semble depuis lors ne plus pouvoir être ignorée. Ce positionnement théorique conduit à étudier l'engagement dans un réseau par l'analyse des relations entre les caractéristiques de l'environnement, de l'organisation et de la stratégie de l'hôpital.

La démarche de recherche proposée est articulée de la manière suivante. Tout d'abord, une approche quantitative permet de dresser un état des lieux des pratiques de coopération dans les hôpitaux publics et de réaliser une typologie de ces établissements. L'état des lieux révèle, globalement, que les hôpitaux publics utilisent de manière importante les alliances comme mode de mise en œuvre de leur stratégie. La typologie permet pourtant de mettre en évidence l'existence de fortes différences entre établissements dans le degré de recours aux coopérations. Face à ce constat, une approche qualitative, fondée sur l'analyse des perceptions des acteurs, vise à expliquer ces niveaux d'engagement variables dans des pratiques coopératives.

L'ENGAGEMENT DES HÔPITAUX DANS DES RÉSEAUX : UNE APPROCHE QUANTITATIVE

Une enquête nationale par questionnaire

Une enquête par questionnaire a été menée sur le plan national en 1999 auprès des directeurs et des médecins présidents de CME des hôpitaux ayant une activité significative en médecine, chirurgie ou obstétrique (MCO), soit environ 500 établissements. Cette enquête, conduite en collaboration avec la Fédération hospitalière de France, a permis d'obtenir les réponses de 276 décideurs hospitaliers, représentant 51 % des établissements de la population étudiée (Cueille, 2000). L'échantillon disponible est représentatif, à la fois en termes de taille et de région d'implantation, de la population étudiée.

Le questionnaire proposé aux décideurs hospitaliers permet d'appréhender leurs perceptions relatives à l'environnement de l'établissement, à son organisation interne et à sa stratégie (parmi lesquelles celles concernant le recours aux coopérations). L'organisation est étudiée par le biais de variables relatives à la structure, à la culture et au comportement des acteurs. Seules sont présentées ici de manière détaillée les dimensions étudiées relatives au thème du réseau.

La dimension « indépendance dans les choix stratégiques » permet d'identifier quelle est l'autonomie ressentie par les responsables interrogés dans les choix stratégiques, à la fois de manière générale et sur la question spécifique des coopérations. La dimension « degré d'engagement dans un réseau » est évaluée en estimant, d'une part, l'ampleur des coopérations mises en œuvre – ou degré de recours « absolu » – et, d'autre part, l'importance des partenariats conclus au regard de l'activité de l'établissement – ou degré de recours « relatif ». Enfin, la dimension « nature du réseau » est appréhendée par le biais du type de partenaires associés au réseau : établissements de santé concurrents, établissements de santé non concurrents, médecins de ville...

Résultats

Un état des lieux des pratiques de coopération dans les hôpitaux publics

Une première catégorie de résultats, d'ordre descriptif, offre un état des lieux des pratiques de coopération mises en œuvre par les hôpitaux : nombre de démarches, nature et forme juridique.

Autonomie perçue dans les décisions stratégiques

Plus de 69 % des répondants perçoivent l'influence de l'établissement sur les décisions stratégiques comme supérieure ou égale à celle de la tutelle.

Sur le plan du mode de mise en œuvre de la stratégie, l'existence possible de coopérations forcées est mentionnée par un peu plus de 25 % des répondants. Près de 75 % d'entre eux ne considèrent pas les coopérations comme le fruit d'une décision imposée par la tutelle. Concernant les coopérations déjà mises en œuvre ou en projet, un peu plus de 8 % des répondants affirment que l'ensemble des démarches coopératives impliquant leur établissement a été imposé par la tutelle. Pour un peu moins de 28 % des répondants, leur établissement a été l'initiateur de toutes les coopérations réalisées. Plus de 73 % d'entre eux perçoivent leur capacité d'initiative en la matière comme relativement importante.

Degré d'engagement dans un réseau

Près de 4 % des répondants ne mentionnent l'existence d'aucun réseau dans lequel serait engagé leur établissement, quel que soit le niveau d'avancement de cette démarche. Près de 13 % font état d'une participation à un seul réseau, 27 % à deux réseaux, et près de 57 % à au moins trois réseaux.

Parmi les personnes ayant mentionné l'existence d'au moins une démarche de coopération, près de 16 % font seulement état de démarches en phase de projet. Pour les personnes ayant mentionné la participation à au moins trois réseaux, l'état d'avancement le plus fréquemment cité suppose l'existence de deux coopérations mises en œuvre depuis moins d'un an, ou d'une coopération mise en œuvre depuis plus d'un an.

Forme des réseaux

Parmi les répondants mentionnant le projet de participation ou la participation effective à au moins un réseau, près de 78 % citent au moins une démarche de coopération engagée avec un autre établissement, public ou privé. Une seule réponse ne fait état que de partenariats avec des médecins libéraux. Enfin, près de 22 % des répondants mentionnent l'existence de coopérations à la fois avec d'autres établissements et avec la médecine de ville.

Environ 82 % des répondants citent exclusivement des partenariats avec des établissements ayant une activité en médecine, chirurgie ou obstétrique, soit des alliances concurrentielles. Un peu plus de 1 % ne mentionnent que des coopérations avec des établissements n'exerçant pas ce type d'activité (établissements psychiatriques, centres de rééducation, maisons de repos...), c'est-à-dire des alliances non concurrentielles. Près de 17 % des répondants font état des deux types de partenaires.

La forme juridique de coopération la plus fréquemment citée est la convention de partage de ressources : plus de 41 % des répondants concernés par les démarches coopératives ne font état que de conventions. Environ 10 % des réponses révèlent des formes juridiques très « impliquantes » pour l'activité de l'établissement (par exemple, création d'un GIP ou un GIé, ou encore réalisation d'une fusion entre services).

Évaluation de l'homogénéité de la participation à des réseaux : une typologie des hôpitaux

Une représentation plus précise du recours au réseau dans le secteur public hospitalier français, permettant en particulier d'apprécier l'homogénéité de ce phénomène, peut être obtenue en analysant les résultats d'une typologie des hôpitaux, conduite à partir de l'enquête par questionnaire réalisée. Cette typologie est fondée sur la prise en compte de variables perceptuelles relatives à l'environnement, à l'organisation, et à la stratégie de l'établissement; elle permet notamment de faire apparaître des différences, en termes de participation à un réseau, entre les cinq classes d'établissements identifiées, à savoir les « passifs », les « inhibés », les « combatifs », les « non-coopératifs », les « leaders coopératifs » (Cueille, 2000).

Pour les trois premières classes d'hôpitaux, le degré d'engagement dans un réseau ne constitue pas une variable discriminante. Autrement dit, il est possible de trouver dans ces trois classes des établissements ayant un faible recours aux coopérations et des établissements utilisant massivement ce mode de mise en œuvre de la stratégie. En revanche, les établissements appartenant aux deux dernières classes adoptent un comportement tout à fait tranché en termes de participation à un réseau. Ainsi, les « non-coopératifs » profitent d'une situation favorable : ils détiennent en effet un plateau technique important, source d'une activité génératrice de points ISA (indice synthétique d'activité) et donc bien rémunérée. Dans le système PMSI (programme de médicalisation du système d'information), le nombre de points ISA réalisés par un établissement constitue un indicateur de son activité, et peut donc théoriquement influencer sa dotation budgétaire. De plus, les activités fondées sur une technicité forte génèrent un nombre important de points ISA. Ces établissements ont ainsi un accès relativement facile à la ressource financière. Leur stratégie, caractérisée par un faible recours au réseau, s'explique par leur positionnement plutôt favorable en termes d'accès aux ressources, qui ne les place pas en position de demandeurs en matière de réalisation de partenariats. À l'opposé, les « leaders coopératifs », parmi lesquels on dénombre beaucoup de gros centres hospitaliers, jouent souvent le rôle de « pivot » dans leur secteur sanitaire (notion d'hôpital « de référence », ou d'hôpital « tête de secteur sanitaire »). Situés dans des villes relativement importantes, ils subissent la concurrence d'autres établissements, en particulier de cliniques privées. L'accès aux ressources ne constitue néanmoins pas pour eux un problème majeur. La politique de restructuration va en effet fréquemment dans le sens d'un renforcement des établissements de ce type. Placés au cœur du dispositif de coopération entre les « offreurs de soins » de leur secteur sanitaire, les « leaders coopératifs » développent une stratégie dont la mise en œuvre repose sur l'engagement dans des réseaux.

UNE APPROCHE QUALITATIVE DU RECOURS AU RÉSEAU : L'EXEMPLE DE TROIS HÔPITAUX

Face à ce constat d'une importante hétérogénéité dans le recours au réseau, il est proposé d'identifier le rôle des perceptions des responsables hospitaliers – concernant à la fois l'environnement de l'établissement et son mode de fonctionnement organisationnel (en termes de structure et de comportement des acteurs notamment) – dans le degré de recours aux coopérations et dans le sentiment d'autonomie vis-à-vis de ces coopérations.

Éléments de méthodologie

Trois hôpitaux publics ont servi de cadre à cette étude. Ces établissements ont été déterminés par tirage au sort, chacun dans une catégorie de taille différente, dans la base de données PMSI (programme de médicalisation du système d'information) du ministère de la Santé. Cette appartenance à des catégories de taille distincte permet de représenter des situations potentiellement différentes, notamment en termes de caractéristiques démographiques, de concurrence rencontrée, de fonctionnement organisationnel...

Le premier établissement (É1), situé dans une préfecture départementale d'environ cinquante mille habitants, appartient à la troisième classe de taille dans la base de données PMSI (centres hospitaliers de 10 001 à 16 000 RSA). Le deuxième établissement (É2) se situe dans la première classe de taille (centres hospitaliers de moins de 5 500 RSA) et est implanté dans une petite ville d'environ cinq mille habitants, en milieu rural. Le troisième établissement (É3), appartenant à la quatrième classe de taille (centre hospitaliers de plus de 16 000 RSA), est situé dans une préfecture départementale d'un peu plus de cinquante mille habitants.

De plus, l'analyse de la composition des classes d'établissements, présentées précédemment, révèle que É1 appartient à la catégorie des « combatifs », É2 à celle des « inhibés » et É3 à celle des « leaders coopératifs ».

Des entretiens semi-directifs, d'une durée de 1 heure 30 à 2 heures, ont été réalisés auprès des trois directeurs d'hôpital. La question des mutations de l'environnement de l'hôpital constitue la ligne directrice de ces entretiens. Plus précisément, les thèmes abordés sont relatifs à deux grandes dimensions : d'une part, les évolutions de l'environnement auxquelles l'hôpital se trouve confronté, d'autre part, les répercussions internes de ces évolutions (voir Encadré 2). L'objectif est ainsi de repérer les facteurs pouvant influencer les choix stratégiques de l'établissement, et notamment l'engagement dans un réseau.

Environnement, organisation et engagement dans un réseau

Les entretiens semi-directifs menés auprès des directeurs d'hôpital ont donné lieu à une analyse de contenu de nature thématique. Le découpage des retranscriptions est fondé sur un critère d'ordre sémantique (le thème), et non d'ordre linguistique, tel que le mot ou la phrase. De plus, l'analyse

ENCADRÉ 2
Guide des entretiens semi-directifs avec les directeurs d'hôpital

---

1. ÉVOLUTIONS DE L'ENVIRONNEMENT

Mutations récentes de l'environnement semblant les plus significatives

Réaction par rapport à la notion de concurrence

Définition de la concurrence sur la zone sanitaire

Jugement sur les évolutions récentes de l'environnement de l'établissement

2. RÉPERCUSSIONS INTERNES DES ÉVOLUTIONS DE L'ENVIRONNEMENT

Impact perçu des mutations de l'environnement sur le comportement des acteurs

Impact perçu des mutations de l'environnement sur le mode de fonctionnement de l'organisation

Impact perçu des mutations de l'environnement sur les choix stratégiques (notamment sur l'engagement dans un réseau)

de contenu effectuée est de caractère qualitatif. Celle-ci ne repose donc pas sur le calcul des fréquences d'apparition de certains éléments du message, qui permet d'identifier les idées clés. Le codage des retranscriptions conduit ainsi à l'élaboration de la grille thématique. Plus précisément, la lecture verticale des retranscriptions permet de mettre en évidence des unités d'enregistrement correspondant aux thèmes constitutifs du guide d'entretien. Ensuite, au fur et à mesure de la lecture, des idées clés (ou sous-thèmes) sont identifiées (voir Encadré 3).

ENCADRÉ 3
Grille thématique de codage des entretiens

---

1. PERCEPTIONS DE L'ENVIRONNEMENT

Sous-thèmes identifiés :

Intensité concurrentielle

Rôle de l'hôpital public dans son environnement

La stratégie, moyen d'adaptation à l'environnement concurrentiel

2. PERCEPTIONS DE L'ORGANISATION

Sous-thèmes identifiés :

Prise de conscience des mutations de l'environnement par les différents acteurs et comportement des différents acteurs par rapport à ces mutations

Diffusion des préoccupations gestionnaires (dans l'établissement en général, et dans le corps médical en particulier)

Réflexions transversales : existence et thèmes (qualité, formation, système d'information...)

Rôle de l'équipe de direction face au changement

3. AUTONOMIE DE L'ÉTABLISSEMENT DANS SES DÉCISIONS STRATÉGIQUES

Sous-thèmes identifiés :

Impact de l'instauration du contrat d'objectifs et de moyens sur l'autonomie stratégique

Autonomie de l'établissement en matière d'engagement dans un réseau

ENCADRÉ 3 *(suite)*

---

4. MUTATIONS DE L'ENVIRONNEMENT
ET INTÉGRATION DANS UN RÉSEAU DE SOINS

Sous-thèmes identifiés:

Impact de l'existence de démarches de coopération sur l'environnement concurrentiel de l'établissement

Impact des mutations de l'environnement sur l'engagement dans un réseau

---

L'analyse réalisée est illustrée par quelques retranscriptions sélectionnées, « phrases témoins » particulièrement représentatives des idées clés mises en évidence.

L'environnement de l'hôpital

L'intensité concurrentielle perçue, émanant de l'environnement de l'établissement, apparaît tout d'abord comme l'une de ses composantes majeures:

> « Les concurrents, je sais ce que c'est: il y a six cliniques privées à Y (la ville d'implantation). La semaine, les gens choisissent; le week-end, ils viennent à l'hôpital parce que les cliniques sont fermées. Je n'ai pas les mêmes clients que les cliniques. » (Directeur É3)

Le rôle joué par l'hôpital dans son environnement est souvent analysé par le biais des spécificités perçues du secteur public hospitalier et de la définition de la stratégie d'un hôpital public:

> « Il y a le problème de l'inégalité du financement entre le public et le privé (...) La logique financière s'oppose à la logique de qualité. Il faut définir la vocation de l'hôpital par rapport à celle de la clinique. » (Directeur É1)

Enfin, la stratégie est souvent définie comme un moyen de s'adapter aux évolutions de l'environnement concurrentiel de l'établissement:

> « Le point de départ est d'arriver à attirer des patients, ce qui permet ensuite d'obtenir des ressources, puis d'accroître la notoriété. » (Directeur É1)

« C'est une politique offensive en termes de conquête de parts de marché, et une politique de clarification en termes de répartition des marchés, suite à la mise en vente des cliniques. » (Directeur É1)

« La stratégie est une stratégie de survie. » (Directeur É2)

Les caractéristiques organisationnelles de l'hôpital

La question de la prise de conscience, au sein de l'organisation, des mutations de l'environnement a été abordée au cours des entretiens. Les directeurs interrogés ont également évoqué le comportement des acteurs face au changement. Concernant ces deux premiers sous-thèmes, des distinctions ont souvent été formulées en fonction du corps professionnel des acteurs.

> « Il y a prise de conscience des contraintes, mais pas des solutions à apporter. Il y a une inquiétude par rapport à l'avenir : après dix ans de budget global, il y a inquiétude par rapport à la fongibilité des budgets. » (Directeur É1)

> « Cependant, la manière de réagir est différente : les médecins ont bien perçu l'évolution et ceux qui restent font de leur mieux. Les autres catégories sont dans une logique de défense des acquis, de réaction du type « je ne veux pas savoir ». Par exemple, on a trop de personnel de nuit car c'est pratique pour les femmes d'agriculteurs qui ont ainsi peu d'heures à faire à l'hôpital, elles sont chez elles la journée et assurent un revenu régulier. Il a été impossible de faire prendre des horaires de jour, j'ai failli me faire séquestrer. » (Directeur É2)

Les propos relatifs à l'impact des mutations de l'environnement sur le mode de fonctionnement de l'organisation peuvent être organisés autour de trois sous-thèmes : la diffusion des préoccupations gestionnaires dans l'établissement, et notamment dans le corps médical ; la mise en œuvre de réflexions transversales ; enfin, le rôle de l'équipe de direction face au changement.

> « Les réflexions transversales existent mais sont très difficiles à implanter. Cet établissement a une structure verticale très forte. » (Directeur É1)

> « Les centres de responsabilité en gestion, j'y suis favorable, des médecins aussi. On doit être leader en la matière et on a une équipe d'analyse de gestion, des tableaux de bord. » (Directeur É3)

« On (l'équipe de direction) a du mal à valoriser le changement, il est seulement vécu comme négatif. Tout ce qu'on peut dire, c'est que ce sera pire si on ne le fait pas. » (Directeur É1)

Le lien entre les évolutions de l'environnement et l'intégration dans un réseau de soins

Au cours des entretiens menés, les directeurs évoquent les changements rencontrés depuis peu dans la situation concurrentielle de leur établissement. Cette évocation les conduit parfois à mentionner l'impact des démarches de coopération sur leur environnement concurrentiel et sur la définition de la stratégie de l'établissement :

« Il y a eu le regroupement des cliniques suite à la mise en vente de deux d'entre elles. Combien a-t-on d'adversaires ? Comment tirer les marrons du feu ? (...) Se pose donc la question de la redéfinition du rôle de l'hôpital face à ces changements : hôpital de jour, ou centre de services et de compétences. Sur X (la ville d'implantation) se pose la question de savoir si on sera ou non en situation de monopole. » (Directeur É1)

Les directeurs interrogés ont également parfois évoqué les répercussions des mutations de l'environnement, notamment dans leur aspect juridique, sur la mise en œuvre de coopérations :

« Dans l'interprétation logique du texte de loi, la coopération semble la voie logique ; en pratique, la coopération est davantage une nébuleuse, une vue de l'esprit. » (Directeur É1)

L'autonomie de l'hôpital dans ses choix stratégiques

Les directeurs d'hôpital évoquent également, souvent de manière indirecte, la question de l'indépendance de l'établissement à l'égard de la tutelle de l'État dans ses décisions stratégiques :

« (Au niveau des médecins,) l'attitude générale est : « De toute façon, on va décider pour nous, alors on n'a qu'à nous dire ce qu'on doit faire. » (Directeur É1)

« En avril 1997, on a eu le retour fait par la DRASS sur notre projet d'établissement. Il n'y a rien eu à discuter, ça a duré 20 minutes, et on nous a annoncé la
reprise (la diminution) des crédits. » (Directeur É2)

En particulier, l'impact de l'instauration du contrat d'objectifs et de
moyens sur le processus stratégique de l'établissement est souvent analysé.
Ce sous-thème offre un éclairage sur le mode de décision stratégique :

« Le contrat devient le projet de tous, à la différence du projet d'établissement,
puisque l'État s'engage, ce qui est un facteur important. » (Directeur É3)

« La visibilité est meilleure sur le développement de l'activité, mais ça ne change
pas grand-chose car le budget est toujours annuel (...). Le contrat ne sera-t-il
pas un simple habillage pour faire passer des mesures ? Ne sera-t-il pas nécessairement léonin ? » (Directeur É1)

La question de l'indépendance de l'établissement en matière d'intégration dans un réseau de soins est également parfois abordée :

« En ce qui concerne les stratégies de collaboration, je ne crois que dans les
stratégies d'intérêt. Je crois donc qu'il y a alliance quand il y a intérêt. »
(Directeur É3)

« Les groupements de coopération, les collaborations sont souvent des stratégies contraintes de survie. Pour les fusions de services, (...) ça instaure souvent
une relation dominant-dominé. » (Directeur É2)

La synthèse de l'analyse de contenu des entretiens, effectuée dans une
perspective de différenciation des points de vue, est présentée dans le
Tableau 1. Les dimensions auxquelles il est fait référence sont utilisées pour
élaborer les figures présentées plus bas.

Construction du sens par les acteurs et engagement dans un réseau

L'environnement d'une organisation, comme l'organisation elle-même,
peuvent être considérés non comme une réalité, mais comme un ensemble
d'éléments mis en scène, institués (*enacted*) par les acteurs (Weick, 1979 ;

TABLEAU 1   Synthèse des perceptions des directeurs d'hôpital

	PERCEPTION DE L'ENVIRONNEMENT (Dimension 3 : Intensité concurrentielle Dimension 4 : Niveau d'analyse stratégique de l'environnement)	PERCEPTION DE L'ORGANISATION (Dimension 6 : Ouverture au changement de l'organisation Dimension 7 : Appui du corps médical au processus de changement)	DÉFINITION DE LA STRATÉGIE (Dimension 1 : Degré d'engagement dans un réseau Dimension 2 : Ambition stratégique)	AUTONOMIE CONCERNANT L'ENGAGEMENT DANS UN RÉSEAU (Dimension 8)
Établissement 1 (classe des « combatifs »)	D3 - Concurrence objectivement forte pour l'accès aux clients et aux ressources financières. D4 - Effort d'analyse de l'environnement, volonté de faire face à cet environnement (conduite d'une analyse stratégique de l'environnement).	D6 - Organisation cloisonnée, mais conduite de réflexions afin de développer la transversalité, équipe de direction soudée, cherchant à impulser le changement (avec difficulté). D7 - Climat d'inquiétude, opposition du corps médical au changement.	D1 - Absence d'engagement dans un réseau (même si la coopération est perçue comme la voie « théorique-ment logique »). D2 - Stratégie de maintien, voire de développement de l'activité.	D8 - Pas concerné.
Établissement 2 (classe des « inhibés »)	D3 - Concurrence objectivement très forte. D4 - Absence d'analyse stratégique de l'environnement.	D6 - Organisation cloisonnée, absence de projets de management, absence de véritable équipe de direction. D7 - Climat d'agressivité, hostilité à l'égard du changement, mais soutien du corps médical résiduel au processus de changement.	D1 - Engagement important dans des réseaux : - convention de partage des équipe-ments lourds et de certaines activités logistiques ; - partage du service des urgences avec un hôpital voisin. D2 - Stratégie de survie.	D8 - Autonomie forte (perception d'une logique gagnant-gagnant) pour la convention de partage d'équipements ; autonomie très faible pour le partage du service des urgences.
Établissement 3 (classe des « leaders coopératifs »)	D3 - Concurrence objectivement forte pour l'accès aux clients. D4 - Réalisation d'une analyse stratégique de l'environnement.	D6 - Organisation rigide, « résistante » au changement, mais dévelope-ment de projets de management, équipe de direction unie, soucieuse de communiquer et d'insuffler le changement.	D1 - Engagement important dans un réseau : coopération avec les cliniques privées pour le par-tage d'équipements lourds (GIE). D2 - Stratégie de développement.	D8 - Autonomie forte (perception d'une logique gagnant-gagnant).

Crozier et Friedberg, 1977). Analyser l'organisation en tant que dynamique sociale d'élaboration du sens conduit à accorder une place essentielle à la perception du monde par les individus. En effet, la conception que les acteurs se font de la réalité, le sens qu'ils assignent aux gens, aux objets, aux symboles qui les entourent, est à la base du processus de construction de cette réalité (Coulon, 1987). Selon cette conception de l'organisation, des caractéristiques que l'on croyait objectives – telles que la structure organisationnelle, sa mission, la description des tâches et des procédés, les pratiques, etc. – sont en fait le résultat du « processus d'institution » de la réalité par les individus. Chacune de ces caractéristiques a une signification dans le phénomène d'élaboration de la réalité sociale et contribue à créer l'organisation elle-même : « *les organisations finissent par être ce qu'elles pensent et disent à mesure que leurs idées et visions s'accomplissent* » (Weick, cité par Morgan [1989]). La stratégie, résultat d'un processus de construction organisationnelle, peut être analysée comme le reflet de l'organisation au sein de laquelle elle est élaborée. Cette idée est présente dans des travaux fondateurs du management stratégique. Ainsi, Mintzberg et Waters (1985), en identifiant une partie émergente de la stratégie, admettent implicitement l'existence d'une « force organisationnelle », source de création stratégique. La notion d'intention stratégique, proposée par Hamel et Prahalad (1989), est pour sa part explicitement définie comme le résultat d'une ambition stratégique affirmée par les dirigeants, mais aussi des processus de management et des modes de fonctionnement organisationnels. L'environnement perçu influerait également sur les choix stratégiques formulés par les dirigeants : la façon dont ceux-ci interprètent l'environnement les conduirait à modifier le fonctionnement organisationnel de l'entreprise et constituerait le fondement de leurs décisions stratégiques (Bielefeld, 1992).

Il est ici proposé de mettre à l'épreuve la pertinence de l'approche de Weick pour analyser l'engagement des hôpitaux dans des réseaux. À partir des dimensions évaluées dans le Tableau 1, qui présente une synthèse des perceptions des directeurs d'hôpital interrogés quant à l'environnement de l'établissement, son fonctionnement organisationnel et ses orientations stratégiques (dont le recours au réseau), sont extraits cinq figures. Deux aspects sont simultanément analysés : le niveau d'engagement dans un réseau et le degré d'autonomie dans le recours au réseau. De plus, le lien

entre le sens donné par les décideurs hospitaliers aux situations environnementales et organisationnelles, d'une part, et l'engagement des hôpitaux
dans des réseaux, d'autre part, est étudié en se focalisant sur différents
objets de la construction du sens : conception de la stratégie, perception de
l'environnement, appréhension du fonctionnement organisationnel.

Construction du sens en matière de stratégie et engagement dans un réseau

Une première façon d'appréhender ce lien est de considérer que l'ambition
stratégique formulée par les dirigeants des hôpitaux conditionne le mode
de mise en œuvre de la stratégie, et donc le degré d'intégration dans un
réseau. Pourtant, l'analyse de la Figure 1 conduit à énoncer, d'une part, que
la formulation d'une ambition stratégique similaire peut correspondre à
des degrés très différents d'engagement dans un réseau (voir É1 et É3),
d'autre part, que des degrés similaires d'engagement dans un réseau coïn-
cident avec des ambitions stratégiques contrastées (voir É2 et É3). Cette
double constatation suggère l'indépendance entre le mode de mise en
œuvre de la stratégie des hôpitaux (participation à des réseaux versus développement isolé) et l'ambition stratégique formulée par les décideurs. Dit
autrement, l'engagement des hôpitaux dans des réseaux ne saurait constituer la simple résultante des objectifs stratégiques fixés par leurs dirigeants.

FIGURE 1   Relation entre le degré d'engagement dans un réseau
(dimension 1) et l'ambition stratégique (dimension 2)

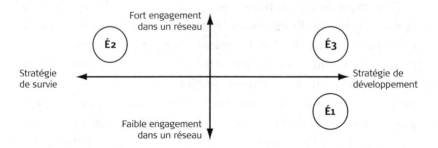

Construction du sens en matière d'environnement et engagement dans un réseau

Une deuxième façon d'étudier le lien entre construction du sens par les acteurs et engagement dans un réseau est de s'attacher à la manière dont les décideurs hospitaliers perçoivent l'environnement de leur établissement. Pour ce faire, deux figures sont analysées, la première d'entre elles (voir Figure 2) servant à évaluer l'hostilité perçue de l'environnement.

FIGURE 2   Relation entre le niveau d'analyse stratégique de l'environnement (dimension 4) et l'intensité concurrentielle (dimension 3)

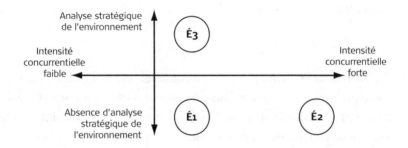

Le croisement entre l'intensité concurrentielle subie par l'établissement, appréhendée par le biais d'indicateurs relativement objectifs (nombre de concurrents sur la ville d'implantation et sur la zone d'attraction des patients de l'établissement), et le niveau de pratique d'une analyse stratégique de l'environnement de l'hôpital permet de proposer une évaluation de l'hostilité de cet environnement. Ainsi, É1 comme É3 évoluent dans un environnement où l'intensité concurrentielle est forte. Toutefois É3, contrairement à É1, procède à une analyse stratégique de son environnement. Dans ces conditions, É1 conçoit son environnement comme très hostile, alors que É3 ne le considère que comme modérément hostile. Enfin, É2 doit faire face à un environnement très concurrentiel, mais ne réalise pourtant pas d'analyse stratégique de ce dernier. Dès lors, É2 considère son environnement comme extrêmement hostile. Cette évaluation de l'hostilité perçue de l'environnement (dimension 5) est utilisée dans la Figure 3.

FIGURE 3   Relation entre l'hostilité de l'environnement (dimension 5)
et le recours au réseau (dimensions 1 et 8)

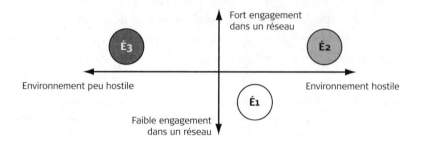

L'intensité de la trame de fond indique, pour É2 et É3, le degré d'autonomie en matière d'engagement dans un réseau (dimension 8).

L'analyse de la Figure 3 permet de constater que l'intégration dans un réseau peut résulter de perceptions environnementales contrastées (voir É2 et É3). Le recours au réseau n'est donc pas la conséquence mécanique d'une perception favorable ou défavorable de l'environnement. Cette analyse suggère également que des perceptions environnementales contrastées correspondent à un degré d'autonomie très différent en matière d'engagement dans un réseau. Ainsi, si É2 comme É3 s'engagent fortement dans des réseaux, cet engagement est perçu comme volontaire par É3 qui appréhende favorablement son environnement, alors que É2 se sent contraint dans cet engagement et conçoit son environnement comme très hostile.

Construction du sens en matière d'organisation et engagement dans un réseau

Une troisième voie est de se focaliser sur le fonctionnement organisationnel des hôpitaux. L'analyse des relations interprofessionnelles au sein des établissements se révèle riche d'enseignements quant au processus d'engagement dans des réseaux. La Figure 4 suggère en effet que la perception d'un appui du corps médical au processus de changement favorise l'intégration dans un réseau (voir É1 versus É2 et É3). Ce résultat montre l'importance de la mobilisation d'un tissu relationnel associant des « professionnels » – au sens de Mintzberg (1979) – dans la réalisation de pratiques coopératives dans le secteur hospitalier. Il témoigne du fait que l'impulsion gestionnaire, qu'elle émane des autorités de tutelle ou de la direction de l'établissement, ne peut à elle seule conduire au développement de réseaux.

FIGURE 4   **Relation entre le degré d'engagement dans un réseau (dimension 1) et l'appui du corps médical au processus de changement (dimension 7)**

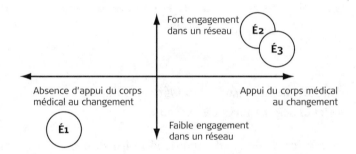

Enfin, la Figure 5 permet d'étudier la relation entre l'ouverture au changement de l'organisation et l'engagement de l'hôpital dans un réseau. Son analyse conduit à constater que l'ouverture au changement de l'organisation, caractérisée notamment par la transmission d'un projet managérial en son sein, favorise l'autonomie en matière d'engagement dans un réseau (voir É3). Cette constatation suggère qu'un hôpital doté d'une organisation favorable au changement peut plus facilement procéder à l'élaboration de choix stratégiques et en concevoir des modes de mise en œuvre, fondés notamment sur l'intégration dans un réseau, avant que ce type de décision ne lui soit imposé par les autorités institutionnelles.

FIGURE 5 Relation entre l'ouverture au changement de l'organisation (dimension 6) et le degré d'autonomie en matière d'engagement dans un réseau (dimension 8)

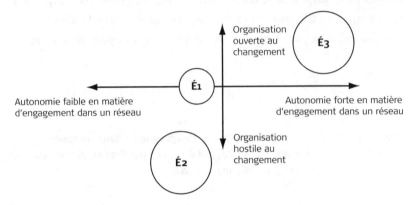

La taille des cercles indique le degré d'engagement dans un réseau (dimension 1).

CONCLUSION : DE L'IMPULSION INSTITUTIONNELLE À L'ENGAGEMENT DANS UN RÉSEAU

Cette étude conduit tout d'abord à identifier, de manière quantitative, l'importance globale de la participation des hôpitaux publics français à des réseaux, de forme juridique ou organisationnelle diverse. La réalisation d'une typologie permet pourtant d'identifier des engagements d'ampleur variée dans ces réseaux. Enfin, l'analyse des perceptions des acteurs révèle que la participation des hôpitaux à des réseaux correspond à la poursuite d'objectifs stratégiques témoignant d'une ambition très contrastée. Ces pratiques sont également issues de perceptions environnementales et organisationnelles diverses. Il apparaît ainsi que le recours aux coopérations ne résulte pas d'un schéma interprétatif unique et ne correspond pas à un choix particulier d'orientation stratégique. Toutefois, l'analyse permet de mettre en évidence que l'appui du corps médical aux démarches de changement engagées dans l'établissement favorise son intégration dans un

réseau. L'analyse suggère également que l'autonomie en matière de coopération est accrue lorsque les perceptions environnementales et organisationnelles sont favorables. En particulier, la transmission d'un projet
managérial d'ensemble au sein de l'établissement, en renforçant sa capacité
à jouer le rôle d'acteur stratégique, va de pair avec l'autonomie dans le
recours aux coopérations. L'engagement dans un réseau résulterait ainsi
d'une assimilation par les acteurs de terrain des réalités environnementales
et organisationnelles des établissements. Dans ces conditions, le recours à
la coopération ne semble constituer ni un outil de reconfiguration du système de santé français imposé par les autorités de tutelle ni une « recette
managériale » pouvant être appliquée de manière systématique.

L'analyse réalisée met donc l'accent sur les choix stratégiques effectués
par les hôpitaux en matière de participation à un réseau. Elle se veut complémentaire des études centrées sur les aspects contraints des changements
structurels dans les secteurs d'activité soumis à une forte pression institutionnelle. Les travaux de cette nature, en soutenant que la légitimité des
organisations de ces secteurs réside en partie dans le respect d'un isomor-
phisme structurel, c'est-à-dire dans le choix de la forme d'organisation
communément adoptée, se trouvent d'ailleurs confrontés à la nécessité
d'expliquer les innovations structurelles majeures, comme l'adoption d'un
mode de fonctionnement en réseau (Arndt et Bigelow, 2000).

Le développement des réseaux dans le secteur sanitaire français semble
dès lors pouvoir être judicieusement interprété comme la résultante de
l'imbrication entre actions économiques et faits sociaux. Ce phénomène
d'encastrement, décrit précisément par Granovetter *et al.* (2000) dans le cas
de la Silicon Valley américaine, peut en effet expliquer le recours des hôpitaux aux coopérations, celles-ci se fondant dans l'intrication entre phénomènes économiques, tels que les contraintes budgétaires ou la limitation de
l'accès aux ressources, et les réalités culturelles ou politiques, comme l'existence de valeurs partagées, de relations de confiance, ou la poursuite de
stratégies individuelles ou collectives.

11

L'hôpital sans frontières ?
Technologies des soins à domicile,
confiance et compétences

Pascale Lehoux, Raynald Pineault

LE TRANSFERT DES TECHNOLOGIES DE L'HÔPITAL
VERS LES SOINS À DOMICILE

Ce chapitre propose d'examiner comment et dans quelles conditions s'effectue le transfert de certaines technologies de l'hôpital vers les soins à domicile. Au Québec, ce transfert fait intervenir un acteur organisationnel qui ne trouve pas son équivalent en France : le centre local de services communautaires (CLSC). Cette organisation publique a été créée au milieu des années 1970 afin d'offrir des services sociaux et médicaux de première ligne qui cherchent à correspondre étroitement aux besoins d'une population locale. Ce chapitre s'inspire des résultats d'une étude financée par les Instituts de recherche en santé du Canada (IRSC ; n° 15472)[1]. Nous avons concentré notre attention sur l'antibiothérapie intraveineuse, la dialyse péritonéale, l'oxygénothérapie et l'alimentation parentérale. Ces technologies sont toutes

1. Nous tenons à remercier les cochercheures, Lucie Richard et Jocelyne St-Arnaud, toutes deux professeures à la Faculté des sciences infirmières de l'Université de Montréal, pour leur contribution au développement des instruments de collecte de données et à l'analyse des résultats. Carole Charland, assistante de recherche, a assuré la collecte des données et contribué aux analyses préliminaires. Ce chapitre reprend une partie des analyses présentées dans deux rapports de recherche disponibles auprès du Groupe de recherche interdisciplinaire en santé (GRIS) (Lehoux *et al.*, 2001a ; 2001b).

qualifiées de « *high-tech* » (Schahcher et Holland, 1995), mais ne représentent pas des enjeux similaires puisqu'elles sous-tendent des modèles de substitution aux services hospitaliers différents (voir encadrés).

Cette étude avait pour objectifs d'identifier 1) les facteurs organisationnels qui favorisent (ou nuisent à) l'intégration de ces technologies dans les CLSC et 2) les facteurs techniques et humains qui affectent leur usage du point de vue des professionnels, des patients et des proches. Trois principales sources de données ont été exploitées : 1) des entretiens auprès de gestionnaires et de professionnels des programmes de soins à domicile d'un échantillon de vingt CLSC situés en région urbaine et rurale ; 2) un questionnaire auprès de l'ensemble des CLSC du Québec (n = 140) ; et 3) des entretiens auprès de patients, de leur famille ou d'autres aidants (n = 19).

Malgré l'importance accordée à la récente réforme – le « virage ambulatoire » qui vise à augmenter la proportion de services ambulatoires et de services à domicile offerts aux Québécois à travers une contribution accrue des CLSC –, la problématique des technologies dans les soins à domicile a été peu examinée. En général, il est considéré que ces technologies devraient faciliter la prestation de soins à domicile, favoriser une prise en charge par le patient lui-même et conduire à des résultats de santé tout aussi satisfaisants qu'en milieu hospitalier. Or, l'usage de ces technologies suppose que les professionnels des CLSC maîtrisent des expertises particulières, que les gestionnaires des CLSC réussissent à établir des ententes en matière de coordination et de formation du personnel avec les hôpitaux et que les patients obtiennent l'information et le soutien adéquats de l'ensemble des professionnels qu'ils rencontrent. Notre étude indique que ces conditions ne sont pas fréquemment remplies (Lehoux *et al.*, 2001a ; 2001b). Ce chapitre tente, à partir de données issues des entrevues auprès des gestionnaires et des professionnels et du questionnaire, de mieux définir comment les technologies affectent le travail infirmier à domicile, les compétences perçues du personnel soignant et les liens de confiance entre hôpitaux et CLSC. Nous posons l'hypothèse que la maîtrise des technologies ne peut réussir qu'à travers une augmentation des interactions entre ces deux organisations et un nivellement de la spécificité organisationnelle des CLSC.

DÉFINITIONS ET ÉLÉMENTS DE PROBLÉMATIQUE

Les CLSC

Il existe, au moment d'écrire ces lignes, 147 CLSC au Québec, mais d'importants projets de fusion sont en cours d'implantation. Selon les sources officielles, le CLSC est l'une des principales portes d'entrée du réseau de la santé. « *Desservant un territoire bien délimité, le* CLSC *a pour mission, par une approche globale, multidisciplinaire et communautaire, d'améliorer l'état de santé et de bien-être des individus de la communauté. Il a également pour objectif de rendre plus responsables les individus et leurs proches dans la prise en charge de leur santé et de leur bien-être. C'est au* CLSC *qu'incombe la responsabilité des services courants et des programmes spécifiques axés principalement sur la prévention* » (Site web de l'association des CLSC). Selon la loi sur les services de santé et les services sociaux : « *Au besoin, [le* CLSC*] oriente la clientèle vers les établissements, les organismes ou les personnes les plus aptes à lui venir en aide* » (Québec, 2000, Partie II, t.1, c.1, a.1). Les CLSC offrent donc une gamme de services de première ligne qui n'exigent pas de traitements ou d'équipements très spécialisés : consultations médicales, soins infirmiers, services à domicile aux personnes en perte d'autonomie, dépistage du VIH-sida et des MTS, cliniques de vaccination et de prélèvements sanguins, programme en périnatalité, en santé mentale, en toxicomanie, développement communautaire, etc. Dans les faits, les soins à domicile ont toujours représenté une composante majeure dans l'activité des CLSC.

L'expansion des soins à domicile

Les services ambulatoires et à domicile sont une pierre angulaire de plusieurs réformes des systèmes de soins au Canada (Larsen, 1996). Non seulement les planificateurs espèrent maîtriser l'accroissement des dépenses en substituant aux soins hospitaliers des services de première ligne moins coûteux, mais aussi ils comptent exploiter des technologies qui simplifient et réduisent l'intensité des soins requis. Au cours des années 1980, les développements technologiques qui ont conduit à des formes de chirurgie moins intrusives (ex. : cholécystectomie par laparoscopie) ont validé en partie ces présupposés. Si le coût par épisode de soins est estimé moins

élevé, le nombre accru de patients « cliniquement éligibles » à cette intervention a toutefois augmenté et contribué à un accroissement des coûts
totaux (CÉTS, 1996).

Par ailleurs, dans le domaine des maladies chroniques, les développements
technologiques ont permis de démédicaliser partiellement les soins en permettant aux patients eux-mêmes de faire davantage de gestes techniques. Par
exemple, même si les malades diabétiques doivent être suivis par un spécialiste, ils ont accès à des technologies relativement simples qui leur permettent
de monitorer leur état de santé et de se traiter sur une base quotidienne.
Christensen *et al.* (2000) qualifient de telles innovations de « *disruptive technologies* » afin de souligner que, par opposition aux technologies hospitalières
traditionnelles, celles-ci nécessitent une infrastructure plus légère, du personnel moins spécialisé et un moindre investissement de ressources financières. Christensen *et al.* notent aussi que cette catégorie de technologies fait
face à des résistances importantes de la part du corps médical et de l'indus-
trie des équipements puisqu'elle déstabilise les dynamiques du marché tout
en dépossédant les spécialistes d'une partie de leur savoir-faire.

Sociologie de l'innovation et des professions

La littérature en sociologie de l'innovation peut soutenir cette hypothèse et
proposer certaines pistes de réflexion. Premièrement, pour les sociologues
des technologies adhérant à l'école du *Social Shaping of Technology* (SST), il
est clair qu'une technologie est le résultat d'une série de négociations au
sein desquelles différents groupes sociaux (entrepreneurs, médecins, ingé-
nieurs, bailleurs de fonds, associations de patients, etc.) réussissent ou non
à faire valoir leurs intérêts et leur manière de poser le problème (Rip *et al.*,
1995 ; Williams et Edge, 1996 ; Latour, 1989). La technologie finale sera donc
le fruit d'un compromis sociotechnique, acceptable aux yeux des groupes
impliqués, qui ne représente pas le seul design techniquement faisable ou
socialement souhaitable. D'où l'intérêt de s'interroger sur la forme et le
fonctionnement actuels des technologies.

Deuxièmement, sous l'angle de la sociologie des professions, les technologies peuvent produire un double effet de création et de « commodification »
des savoirs (Abbott, 1988 ; Lehoux *et al.*, 1999). Dans le secteur sanitaire, les

technologies ont procuré des connaissances nouvelles ayant permis de mieux définir l'étiologie de certaines pathologies et de suivre leur évolution chez des patients individualisés (imagerie, laboratoire, génétique). Toutefois, comme dans le cas du traitement du diabète ou du monitoring de l'hypertension, des dispositifs ont été développés de manière à se substituer aux savoirs des spécialistes, soit en automatisant certaines analyses soit en formalisant leur signification clinique à l'aide d'algorithmes décisionnels. Or, il demeure crucial pour un groupe professionnel de maîtriser les développements technologiques qui risqueraient de lui faire perdre l'autorité sur des connaissances et des tâches (Abbott, 1988). On peut donc s'attendre à ce que des tensions marquent la relation entre des médecins hospitaliers qui veulent maintenir les patients sous leur responsabilité clinique et le personnel des CLSC à qui sont délégués les soins et services moins spécialisés.

Troisièmement, la maîtrise des technologies s'appuie sur une connaissance pratique de leur maniement et des conditions de leur usage (Dodier, 1995). Ceci suppose un apprentissage en contexte réel (« *learning by doing* ») et l'accumulation d'expériences qui permettent de réduire l'anxiété du personnel soignant en lui fournissant un réservoir de connaissances qui stabilisent (ou normalisent) diverses situations d'usage des technologies (Prout, 1996). Par exemple, une pompe programmable pour administrer des antibiotiques par voie intraveineuse dont l'alarme de détection des bulles d'air s'avère très sensible sera perçue différemment par les infirmières à la suite d'une expérimentation répétée de son usage auprès de plusieurs patients. Cette troisième piste de réflexion devrait nous amener à examiner de plus près comment l'adoption des technologies de soins à domicile par les CLSC s'accompagne de stratégies de formation permettant au personnel de développer et de maintenir dans le temps la maîtrise d'aspects techniques et cliniques plus spécialisés.

En somme, les technologies des soins à domicile pourraient être définies comme une source de transformation de l'hôpital qui représente, à la fois, une opportunité – celle de réduire la pression sur les ressources internes de l'hôpital tout en assurant une certaine « présence » au domicile du patient – et une contrainte – celle de perdre éventuellement la maîtrise des technologies et des savoir-faire au profit des organisations de première ligne. Si tel est le cas, l'adoption des technologies des soins à domicile par les CLSC serait soumise à des relations conflictuelles s'exprimant autour de l'établissement des compétences requises pour manipuler correctement ces technologies et sur la confiance entre professionnels.

MÉTHODOLOGIE

Sélection des vingt CLSC pour les entretiens

L'échantillon de CLSC a été constitué en fonction : 1) du niveau d'utilisation des technologies (établi à partir de la base de données financières SIFO [système d'information financière et opérationnelle] – nombre de patients faible et élevé) ; 2) du type de milieu (urbain, rural, semi-rural) ; 3) du budget alloué aux soins à domicile (faible, moyen, élevé) ; et 4) des frais associés au déplacement pour effectuer la collecte des données. Vingt CLSC ont accepté de participer à l'étude alors que trois ont refusé. Les CLSC de l'échantillon proviennent de huit régions administratives sur un total de dix-huit.

Entretiens

Les entrevues étaient de type semi-structuré (Marshall et Rossman, 1989). Les entretiens auprès des gestionnaires ont visé à documenter plus spécifiquement les aspects organisationnels, notamment trois grands volets susceptibles d'avoir un impact sur l'utilisation des technologies à domicile : 1) les changements vécus au CLSC en matière de soins à domicile ; 2) les facteurs organisationnels ; et 3) les relations interétablissement. Les entretiens auprès des professionnels ont visé à documenter certains aspects organisationnels et, plus spécifiquement, les aspects techniques et humains. La durée des entretiens variait de 60 à 90 minutes. Ces entretiens ont été enregistrés. Au total, nous avons rencontré quarante et une personnes attachées à vingt CLSC et douze individus occupant des fonctions pertinentes à la problématique (Tableau 1).

Questionnaire

Nous avons développé un questionnaire autoadministré en suivant quatre étapes : 1) création d'une liste de variables organisationnelles à partir de la

TABLEAU 1   Nombre de répondants par catégorie

CATÉGORIE	NOMBRE DE RÉPONDANTS
Gestionnaire	17
Infirmière	20
Informaticien	1
Inhalothérapeute	2
Agent de liaison	1
Sous-total CLSC	41
Responsable d'unité hospitalière	3
Responsable soins 1re ligne Régie régionale	6
Manufacturier/distributeur	3
Sous-total autres établissements	12
Total	53

littérature ; 2) raffinement des variables et ajustement de la terminologie à l'aide d'entrevues exploratoires auprès de responsables de soins à domicile (n = 5)dans des CLSC situés en région urbaine et rurale ; 3) validation auprès d'un comité aviseur composé de six membres représentant des organisations et des disciplines pertinentes ; et 4) prétest du questionnaire auprès de responsables des soins à domicile (n = 5). La version finale du questionnaire comportait trente-trois questions, regroupées en cinq volets. Le questionnaire a été transmis en février 2000 à tous les responsables de programmes de soins à domicile en utilisant la liste d'envoi de l'Association des CLSC et des CHSLD, récemment mise à jour. À la fin de l'été 2000, après trois types de rappels, le taux de réponse s'établissait à 69 % (97/140).

Analyse des données

Tous les entretiens ont été retranscrits sur support électronique. Le matériel qualitatif a été traité à l'aide du logiciel NUD*IST (Richards et Richards, 1994). La codification des entretiens a dégagé : 1) les thèmes prédéfinis par notre cadre conceptuel ; 2) les thèmes issus des données ; 3) les particularités associées aux technologies ; et 4) les difficultés aussi bien que les solutions identifiées par les répondants (Strauss et Corbin, 1990). Des tableaux de synthèse ont été construits. L'objectif était de présenter le matériel empirique sur lequel se fondent nos analyses, de dégager les similitudes et les différences, et de faciliter la mise à l'épreuve d'hypothèses (Miles et Huberman, 1984).

RÉSULTATS

D'abord, nous décrivons la mission des CLSC et le niveau d'adoption des technologies. Ensuite, nous examinons comment le travail infirmier est transformé par l'utilisation des technologies. Enfin, le contexte organisationnel dans lequel les CLSC opèrent et les moyens de collaboration mis en place sont précisés.

Technologies et redéfinition de la mission des CLSC

Mission des CLSC

Lors des entretiens, les gestionnaires et les professionnels ont décrit la mission de leur CLSC d'une manière qui rejoint tout à fait la description officielle telle qu'elle est précisée plus tôt. Les professionnels ont insisté sur l'importance des aspects sociaux, préventifs et communautaires afin d'atteindre un éventail d'objectifs : favoriser l'autonomie du patient le plus longtemps possible (prévention des chutes, enseignement, ergothérapie) ; répondre à des besoins non médicaux afin d'assurer le bien-être d'un patient à son domicile (services de transport, livraison de repas à domicile) et assurer la sécurité d'une personne en perte d'autonomie (évaluation des capacités physiques et cognitives du patient, rôle de la famille, évaluation du domicile).

Degré d'initiation aux quatre technologies
pour l'ensemble des CLSC du Québec

Une première question de l'enquête était : « Votre CLSC a-t-il déjà dispensé des soins impliquant les technologies suivantes ? » Il ne s'agit donc pas d'une mesure d'utilisation puisque certains CLSC ont pu cesser la dispensation de ces services (Tableau 2). L'antiobiothérapie intraveineuse est la technologie

TABLEAU 2 CLSC ayant déjà dispensé des services reliés à ces technologies

CATÉGORIE	SERVICES DÉJÀ DISPENSÉS		
	R	N	% = N/R
Antibiothérapie IV			
Par gravité	96	78	81
Par pompe programmable	96	94	98
Par pompe élastomérique	95	56	59
Oxygénothérapie			
Avec concentrateur	97	81	84
Avec cylindres portables	96	70	73
Alimentation parentérale	94	25	27
Dialyse péritonéale	96	75	78

Note : R = nombre de répondants. N = nombre de répondants ayant déjà offert les services.
Les pourcentages sont calculés en excluant les données manquantes.

à laquelle les CLSC ont été les plus fréquemment initiés (98 % avec pompe programmable), suivie de l'oxygénothérapie (84 % avec concentrateur) et de la dialyse péritonéale (78 %). L'alimentation parentérale (27 %) demeure peu fréquente.

Profil global d'utilisation des technologies

La Figure 1 illustre la répartition des CLSC en fonction du nombre de technologies pour lesquelles ils offraient des soins en 1998-1999. Près de 20 % des CLSC offraient des soins relatifs aux quatre technologies tandis que 57 % d'entre eux offraient des soins relatifs à trois technologies. Si l'exposition des CLSC aux quatre technologies semble somme toute assez élevée compte tenu de leur mandat de première ligne, l'utilisation des technologies demeure néanmoins inégale sur les plans de l'offre régionale et du nombre de patients par CLSC (données détaillées disponibles).

Technologies, compétences et travail infirmier à domicile

Perception des technologies

D'un point de vue général, les nouvelles technologies sont bien accueillies par la majorité des infirmières. Les répondants des CLSC ayant une forte intégration sont clairement favorables à l'intégration des nouvelles technologies. Toutefois, seulement deux CLSC qui ont une intégration restreinte éprouvent des résistances importantes parmi les infirmières. Un des gestionnaires estime que les demandes reliées à de nouvelles technologies sont adressées aux CLSC de façon expéditive. Il insiste pour protéger les infirmières et retarder l'introduction d'une nouvelle technologie. Ceci afin de mieux saisir les risques et de réunir les conditions pour dispenser des soins de qualité. Mais de manière générale l'ensemble des répondants croit que les pompes électroniques et élastomériques présentent de nombreux avantages. L'intégration de l'alimentation parentérale et de la dialyse péritonéale dépend de la disponibilité des ressources nécessaires au suivi des patients. L'intégration de l'oxygénothérapie pose peu de défis, mais requiert la disponibilité d'un inhalothéapeute et du budget nécessaire.

FIGURE 1   Profil d'utilisation des technologies par les CLSC

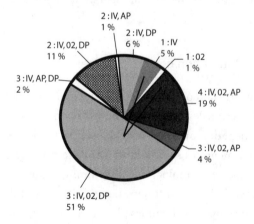

Spécificité du travail infirmier à domicile

Pour l'ensemble des professionnels de CLSC, les soins infirmiers à domicile représentent un univers très différent de celui du milieu hospitalier. L'environnement de travail – la maison – n'est pas contrôlé comme en milieu hospitalier. Il est évalué et parfois modifié, mais ceci demeure le domicile du patient. Dans le domaine des soins à domicile, on ne peut pas compter sur la présence continuelle de collègues. L'accès à l'expertise des autres professionnels est moins rapide et l'infirmière doit donc être « autonome ». Puisque l'infirmière doit aussi favoriser l'autonomie du patient face à son traitement ou à son bien-être, elle doit négocier sa relation avec lui (le patient n'accepte pas n'importe quoi, il est moins passif qu'en milieu hospitalier). La famille ou les autres aidants participent souvent aux décisions et très souvent aux soins du patient. Les soins dispensés sont très variés et l'infirmière doit demeurer polyvalente. L'infirmière prend des décisions et organise elle-même son travail face à des situations très diverses.

En retour, cette spécificité de l'environnement de travail est associée à une approche plus globale ou systématique des suivis, une plus grande attention aux facteurs humains, un investissement important dans les tâches d'enseignement et une approche multidisciplinaire. Cette spécificité comporte certains défis sur le plan de l'organisation du travail, de la formation des infirmières et des relations interétablissements. Plusieurs CLSC exigent de leurs infirmières une formation en santé communautaire, une expérience préalable en milieu hospitalier et une grande capacité de jugement. À cause des imprévus et parce que les congés d'hôpitaux requièrent des interventions rapides, les soins à domicile exigent une planification importante des interventions quotidiennes. Il faut identifier rapidement le type de matériel requis (qui peut différer selon les centres hospitaliers) et tenter d'organiser les journées de façon à optimiser les visites sans envahir complètement le domicile du patient. Il faut s'assurer que le traitement prescrit et les équipements livrés sont adaptés à un usage à domicile. Enfin, il faut savoir quoi faire et vers qui se tourner en cas d'urgence.

La plupart des infirmières ont choisi de travailler en soins à domicile parce qu'elles croient dans une approche plus globale des soins et parce que ceci leur permet une plus grande autonomie tant sur le plan de la prise en charge que sur celui de leur statut professionnel. Elles disent avoir plus de temps à accorder aux patients et être davantage en mesure de les écouter (comparativement au milieu hospitalier). Cependant, depuis les changements récents, les infirmières disposeraient de moins en moins de temps et ne seraient plus en mesure d'accomplir leur travail correctement, ce qui entraînerait des frustrations.

Formation des professionnels

La formation aux nouvelles technologies est transmise entre infirmières du CLSC par le centre hospitalier ou par les distributeurs et manufacturiers d'équipement. Le rôle des centres hospitaliers se limite parfois à la transmission de procédures de soins écrites alors que, dans d'autres cas, ils offrent des programmes de formation sur les nouvelles interventions. Certains CLSC parmi ceux ayant une intégration forte ont beaucoup de facilité à obtenir la collaboration du centre hospitalier de leur région en matière de formation. Les infirmières du CLSC peuvent se rendre à l'hôpital observer et apprendre une nouvelle technique. Outre les protocoles de soins, certains hôpitaux ont élaboré, en collaboration avec les CLSC, des manuels destinés aux professionnels et aux patients. La formation pour l'utilisation de pompes électroniques ou élastomériques est généralement offerte gratuitement par des compagnies privées. Certaines offrent aussi des manuels d'enseignement destinés aux infirmières et aux patients. Des défis en matière de formation ont été évoqués : le peu de temps disponible pour l'acquisition de nouvelles compétences ; les mouvements de personnel importants ; le changement technologique rapide ; et la diversité des appareils. Enfin, les infirmières doivent utiliser la technologie pour maximiser leur formation. Lorsque le nombre de patients pour qui la technologie est requise est restreint, les habiletés et connaissances apprises s'oublient.

Anxiété face aux technologies et au travail infirmier

Le propos des répondants sur l'anxiété face aux nouvelles technologies est empreint d'ambivalence. L'anxiété serait apparemment résolue rapidement et varie selon le type de technologie. L'oxygénothérapie suscite peu de craintes. L'alimentation parentérale et la dialyse péritonéale suscitent beaucoup de craintes reliées au fait que ce sont des technologies qui comportent plus de risques et pour lesquelles il faut acquérir une formation spécialisée. Pour l'antibiothérapie, les dispositifs électroniques suscitent plus d'anxiété que les autres. En général, la meilleure façon de réduire l'anxiété, selon eux, est la formation et la familiarisation pratique. Les infirmières constatent, à l'usage, que peu d'incidents surviennent. Plusieurs répondants développent des habitudes. Le stress inhérent au travail à domicile est, de son côté, plus difficile à résoudre. Les infirmières craignent de ne pas avoir un accès rapide à l'expertise d'autres professionnels en cas de besoin. Elles disent ne pas « savoir vers qui se tourner ». La complexité et la diversité des situations rencontrées à domicile requièrent des infirmières une capacité d'adaptation importante. Même si elles évaluent la situation afin de minimiser les risques, elles n'exercent qu'un contrôle partiel sur ces risques. Dans leur organisation du travail parfois complexe, elles doivent tenter de prévoir les urgences et savoir comment y répondre.

Coordination et collaboration avec les centres hospitaliers

Les centres hospitaliers collaborateurs

Selon la Figure 2, sur l'ensemble des répondants (n=94), près du quart des CLSC entretiennent des liens de collaboration avec un seul centre hospitalier, près de la moitié avec de deux à quatre centres hospitaliers et un peu plus du quart avec cinq centres hospitaliers et plus. Les personnes interviewées ont souligné que si, de façon générale, il est plus facile de négocier avec un seul centre hospitalier, lorsque les négociations échouent avec ce dernier, il en résulte un impact important sur le nombre de patients adressés. C'est d'ailleurs la situation vécue par cinq des CLSC qui ont affirmé avoir peu de références des centres hospitaliers de leur région. Par ailleurs, certains répondants de CLSC à proximité des grands centres urbains affirment avoir de meilleures relations avec les centres hospitaliers des grands centres, qui semblent habitués à envoyer des patients pour des suivis en CLSC, qu'avec l'hôpital de leur territoire. Le nombre d'interlocuteurs, l'éventail des techniques de soins qui seront prescrites et les variations que le personnel des hôpitaux constate entre les services qu'offrent différents CLSC sur leur territoire minent les communications. Règle générale, lorsqu'un CLSC doit

FIGURE 2   Répartition du nombre de centres hospitaliers
avec lesquels les CLSC collaborent

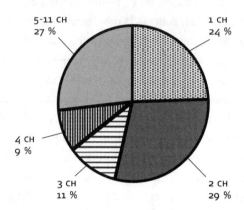

interagir avec plusieurs centres hospitaliers qui lui envoient des patients, il semble plus difficile de garantir la qualité des communications.

Selon les résultats d'entretiens, l'existence de comités CLSC-centre hospitalier et de tables de concertation est cruciale. Cependant, elle ne garantit pas les relations harmonieuses entre les établissements. Parmi les CLSC ayant une bonne relation avec les centres hospitaliers de leur région, les personnes interviewées insistent sur l'importance de contacter facilement les bons interlocuteurs au centre hospitalier. La formalisation des rencontres et des ententes est considérée nécessaire mais pas toujours suffisante.

Objet de discussion et d'ententes formelles

La Figure 3 présente les résultats jumelés de deux questions. La première barre représente le pourcentage de CLSC ayant discuté avec les centres hospitaliers de sept sujets précis. Les barres suivantes représentent la fréquence à laquelle les CLSC et les hôpitaux ont conclu des ententes formelles sur ses sujets. Selon la figure, les sept sujets ont fait l'objet de discussions pour la majorité des CLSC (79 % à 97 %). Les sujets les plus fréquemment discutés sont les formulaires de références et les critères d'admission aux soins à domicile tandis que le prêt d'équipement serait moins fréquemment discuté. La fréquence à laquelle des ententes formelles ont été conclues suit de près celle des sujets discutés.

FIGURE 3 Répartition du nombre de centres hospitaliers avec lesquels les CLSC collaborent

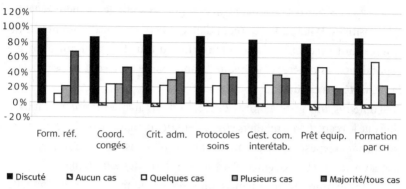

■ Discuté   ◨ Aucun cas   ☐ Quelques cas   ▨ Plusieurs cas   ■ Majorité/tous cas

Note: Les valeurs négatives représentent le pourcentage de répondants ayant indiqué «dans aucun cas».

TABLEAU 3 Relations avec les centres hospitaliers

QUALITÉ DES RELATIONS AVEC LES CENTRES HOSPITALIERS	Rép.	Aucun cas		Quelques cas		Plusieurs cas		Majorité/ tous cas	
	N	N	%	N	%	N	%	N	%
Les communications entre les infirmières des centres hospitaliers et les infirmières du CLSC sont excellentes.	96	1	1	3	3	23	24	69	72
Les demandes de références des centres hospitaliers pour des services à domicile respectent les critères d'admission établis par le CLSC.	96	0	0	3	3	32	33	61	64
Sur le plan des congés, les centres hospitaliers respectent les délais fixés par le CLSC.	94	2	2	18	19	42	45	32	34
Les informations fournies par les centres hospitaliers lors des références sont adéquates.	96	0	0	12	13	49	51	35	36
Le niveau de confiance des médecins des centres hospitaliers envers les services à domicile du CLSC est élevé.	94	0	0	16	17	44	47	34	36
Les centres hospitaliers et les clsc comprennent bien leurs contraintes respectives.	96	1	1	20	21	48	50	27	28

La qualité des relations avec les centres hospitaliers

Le Tableau 3 présente six éléments décrivant la qualité des relations entre les CLSC et les centres hospitaliers. Les réponses sont, de manière générale, très positives. Pour 72 % des répondants, les communications entre infirmières sont excellentes dans la majorité ou tous les cas. Pour 64 % des répondants, les critères d'admission établis par le CLSC sont respectés dans la majorité des cas ou dans tous les cas.

Toutefois, une forte majorité des répondants au questionnaire ont indiqué que les centres hospitaliers envoyaient des patients dans des conditions peu adéquates ; 65 % disent que ceci arrive à l'occasion, 26 % souvent, 5 % très souvent et 1 % extrêmement souvent. Lors des entretiens, les répondants ont mentionné que même si une telle pratique s'avère occasionnelle, elle demeure inacceptable. Certains CLSC « choisissent » de ne pas refuser de patients, d'autres optent pour négocier avec l'hôpital, et d'autres encore renvoient occasionnellement des patients à l'urgence.

Dans le cadre des entretiens, la plupart des tensions exprimées font référence à la méconnaissance des centres hospitaliers de la « réalité » des CLSC. Les professionnels ont insisté sur la spécificité des soins à domicile pour expliquer cette méconnaissance qui tourne parfois en incompréhension. Plusieurs professionnels ont aussi mentionné qu'il existe des tensions sur le plan des coûts, c'est-à-dire entre les ressources disponibles et celles qui doivent être mobilisées pour répondre à une demande. Par exemple, l'administration d'antibiothérapie par gravité exige un plus grand investissement de ressources de la part des CLSC. L'infirmière doit installer et enlever le dispositif, être présente le temps de l'infusion (jusqu'à 2 heures), ceci à chacune des doses (2 à 4/jour). Plusieurs infirmières ont mentionné des situations où le centre hospitalier insistait pour que l'antibiothérapie soit administrée par gravité, sans qu'elles ne comprennent cette insistance. De plus, l'antibiothérapie exige de la part des CLSC une réponse rapide à la demande de service. Le patient doit recevoir les doses de médicaments de façon régulière, tout de suite après avoir reçu la première dose à l'hôpital sous observation. Plusieurs CLSC assurent une visite à domicile la journée même. D'autres demandent un délai variant entre 24 et 48 heures afin d'être en mesure d'organiser les services.

Agent de liaison

Selon un gestionnaire, « la liaison est la pierre angulaire du virage ambulatoire ». En général, la liaison entre les centres hospitaliers et les CLSC s'effectue entre la personne travaillant à l'accueil et une infirmière du centre hospitalier. Dans plusieurs cas, mais pas pour l'ensemble des établissements ou des services, l'infirmière du centre hospitalier occupe des fonctions d'agent de liaison. Ses tâches sont d'évaluer la capacité du patient à retourner à domicile, d'identifier les besoins, d'organiser les congés, de transmettre les demandes à l'accueil du CLSC et dans certains cas d'assurer un certain suivi des patients. Pour l'ensemble de ces CLSC, la présence d'agents de liaison capables de connaître à la fois le milieu hospitalier et celui des services à domicile favorise la compréhension des contraintes de chacun, une meilleure collaboration et l'établissement d'une relation de confiance entre les établissements. Les professionnels interviewés mentionnent, dans 14 CLSC sur 20, les défis de liaison soit comme objet de discussion lors des comités interétablissement ou comme problème éprouvé. Ces difficultés touchent les références expéditives de patients, les demandes qui ne correspondent pas aux critères d'admissibilité du CLSC, des conditions de retour au domicile non adéquates et la transmission d'informations incomplètes. Tous les CLSC ayant une intégration très forte des technologies et un seul ayant une intégration faible ont créé des postes d'agents de liaison qui se déplacent au centre hospitalier. Ces agents effectuent non seulement la plupart des tâches d'un agent de liaison régulier, mais identifient également des situations où le CLSC pourrait offrir des services et collaborer à l'élaboration d'ententes entre les établissements.

DISCUSSION

Retour sur les éléments de problématique

Trois éléments de problématique ont été proposés au début de ce chapitre. Premièrement, nous avons suggéré d'examiner de plus près la forme et le fonctionnement des technologies en les considérant comme le résultat d'un compromis sociotechnique selon lequel des tâches sont distribuées à l'intérieur d'un réseau d'acteurs et de techniques (Callon, 1986 ; Akrich, 1992).

Selon notre étude, la distribution des responsabilités entre les centres hospitaliers et les CLSC diffère selon le type de technologie. Dans le cas de l'antibiothérapie IV, qui concerne un grand nombre de patients et qui est plus directement associée au virage ambulatoire, le choix du dispositif d'administration demeure crucial puisqu'il a un impact direct sur la capacité du CLSC à déployer les ressources nécessaires pour absorber les patients qui lui sont adressés. L'oxygénothérapie, dont le transfert au niveau régional a fait l'objet d'une décision provinciale en 1998, a été l'objet d'ententes plus claires entre des centres hospitaliers et des CLSC. Toutefois, la présence d'inhalothérapeutes demeure inégale d'un CLSC à l'autre, ce qui limite leur capacité à assurer un suivi technique. Pour la dialyse péritonéale et l'alimentation parentérale, on note une certaine réticence de la part des responsables d'unités spécialisées à adresser des patients aux CLSC. Ce sont les technologies pour lesquelles l'argument de la compétence est le plus souvent évoqué. Toutefois, plusieurs CLSC ont joué un rôle proactif en identifiant les besoins des patients et en démontrant leur capacité à prendre en charge une part des soins afin de suppléer, temporairement ou à long terme, aux proches. En somme, les quatre technologies étudiées présentent des opportunités et des contraintes différentes en termes de développement de réseaux sociotechniques. On peut considérer que l'appropriation des savoir-faire et des technologies au sein de ces réseaux détermine en grande partie le rôle qui sera dévolu aux CLSC.

Deuxièmement, nous avons souligné le rôle stratégique que peut jouer la maîtrise des technologies dans la préservation d'un créneau professionnel. Selon les entretiens, une faible utilisation des technologies peut découler directement du centre hospitalier. Par exemple, la décision d'organiser le suivi des patients sous antibiothérapie IV à la clinique ambulatoire du centre hospitalier. Il s'agit donc d'une stratégie de rétention des technologies qui peut s'expliquer par un manque de confiance dans la qualité perçue des services offerts par le CLSC ou par une volonté de réduire les durées de séjour tout en déployant des ressources plus légères pour effectuer le suivi en ambulatoire, à partir de l'hôpital. En fait, l'utilisation de l'antibiothérapie IV est affectée de façon particulière par les facteurs interorganisationnels et par les incitatifs budgétaires. Rappelons qu'au moment d'écrire ces lignes les hôpitaux et les CLSC administrent leurs budgets respectifs indépendamment, même si dans de nombreux cas les fusions en cours devraient modifier cet aspect. Selon nos entretiens, les cinq CLSC ayant le plus fort niveau d'intégration de l'antibiothérapie IV ont développé des moyens spécifiques permettant de favoriser la communication et de soutenir le processus de liaison. La majorité (quatre sur cinq) a engagé un agent de liaison qui se déplace à l'hôpital, deux d'entre eux sont informés dès l'hospitalisation d'un de leurs patients de manière à planifier les services qui seront nécessaires au moment de son congé, et la majorité (quatre sur cinq) a mentionné « se parler beaucoup ». Ici, l'hôpital et le CLSC acceptent donc de partager certains coûts associés à la coordination, mais le CLSC doit, à même son budget, déployer les ressources nécessaires aux soins à domicile. Parmi les quinze autres CLSC, les répondants de neuf CLSC affirment avoir des problèmes de communication et de liaison avec les centres hospitaliers et ceux de six CLSC disent que l'hôpital régional ne leur adresse que peu ou pas de patients. Il s'agit donc de situations où l'hôpital semble choisir de déployer un minimum de ressources sur le plan de la coordination, quitte à devoir offrir lui-même le suivi en ambulatoire.

Troisièmement, nous avons évoqué que la maîtrise des technologies passe par un apprentissage pratique au cours duquel le personnel soignant doit pouvoir appliquer et tester des savoir-faire nouveaux. Dans le cas de l'adoption des technologies des soins à domicile par les CLSC, le niveau d'exposition du personnel soignant peut demeurer faible. Sur les cinq CLSC ayant intégré l'ensemble des technologies et les cinq ayant la plus forte intégration de l'antibiothérapie, la plupart (quatre sur cinq) reçoivent la majorité de leurs patients d'un ou deux centres hospitaliers. La plupart des gestionnaires indiquent qu'il faut viser un nombre minimum de patients afin d'assurer le maintien de l'expertise des infirmières. Il n'est pas évident de déterminer le seuil à partir duquel un nombre de patients serait jugé trop faible pour qu'il soit approprié de demander au personnel des CLSC de leur offrir des soins. Serait-il préférable de concentrer certains services dans un nombre déterminé de CLSC afin d'y conserver une masse critique d'infirmières formées à cette fin ? Si une telle solution semble envisageable en région urbaine où le nombre de CLSC est élevé, il est moins clair qu'elle serait praticable en région éloignée. En fait, plus on réduirait le nombre de CLSC qui offriraient des services spécialisés, plus l'accessibilité aux soins en serait affectée. Le nombre de patients a également un impact sur les moyens techniques qui seront déployés. Un gestionnaire envisageait l'achat ou la location de pompes afin : 1) de favoriser l'homogénéité des modèles de pompes ; 2) d'éviter de constamment (re)former les infirmières à leur usage ; et 3) d'acquérir un pouvoir de négociation vis-à-vis des hôpitaux qui favorisent l'administration des antibiotiques par gravité.

Nivellement de la spécificité du clsc?

Notre hypothèse de travail était que l'accroissement de la complexité des soins infirmiers à domicile par l'usage des technologies faisait reposer le potentiel de collaboration clsc-hôpital sur une évaluation plus ou moins tacite des compétences du personnel soignant du clsc. L'enjeu principal étant la maîtrise des savoir-faire relatifs aux technologies. Ceci entraînerait un certain nivellement de la spécificité organisationnelle des clsc – abandon d'une démarche communautaire, holistique et préventive au profit d'une prestation accrue de services curatifs à court terme – tout en permettant à l'hôpital une forme « d'action à distance ».

Historiquement, le mandat des clsc s'est toujours matérialisé selon une démarche communautaire qui, d'une part, met l'accent sur l'éducation aux patients, la prévention et le maintien dans la communauté et, d'autre part, vise à répondre aux besoins particuliers (souvent chroniques) de la population locale. Or, le « virage ambulatoire » vient effectivement redéfinir ce mandat en exigeant la prestation de soins aigus, curatifs et spécialisés en continuité avec les services hospitaliers. Les technologies viennent donc modifier à la fois la nature du travail infirmier, le type de clientèle et le contexte interorganisationnel dans lequel les soins sont fournis. Notre enquête révèle par ailleurs que les ententes entre hôpitaux et clsc concernent surtout la gestion des trajectoires de patients (formulaires de références, coordination des congés, critères d'admission aux soins à domicile) et relativement peu le « contenu » des soins (formation, prêt d'équipement, protocoles de soins). Les clsc auraient donc réussi à s'entendre avec les hôpitaux sur la manière dont les patients leur seraient adressés mais pas beaucoup sur la manière dont les patients devraient être pris en charge. Or, il est probable qu'une meilleure intégration des soins (continuité) exige que les discussions et les interactions entre clsc et hôpitaux aillent plus en profondeur et abordent la nature des soins offerts. En somme, si nous avons obtenu plusieurs informations indiquant un certain nivellement des spécificités du clsc, nos résultats ne permettent pas de confirmer que par le biais du transfert des technologies vers le CLSC, l'hôpital tente systématiquement de maintenir une autorité dans ce secteur. Toutefois, certains hôpitaux y maintiennent clairement un rôle important en refusant d'envoyer ailleurs leurs patients et en développant leurs propres programmes de soins à domicile.

CONCLUSION

Depuis le milieu des années 1980, les soins à domicile ont représenté une composante majeure des politiques de santé des pays industrialisés. Pour plusieurs, ce type de soins permet de contribuer à une plus grande maîtrise des dépenses de santé en se substituant aux services hospitaliers. De plus, il est souvent estimé que ces technologies simplifient ou facilitent la prise en charge des patients dans un milieu non institutionnel. Dans ce chapitre, nous avons tenté de réfléchir sur les enjeux que posent les technologies destinées à un usage à domicile dans les relations de collaboration entre les hôpitaux et les CLSC et dans le partage des connaissances et du développement des compétences du personnel soignant. Il est clair que les centres hospitaliers exercent un pouvoir important sur le transfert des technologies vers les CLSC.

Globalement, nos résultats suggèrent que le transfert de ces technologies vers le domicile, par l'intermédiaire du CLSC, se heurte à des difficultés organisationnelles de taille. L'usage de plusieurs de ces technologies nécessite une compétence clinique spécialisée qui, si elle peut certes être enseignée aux infirmières de CLSC, exige que soit maintenu un niveau élevé d'activité afin de mettre en pratique, préserver et rehausser cette compétence. Or, ce niveau d'activité dépend, d'une part, du nombre de patients résidant sur le territoire du CLSC et nécessitant de tels services et, d'autre part, du nombre de patients que les centres hospitaliers acceptent d'adresser aux CLSC. Selon les expériences examinées dans notre étude, les centres hospitaliers choisissent plus volontiers d'envoyer ailleurs des patients dans le cas de l'antibiothérapie – puisque cette pratique permet de raccourcir des durées de séjour – et dans le cas de l'alimentation parentérale et de la dialyse péritonéale lorsque le patient en question réside dans un endroit éloigné. Autrement dit, les incitatifs pour que des soins à domicile spécialisés soient transférés des hôpitaux vers les CLSC demeurent peu nombreux et fonctionnent dans des situations assez circonscrites. Notre étude suggère que l'usage des technologies repose, pour le moment, sur un leadership régional parfois précaire en matière de coordination et de partage d'expertise entre CLSC et hôpitaux. En fait, il plane une certaine contradiction autour de la volonté politique récente de recourir aux CLSC pour offrir des soins impliquant des technologies dont le niveau de complexité renvoie, bien souvent, à des soins de deuxième et troisième ligne.

ANTIBIOTHÉRAPIE IV

L'antibiothérapie a un impact direct sur les pratiques hospitalières car elle se substitue à des soins aigus s'y déroulant normalement. Son usage en CLSC est directement associé au virage ambulatoire. Les dispositifs d'infusion intraveineuse permettent aux solutions antibiotiques de s'écouler dans le système sanguin à travers une veine. Le traitement est utilisé pour traiter ou contrôler plusieurs types d'infection. Dans la plupart des cas, il s'agit d'infections aiguës et curables. Il existe cependant un nombre non négligeable de patients qui souffrent d'infections chroniques, par exemple, les infections opportunistes liées au sida.

Il existe trois grandes catégories de modalités d'administration: 1) les dispositifs par gravité; 2) les pompes programmables; et 3) les dispositifs mécaniques (dispositif élastomérique, seringue, pousse-seringue). Pour l'administration par gravité, la préparation est placée sur une tige à soluté plus haut que le site d'infusion. Au cours des dernières décennies, différents dispositifs ont été mis au point afin d'éliminer l'usage de la tige à soluté, de faciliter ainsi la mobilité du patient et de rendre plus discret le dispositif d'infusion. Il s'agit des pompes programmables dont les dimensions et le poids sont réduits et des pompes mécaniques. À l'intérieur de ces trois catégories, plusieurs marques et modèles de dispositifs et de cathéters sont utilisés au Québec.

OXYGÉNOTHÉRAPIE

L'oxygénothérapie permet d'augmenter le niveau d'oxygène inspiré. Elle est prescrite dans les cas d'insuffisance respiratoire chronique ou de maladies pulmonaires obstructives chroniques (MPOC). Les MPOC sont considérées comme des maladies dégénératives. L'oxygénothérapie est susceptible de prolonger la vie de certains patients, d'améliorer la qualité de vie en réduisant les symptômes liés à l'hypoxémie, de réduire les symptômes et, dans certains cas, d'empêcher le développement de l'insuffisance cardiaque.

L'oxygénothérapie requiert très peu de manipulations et un minimum de précautions. L'accès au corps étant réalisé par l'inspiration d'oxygène via les voies respiratoires, l'intervention comporte moins de risques qu'un accès veineux ou péritonéal. Il existe trois types d'appareils permettant d'acheminer de l'oxygène selon un débit prédéterminé: 1) les concentrateurs d'oxygène; 2) les cylindres d'oxygène comprimé; et 3) les cylindres portatifs d'oxygène liquide. L'oxygène est acheminé du concentrateur ou du cylindre par une tubulure au travers de courtes sondes nasales. Les tubulures (6 à 16 m) permettent au patient de se déplacer dans son domicile. Les cylindres d'oxygène comprimé sont relativement lourds. Ils sont déplacés à l'aide d'un support à roulettes et ils servent surtout en cas de panne électrique. Les cylindres portatifs ont des périodes d'autonomie variables (3 à 4 heures).

ALIMENTATION PARENTÉRALE

L'alimentation parentérale est plus souvent qu'autrement du domaine des soins chroniques ou palliatifs. L'alimentation parentérale est une technologie qui tend à réduire l'utilisation des lits de soins de longue durée et l'occurrence des séjours en soins aigus (prévention des hospitalisations). L'alimentation parentérale permet de restaurer ou maintenir le statut nutritionnel chez des patients qui ne peuvent tolérer une alimentation entérale, ceci par l'infusion d'une solution nutritive par voie intraveineuse. Elle est utilisée pour prévenir ou traiter la malnutrition liée à des insuffisances intestinales, à une occlusion des intestins (complète ou partielle) ou à d'autres problèmes de santé qui provoquent des besoins caloriques extrêmement élevés (cancer, sida).

Tous les soins requis par la présence d'un cathéter IV central sont similaires à ceux requis par l'antibiothérapie. Cependant, l'alimentation parentérale repose sur des étapes complexes et elle exige que soit préservé l'accès veineux le plus longtemps possible (certains patients vivent plus de 20 ans avec la technologie). Les dispositifs par gravité s'utilisent en situation de dépannage ou pour l'administration d'une partie de l'alimentation. L'administration de l'alimentation parentérale est le plus souvent réalisée à l'aide de pompes électroniques, portatives ou sur pied. Comme deux types de solutions sont administrés – une préparation de base et une émulsion de lipides –, plusieurs patients utilisent une pompe à deux canaux (pompe double).

DIALYSE PÉRITONÉALE

Comme l'hémodialyse, la dialyse péritonéale permet de réduire la quantité d'urée contenue dans le sang chez les patients atteints d'insuffisance rénale chronique. Effectuée à domicile, la dialyse peut réduire les durées de séjour en soins aigus (prévention des hospitalisations) ou l'utilisation de lits de longue durée. La technique consiste à remplir la cavité péritonéale d'un liquide physiologique (dialysat) afin de permettre, par diffusion et convexion à travers le péritoine, la récupération de l'urée contenue dans le sang. Le dialysat contenant les déchets est ensuite drainé par gravité et immédiatement remplacé par une solution propre. La dialyse péritonéale nécessite l'implantation d'un cathéter péritonéal par lequel le dialysat contenu dans un sac de plastique est entraîné à l'intérieur puis à l'extérieur de la cavité péritonéale.

Il existe deux types de dialyse péritonéale à domicile. La dialyse péritonéale continue (DPC) (ou dialyse manuelle) est réalisée en accrochant un sac contenant la solution neuve sur une tige à soluté et en déposant sur le sol le sac qui reçoit la solution utilisée. La dialyse péritonéale cyclique continue (DPCC) requiert l'utilisation d'un régulateur automatisé des cycles (cycleur) qui effectue plusieurs transferts de dialysat pendant le sommeil du patient. Le dialysat du dernier échange demeure dans l'abdomen durant la journée et les transferts débutent pendant la soirée.

Conclusion

Annick Valette, Jean-Louis Denis

LE PILOTAGE À GRANDE ÉCHELLE DES PROCESSUS DE RESTRUCTURATION

Dans les deux sociétés étudiées, les restructurations hospitalières apparaissent comme la réponse permettant de réconcilier, d'une part, les forces expansionnistes résultant de la conjonction du développement des techniques et du vieillissement de la population qui se conjuguent pour étendre le domaine d'intervention de la médecine et, d'autre part, les pressions que la mondialisation de l'économie et des marchés financiers exerce sur les finances publiques, et par le fait même sur les dépenses publiques de santé. Les restructurations sont vues comme la manifestation d'un projet de rationalisation permettant au système de soins, et en particulier aux hôpitaux, de rendre leurs services de façon plus efficiente. Elles manifestent la volonté des pouvoirs publics d'exercer un plus grand contrôle sur le système de soins et elles reposent sur l'idée qu'il est possible de piloter à distance de façon délibéré des changements de grande envergure.

Au-delà des nécessités médicales, techniques et économiques portées par les gestionnaires publics de faire évoluer les structures formelles des hôpitaux et de « rationaliser » l'offre de soins, se cachent des enjeux politiques importants. Transformer les structures de l'offre de soins est un vecteur de transformation de l'offre et d'optimisation dans l'utilisation des ressources. La réflexion, sur le « coût » de ces transformations en termes économiques et surtout politiques, n'est pas posée d'emblée. La volonté politique de restructurer l'offre de soins a évolué dans les deux sociétés au cours des quinze dernières années.

En France, l'objectif de restructuration hospitalière cède le pas, à la fin des années 1990, à la suite de difficultés politiques de mise en œuvre, à un objectif de recomposition de l'offre qui suppose une action moins volontariste sur les structures formelles. Mais aujourd'hui, les pressions pour une réforme en profondeur du système de soins par les pouvoirs publics réapparaissent.

Au Québec, les restructurations des années 1990, produits du « virage ambulatoire » puis conséquences subies et acceptées d'un objectif de réduction des dépenses publiques de santé, cèdent le pas à des restructurations d'abord orientées par des ajouts de ressources nouvelles, puis actuellement par des lois créant des réseaux pour les services de proximité et d'autres pour les services spécialisés (Loi 25, RUIS...).

Comme c'est en général le cas en gestion publique, ces évolutions sont plus le produit d'une nécessaire recherche de légitimité que la conséquence d'une pratique systématique de planification et d'évaluation de la politique mise en œuvre.

L'action sur les structures formelles ne résume pas l'ensemble des transformations recherchées ni celles qui sont en cours. Les années 1990 sont caractérisées par une volonté de mieux prendre en compte, dans les décisions, les relations d'échanges, même informelles, qui existent entre les établissements et entre les professionnels. Les établissements, comme les tutelles régionales, ont acquis au cours de la décennie une carte de ces relations, qu'elles soient coopératives ou concurrentielles, qui facilite la formulation de la politique de restructuration. Notons que cet accroissement de la connaissance des échanges entre les établissements n'a pas de prolongement dans les connaissances des échanges intra-établissements et en particulier des réseaux informels d'échange entre les professionnels. La « structuration profonde » des établissements reste une boîte noire pour les gestionnaires publics et se révèle dans les difficultés de mise en œuvre de changements dans les structures formelles.

Dans les deux sociétés, les politiques de restructuration sont justifiées par le diagnostic que le système de prise en charge n'est pas assez coordonné et par des discours sur la nécessité d'accroître la coopération entre les offreurs. Les restructurations sont conçues comme des interventions nécessaires pour améliorer la coopération permettant ainsi d'assurer la continuité et l'équité géographique des soins. Si la notion de coopération est mise en avant, c'est parce qu'elle met en accord le processus de restructuration avec les valeurs des professionnels et des usagers et le rend ainsi acceptable. Pour transformer des organisations pluralistes, comme les hôpitaux, où chaque professionnel maîtrise potentiellement un segment de la décision, il est, en effet, nécessaire que le projet de changement ait une très large légitimité. En France, la recherche de coopération est complétée par la notion de sécurité de la prise en charge, ce qui est moins le cas dans les discours québécois. Notons que la recherche d'une taille critique pour améliorer l'efficacité clinique est présente dans les deux sociétés de même que des interrogations grandissantes sur la disponibilité des ressources requises pour satisfaire la demande de soins.

Les deux sociétés ont affiché une volonté de déconcentrer le dispositif de régulation et de rapprocher les centres de décision des lieux d'action même si l'échelle en est fort différente. Cette déconcentration s'est accompagnée d'une polyvalence des instances régionales de décision et de gestion dans le champ sanitaire et social, d'une spécialisation dans le domaine de l'hospitalisation en France. Ces nouvelles organisations sont instables. Dans les deux sociétés, certaines décisions sont ponctuellement prises de manière centralisée. On réfléchit en France à une plus grande polyvalence et réorganisation de la décentralisation. On peut faire l'hypothèse que ce qui importe, c'est le mouvement, l'évolution des processus de décision. Des systèmes, plus souples, feront dans les années à venir des allers-retours et connaîtront des réaménagements entre déconcentration et concentration, spécialisation et polyvalence, stabilité et innovation. L'objectif est la recherche d'un contrôle, d'un pilotage plus « efficace » sur l'offre.

Les restructurations ne relèvent pas de la seule politique de santé. La politique technologique tient une place comparable dans les deux sociétés. Nous avons par ailleurs souligné l'importance de la politique budgétaire au Québec. Nous pourrions compléter par la politique d'aménagement du territoire et de l'emploi plus présente dans les discours en France qu'au Québec.

Les moyens d'action de la politique publique sont les ressources, essentiellement budgétaires, l'action sur les représentations, la participation des différents acteurs aux décisions et la reconfiguration de l'autorité régionale par la personnification de son dirigeant. Un déficit est reconnu dans les deux sociétés : la connaissance et l'action sur et par les compétences humaines, en particulier médicales.

Les statuts et mode de gestion des directeurs d'hôpital ont été plutôt stables sur la période alors même qu'ils représentent un vecteur clé de mise en œuvre de la politique publique. La transmission se fait en France principalement par internalisation de la part des directeurs des objectifs de politique publique et ce, indépendamment des conséquences sur leur rémunération ou promotion. Elle se fait au Québec par réponse aux mécanismes d'incitations/sanctions mises en place par la puissance publique. Il n'est pas certain qu'un pilotage plus volontariste ne fasse à court terme des directeurs d'hôpital des « agents plus fidèles » aux gestionnaires publics. On peut en effet s'étonner de l'entrepreneurship des directeurs français dans un système où leur action est difficile à valoriser. On peut craindre qu'à moyen terme cet esprit d'entreprise s'épuise...

Il est difficile de comparer le rôle des médecins dans le pilotage des restructurations. Localement, les médecins, membres de la constellation de leadership collectif sont des acteurs incontournables du processus de restructuration. En France, leur rôle ne va pas jusqu'au pilotage du processus, alors qu'à Montréal des médecins ont pris la direction des deux CHU en cours de fusion à la suite de dirigeants managers. À plus grande échelle, on les retrouve dans les deux sociétés, membres des instances régionales de régulation, participant aux processus de concertation mais en même temps contestataires d'une politique vécue comme étant avant tout administrative et financière, et peu sensible à la réalité clinique. Dernièrement, les médecins ont revendiqué au Québec un rôle plus actif dans la gouverne du système en même temps qu'était dénoncée par certains l'aliénation d'une partie d'entre eux aux projets de réforme. Un comité de médecins a été formé pour proposer des stratégies d'amélioration du système de soins.

LES RESTRUCTURATIONS : UN EXERCICE
DE PILOTAGE MULTIPLE ET DIVERSIFIÉ

Le contexte français est complexe. En cela, qu'à la fois, il inhibe les initiatives des établissements ou des tutelles régionales et freine le changement. Dans le même temps, il protège les structures existantes des politiques de « *stop and go* » menées par les gouvernements. Le contexte québécois, plus simple, a au contraire été au cours des années 1990 un accélérateur des changements locaux en réussissant à opérer un alignement des objectifs des différents acteurs autour de la protection de la souveraineté nationale, de la réduction de la dette, de la maîtrise des dépenses hospitalières et de la baisse de l'importance de la place qu'occupe l'hospitalisation dans la prise en charge des malades.

Les tutelles n'ont pas joué le même rôle auprès des établissements. En France, les instances de tutelle agissent comme des « animateurs opportunistes », se traduisant par une accommodation aux changements émergeants, la poursuite d'objectifs plus complexes, des incitations plus faibles. Au Québec, elles agissent comme des « animateurs coercitifs ». Utilisant des incitations fortes au service d'objectifs clairs. Il s'agit là bien entendu d'une caractérisation à grands traits, l'opportunisme et la coercition pouvant être retrouvés dans les deux politiques. Elle renvoie à une pondération différente de la place laissée aux restructurations émergeantes et contraintes. Les résultats en termes de trajectoire des restructurations nous semble différer : le Québec est allé plus vite et plus loin.

Le personnel paramédical est absent des textes de recherche sur les processus de restructuration. Quand il en est fait mention, il n'apparaît pas comme un groupe à part mais compris dans le groupe global des professionnels, c'est-à-dire dans le monde de la clinique par opposition à l'administration et le monde de la gestion. Il réapparaît « en creux » en France comme au Québec sous la forme de « compétences manquantes » qui peuvent alors jouer un rôle dans les projets de restructuration, soit en les incitant, soit en les limitant. Au Québec, la perte de compétence est vue pour une part comme une résultante de processus de restructuration trop rapides qui se sont traduits par des plans de départ en retraite anticipée et une amplification des problèmes d'organisation du travail.

Le rôle du médecin est peu sensible à la société dans laquelle il exerce. En revanche, l'analyse croisée permet de mettre en exergue différentes grilles de lecture possibles du couplage entre les restructurations formelles et la structuration de la pratique clinique. 1) Le médecin peut être vu comme intégré dans une communauté de pratiques négociées qui définit une structure d'échange en soit, parfois différente de la structure formelle. Restructurer, c'est alors modifier les frontières formelles ainsi que détruire et reconstruire des ordres négociés dans les communautés de pratiques. Il existe donc un continuum, selon la nature des communautés de pratiques, entre, d'une part, une évolution conjointe des deux structurations et, d'autre part, des communautés de pratiques dotées d'une immunité face aux transformations formelles. 2) Le médecin peut être vu comme un acteur réseau, ou doté d'intérêts ou logiques multiples. Ceci est mis en exergue dans les restructurations privées françaises. Le médecin trouve un intérêt dans les transformations des structures formelles et peut même les provoquer pour accomplir ses projets. La structure en transformation, si elle cherche nécessairement à satisfaire plus pleinement un des projets et exige donc des arbitrages, doit rester compatible avec le projet clinique. 3) La troisième grille, plus classique, met l'accent sur une activité structurée par les communautés professionnelles, fondées sur la construction de l'identité et du métier qui échappent aux frontières des communautés de pratiques comme à celles de l'organisation établissement. Les restructurations, qu'elles soient elles-mêmes conduites par des logiques d'établissement ou qu'elles répondent à des logiques gestionnaires plus globales, viennent heurter l'identité professionnelle. Le processus de restructuration, pour être possible, devra alors nécessairement négocier avec la profession.

Dans les deux sociétés, le développement des connaissances et des techniques (cliniques, informationnelles, administratives) joue globalement un rôle essentiel dans la transformation de l'hôpital. Il s'agit sans aucun doute de la force la plus active dans la recomposition des rôles des différents professionnels et dans les transformations du rôle et des fonctions de l'hôpital. Mais chaque technologie n'est pas forcément, en soit, un facteur de restructuration. La « solution technologique », pour être adoptée et entraîner des changements, doit trouver un problème à résoudre et mobiliser des acteurs qui y découvrent un intérêt et du sens. Le cas de la télémédecine et plus spécifiquement du télédiagnostic est à cet égard révélateur. On observe, en France, qu'il n'y a pas de « risque professionnel » à court terme à ne pas l'utiliser car elle ne transforme pas radicalement la prise en charge de l'usager. Le Québec, plus avancé que la France dans les expériences d'implantation, montre que même si ces conditions sont réunies (du fait de l'étendue du territoire), elles ne suffisent pas. L'implantation est soumise à une transformation antérieure ou concomitante de certains éléments de la structure formelle et des relations d'échange (nature de l'information qui circule, partage des connaissances, renversement des relations de confiance entre les médecins experts et les médecins traitants, répartition des responsabilités...). La télé-expertise est particulièrement exigeante en restructuration des relations d'échange. Son effet d'entraînement sur l'organisation est alors faible car celle-ci résiste fort. Elle pourra être en revanche un facteur de consolidation de la réorganisation qui la précède. On peut faire l'hypothèse que des technologies *a priori* moins exigeantes, par exemple ne touchant pas aux relations interpersonnelles, auront au bout du compte une capacité d'entraînement sur les structures formelles plus importantes.

Bien que les statuts des dirigeants diffèrent, l'accent est mis ici sur les invariants. S'ils sont bien des relais de la politique publique par le conseil d'administration (Québec) ou par une certaine culture du service public (France), c'est un lien « lâche ». Le leadership dans la conduite des restructurations est collectif. Le dirigeant est alors un acteur de la constellation parmi d'autres qui n'occupe pas toujours et tout le temps la place de premier plan. Les travaux québécois ont en particulier montré que parfois la poursuite du déroulement du processus passe par la sortie du dirigeant de la constellation d'acteurs exerçant le leadership. Par ailleurs, le dirigeant est aux prises avec la gestion de paradoxes qui freine son action. L'exemple français, à cause du contexte institutionnel plus complexe, met en exergue les paradoxes induits par les caractéristiques professionnelle et publique des hôpitaux qui en font des nœuds d'objectifs, d'agendas, de temporalités, exacerbés en situation de restructuration. L'exemple québécois, parce que le changement est plus rapide, pose le problème de la gestion d'une organisation en transition conduisant à gérer, dans un même temps et parfois de manière contradictoire, l'organisation actuelle et l'organisation future. Il semble que la question de la double référence, dirigeant public qui met en œuvre une politique publique et dirigeant d'un établissement soumis à des intérêts spécifiques, soit moins source de tensions au Québec qu'en France. Peut-être que, pendant une période au moins, la nécessité de réduire les budgets était perçue à la fois comme répondant à un principe de bonne gestion de l'établissement (en réponse à des incitations fortes de la tutelle relayée par les C.A.) et de bonne gestion publique (permettant de garantir l'indépendance économique de la province).

LES RESTRUCTURATIONS : UN INSTRUMENT DE GESTION DU CHANGEMENT

Les restructurations étudiées, en France et au Québec, sont de deux grands types. Le premier est constitué par toutes les restructurations qui visent principalement des gains d'efficience sans que les pratiques des acteurs (structure des relations) subissent de transformations qualitatives importantes. En d'autre mots, il s'agit de faire mieux et souvent en plus grand ce que l'on a toujours fait. Ces restructurations s'inscrivent dans la trajectoire d'évolution du système de soins, elles consistent souvent à mettre à profit les développements techniques pour accroître l'efficience.

Le deuxième type de restructuration est beaucoup plus ambitieux; il a comme objet une transformation radicale de la structure d'échanges et une reconfiguration des frontières et des rôles des organisations. Son but est de contribuer à offrir des services différents de manière différente. Il affecte simultanément la structure formelle et la structure des échanges.

Dans les faits, nous observons qu'il n'y a pas vraiment d'opposition entre ces deux grands types de changement. Ils se côtoient et interagissent en permanence, poussés par des forces externes très structurantes comme le développement des techniques et des connaissances. Nous avons privilégié l'entrée dans les restructurations par le biais de leur pilotage.

Étant donné, d'une part, qu'il existe des évolutions technologiques, démographiques, économiques, sanitaires qui exigent des changements dans la manière dont sont offerts les soins et que les gestionnaires publics ont pour mandat de gérer ce changement, étant donné, d'autre part, qu'il existe une dynamique propre aux établissements de soins, qui font que les processus de transformations ne se résument pas à la seule adaptation aux besoins de l'environnement, est-il raisonnable de penser qu'il peut y avoir un pilotage raisonné du changement ou un changement délibéré des organisations de santé ? Nous écartons ici l'idée selon laquelle les gestionnaires publiques ont eux-mêmes leurs propres rationalités qui les conduisent à prendre des décisions dont le bien-fondé du point de vue de l'intérêt collectif peut être remis en cause.

Dans cette perspective, la restructuration n'est plus considérée comme la résultante d'une politique, d'une évolution des besoins ou d'une dynamique organisationnelle mais comme un input d'une politique de gestion du changement. La conduite de restructurations apparaît ici comme un instrument parmi d'autres aux mains du gestionnaire public. S'il convient de s'interroger sur ce que « produit » cet instrument comme le font les approches évaluatives, il convient aussi de regarder comment le gestionnaire peut l'utiliser, le mettre en œuvre.

Décrire la restructuration comme un levier de changement, c'est la replacer dans une panoplie d'instruments aux mains du gestionnaire public. Les quatre principaux leviers qui sont aujourd'hui disponibles pour participer à la transformation de l'offre de soins sont, comme dans toute transformation qui vise à changer les pratiques des acteurs, l'incitation, l'autorité, l'influence et l'engagement moral (Parson, 1951 ; Rocher, 2001). Le premier, **l'incitation**, repose sur les mécanismes d'encouragements et de sanctions financières pour orienter les comportements et produire un changement. L'affectation des ressources en fonction de la performance, la mise en concurrence et le *benchmarking* en sont les principales applications. Le deuxième, **le pouvoir**, se manifeste par la mise en œuvre d'une autorité obligeant ou interdisant aux acteurs de se conduire de telle ou telle façon. La formulation et l'application de lois, de règlements, de codes de conduite sont l'expression du recours au pouvoir. Le troisième levier, **l'influence**, est celui qui est à l'œuvre au moment de l'utilisation de l'information, de la formation, du développement d'« *evidence-based policy* » ou de management par la connaissance. Sanderson (2002) montre à juste titre qu'il y a de fait deux types de pratiques, celles qui vont chercher à faire respecter des normes « raisonnées » construites *a priori*, celles qui vont utiliser l'évaluation *a posteriori* ou chemin faisant pour mettre les organisations en mouvement et développer le cas échéant leur capacité d'apprentissage. Le développement de la gestion par la qualité, les pratiques d'accréditation ou l'introduction des démarches d'évaluation en continue en sont des exemples. Le quatrième levier, **l'engagement normatif**, mise sur le respect des normes. Il agit sur les comportements par la modification des représentations et par l'évolution des valeurs partagées.

Le changement des structures dans une organisation modifie simultanément les frontières de l'action collective des acteurs et la structure des échanges, autrement dit les pratiques des différents acteurs. La compréhension des enjeux et des exigences du pilotage de ce type de restructuration est loin d'être complète.

POUR ALLER PLUS LOIN

Il est possible de construire une représentation des dimensions critiques des processus de restructuration approchées par leur pilotage. Elles peuvent alors être vues, d'un point de vue normatif, comme des points d'attention obligés pour un gestionnaire ou permettre, dans une approche descriptive, de rendre compte des différents types de pilotage à l'œuvre. Inspirées de Wenger (1998) et Chanal (2000) dans leur réflexion sur le design des organisations apprenantes, chacune de ces dimensions est une dualité, c'est-à-dire constituée de deux pôles, paradoxaux mais devant tous deux être considérés dans la recherche d'une meilleure compréhension des processus de restructuration. Ces dimensions sont les suivantes : idée/nécessité, local/global, émergeant/dirigé, relations/objet, radical/incrémental, identification/négociation. Elles nous permettent de formuler autrement et d'élargir la typologie frontières formelles/relations d'échange choisie de manière pragmatique en introduction.

Idée/nécessité

Les structures des organisations ainsi que les relations entre acteurs se transforment parce que l'on n'a plus le choix et, qu'en même temps, il y a une volonté affirmée d'aller vers quelque chose de mieux. Les réformes ne peuvent se réaliser que si les différents acteurs perçoivent que le *statu quo* n'est plus possible parce que l'environnement exerce de si fortes pressions que la survie de l'hôpital dans sa forme actuelle est menacée. Au Québec, comme en France, la décision d'entreprendre des réformes dans le système de santé découle du fait qu'aux yeux des différents acteurs la crise des finances publiques, le développement des technologies et des connaissances ainsi que les changements démographiques ne leur laissent plus le choix. Par ailleurs, pour changer et pour mieux maîtriser ces évolutions, il faut qu'il existe un projet, une idée rassembleuse, portée par un leader crédible et convaincu. L'idée que l'on se fait de la situation souhaitée doit, à la fois, être suffisamment explicite pour que l'on puisse s'y raccrocher et prendre le risque de sortir du *statu quo* et, en même temps, suffisamment ouverte pour pouvoir s'adapter, au cours de sa mise en œuvre, aux diverses contraintes et aux opportunités. La restructuration de l'hôpital aura d'autant plus de chances d'apporter des résultats concrets et bénéfiques en matière de dispensation des soins qu'elle sera portée par une vision claire et bien articulée de ce qui est, dans un contexte donné, approprié de faire.

Local/global

Ce sont deux entrées alternatives dans une restructuration. Une restructuration peut s'amorcer par un changement global (ex. : la fusion de deux hôpitaux, un accord entre deux organisations) ou local (la fusion de deux services, une coopération entre deux médecins). Toutefois, au cours du processus, ces deux dimensions sont en interaction : un changement global prend forme dans une série de micro-changements qui ne relèvent pas forcément de la même logique, ni du même accompagnement, ni du même outillage. Réciproquement, face à un changement local, peuvent se poser les questions suivantes : comment ce changement appelle-t-il d'autres changements plus ou moins contrôlés ? Comment est-il contraint par des non-changements plus globaux (technologie, modalités de rémunération) ? Quel degré de cohérence ou de complexité est requis dans la structure d'ensemble ? Les deux sociétés sont confrontées au dilemme local/global dans des termes très voisins : comment décliner sur le plan des services et des pratiques des changements conduits, incités au niveau des organisations et souvent pausés par des réformateurs qui sont distants des lieux où se produisent les soins et les services ? Comment faire évoluer le dispositif collectif pour qu'il facilite ou ne bloque pas les réorganisations mais aussi, comment tenir compte de l'effet système qui amplifie des changements locaux? N'a-t-on pas trop détruit d'emplois infirmiers au Québec? Ne supprime-t-on pas trop de lits de maternité en France? L'équilibre entre les dynamiques locales et des volontés réformistes d'ensemble est à construire pour assurer une maîtrise satisfaisante des processus et des conséquences du changement. Aucun des deux systèmes que nous avons observés ne semble s'être posé explicitement la question d'un agencement optimal entre les processus locaux et l'action sur le plan des politiques.

Pour répondre à ces questions, il faut considérer simultanément le système à transformer et l'environnement de ce système et agir sur les deux, de façon à créer des conditions favorables à l'apparition et à la diffusion du changement. Concrètement, cela signifie qu'il faut favoriser la création d'espaces discrétionnaires d'action dans le système de soins pour permettre aux acteurs d'élaborer et de tester, avec une autonomie suffisante, des pratiques nouvelles fondées sur la coopération et d'en débattre. Il importe de favoriser la formation de personnes qui pourront trouver dans le changement des opportunités de carrière et de développer les capacités cognitives des différents acteurs pour qu'ils aient une compréhension de la complexité du système de soins et des enjeux que cela entraîne. La mise en œuvre du changement dépend directement des pratiques d'apprentissage qui existent dans le système et de l'existence d'un véritable « entrepreneurship collectif ».

Émergeant/dirigé

C'est en général la première caractéristique évoquée lorsqu'est racontée une restructuration en cours. Les restructurations peuvent être impulsées par les pouvoirs publics, ou localement par un dirigeant ou un conseil d'administration ou relever d'une évolution moins volontariste, plus portée par les intérêts stratégiques d'un groupe d'acteurs. En première analyse, on peut considérer que ce mode d'entrée va conditionner le déroulement de la restructuration, l'implication et les résistances des différents acteurs, le poids accordé aux outils d'incitation et la nature des problèmes posés chemin faisant. Le mode d'entrée privilégié à l'échelle d'un pays ou d'une région va même permettre de caractériser une politique publique.

On peut toutefois supposer qu'au cours du processus, l'un et l'autre ne sont pas des alternatives mais des ressorts qui, bien que parfois contradictoires, sont tous les deux nécessaires. Le changement délibéré suppose à un moment que des acteurs reprennent à leur compte la dynamique, sous l'effet de l'exercice d'un leadership, d'évolutions favorables ou défavorables des ressources disponibles, de la redéfinition des zones d'action stratégique ou de la création d'irréversibilité qui reconfigure le jeu. Celui qui conduit de manière délibérée la restructuration doit veiller à libérer ces espaces stratégiques et à accepter que le projet initial soit modifié, détourné, redéfini. Le texte sur le leadership collectif montre ainsi que le processus de fusion exige une déformation de la constellation de pouvoir qui était porteuse à l'origine du projet. De même, les changements émergeants rencontrent à un moment donné des contraintes, obstacles, oppositions qui nécessitent, pour sa survie, des actions de management contraint. L'exemple de la technologie est là encore un bon exemple. Même si des médecins s'entendent et ont intérêt au développement de la télémédecine, il se trouve chemin faisant suffisamment d'obstacles pour qu'une action délibérée trouve sa place.

Relations/objet

Cette dualité prolonge la distinction de deux types de restructuration proposée en introduction. Certains processus de restructuration misent d'emblée sur la reconfiguration des frontières formelles, d'autres organisent la restructuration des relations d'échange. Plus largement, on peut considérer que le processus passe par l'inscription d'un ensemble de changements passés ou prescrits dans des « objets » : une structure juridique, un accord formel de coopération, de nouveaux bâtiments, une technologie, un dossier médical commun, une fusion des budgets ou, au contraire, par une évolution des relations : des malades qu'on se renvoie ou qu'on garde pour soi, des médecins qui circulent ou ne circulent plus, des décisions partagées, prises isolément ou en opposition. Les objets sont censés limiter, figer, créer des irréversibilités, coordonner ; les relations permettent de s'adapter, saisir des opportunités, donner du sens et favoriser la cristallisation éventuelle des relations au sein de nouveaux objets ou accords.

Dans les processus de restructuration, les objets et les relations, bien que parfois non alignés, peuvent entretenir ainsi des relations complémentaires. Les objets viennent alors consolider une relation existante, inciter une relation nouvelle, donner du sens à un objet : par exemple l'implantation en ambulatoire d'une technologie qui s'accompagne d'un échange d'expertise, un nouveau bâtiment qui facilite la mise en commun des pratiques des services. Dans certaines situations, relations et objets sont incompatibles ou dissociés : un réseau de télé-expertise non couplé au processus effectif de décisions, un accord de fusion qui ne dépasse pas facilement la fusion des conseils d'administration.

Les gestionnaires doivent alors s'interroger sur la nature de ce qu'ils doivent inscrire ou ne pas inscrire dans les « objets » et sur le moment où ceci doit être fait. En cas d'inadéquation, au mieux, l'objet reste vide de sens ; au pire, il suscite incompréhension, rejet, inquiétude, opposition.

Radical/incrémental

Dans un processus de changement comme dans tout système social, les acteurs interagissent dans un jeu permanent de coopération et de concurrence pour accroître leur contrôle sur les ressources critiques du système et améliorer leur position relative. Le jeu des acteurs s'en trouve alors à la fois structuré (il dépend des caractéristiques du système) et structurant (il agit comme moteur de l'évolution du système dans lequel il prend place) (Bourdieu, 1994). Pour qu'un changement radical ait lieu, il faut que les acteurs interagissent différemment de façon à permettre « *une recomposition d'une concertation collective capable de déboucher sur des pratiques novatrices. Sans changement des mentalités… il n'y aura pas de prise sur l'environnement. Mais, sans modification de l'environnement matériel et social, il n'y aura pas de changement des mentalités* » (Guattari, 1992, p. 26). On conçoit, dès lors, que la distinction entre le changement radical et le changement incrémentiel, de même que les oppositions qui sont souvent soulevées, d'une part, entre le changement local et généralisé et, d'autre part, entre le changement rapide et lent, ne permettent pas de rendre compte de la complexité des processus en cause.

Identification/négociation

Cette dernière dimension est de nature un peu différente des précédentes. Elle est passée sous silence dans les textes présentés bien que très présente dans les travaux sur les professionnels. Elle nous apparaît indispensable à la conduite des processus de restructuration. Elle traite des formes d'implication des individus dans l'organisation (que nous distinguons ici de l'implication dans le travail proprement dit ou dans la profession). De manière classique, on peut différencier deux formes types d'implication (Allen et Meyer, 1991). La première que nous appelons identification est qualifiée d'affective. L'identification est définie comme un sentiment d'unité avec le groupe ou l'organisation (Ashford et Mael, 1996); elle consiste à introduire dans la définition de soi, des éléments associés au collectif. Concernant les groupes professionnels, ce processus d'identification peut d'ailleurs se faire à l'organisation ou à la profession. La seconde que nous appelons négociée (que certains auteurs appellent calculée) fait référence à l'arbitrage que font les individus entre les bénéfices qu'ils retirent de leur participation au fonctionnement de l'organisation et les coûts qu'ils supportent pour participer à celle-ci. Selon leurs moyens, ils peuvent négocier leur implication en jouant sur cet équilibre coûts/bénéfices ou ne pas être en mesure de négocier mais jouer alors sur leur implication organisationnelle. On peut faire l'hypothèse que les individus sont à un moment donné plutôt orientés vers l'une ou l'autre forme d'implication. Une restructuration de grande ampleur comme les fusions remet en cause les fondements de ces deux formes d'implication mais selon des modalités différentes. Concernant l'identification, la restructuration a toutes les chances, dans un premier temps, d'être destructrice de l'objet d'identification alors même que l'identification à une nouvelle organisation n'est pas encore possible. Par ailleurs, pour les professionnels, le contexte de restructuration rend difficile la double identification à un projet professionnel et à un projet organisationnel. Concernant la négociation, les avantages tirés de la nouvelle organisation peuvent ne pas compenser les efforts d'adaptation demandés et détériorer l'équilibre existant. Ce qui est proposé dans la nouvelle configuration joue alors un rôle actif dans la continuité de l'implication. La difficulté de la gestion du processus réside dans l'incertitude, au moment où l'implication est déstabilisée, sur ce que sera la nouvelle organisation et les potentialités qu'elle offrira. La distinction ici faite doit toutefois être relativisée. D'une part, les formes d'implication des individus ne sont pas uniques ; elles relèvent à la fois de l'identification et de l'implication. D'autre part, on peut penser que, dans le temps, l'une puisse venir pour partie suppléer l'autre si cette dernière est prise en défaut. Le gestionnaire se doit alors de ne pas exclure de ces pratiques la prise en compte de l'une ou l'autre forme d'implication. Ainsi, les mesures d'incitation peuvent jouer, en cours de route, un rôle crucial pour stimuler une participation des acteurs au projet de restructuration et permettre d'expérimenter de nouvelles relations d'échange qui peuvent, dans le temps, donner lieu à une identité à l'organisation reconstruite. La fermeture de l'hôpital Laennec et son transfert vers l'hôpital Georges Pompidou est un exemple de la nécessaire prise en compte de cette dualité. La fermeture de l'hôpital Laennec s'est accompagnée d'actes de reconnaissance de l'histoire de cet hôpital (livres-souvenirs, documentaire télévisé). Ces actes de reconnaissance ont permis aux acteurs du projet de faire le deuil de la perte de leur institution. Cette mesure est venue compléter un attrait pour le nouvel hôpital susceptible d'améliorer les conditions de travail, attrait que les gestionnaires ont souhaité renforcer en essayant de répondre aux demandes de changement de service du personnel soignant. Toutefois, en l'absence d'identification à cette nouvelle organisation, l'implication reste fragile et une répétition de micro-événements fâcheux (comme une panne de stores) soulève des contestations et une fragilisation de l'adhésion au nouveau projet. On peut à l'inverse imaginer qu'un fonctionnement satisfaisant durable puisse participer à la construction d'un attachement à la nouvelle structure. Parfois, ce sont des phénomènes extérieurs au processus qui viennent renforcer l'identification. Ainsi, de l'avis du directeur, l'épisode de légionellose et les attaques qu'il a suscitées en provenance de l'extérieur de l'hôpital a renforcé pour un temps « l'engagement organisationnel » du personnel alors que, dans le même temps, les conditions de travail devenaient plus difficiles et les efforts demandés plus importants.

Il est difficile de supposer que le manager peut agir sur la nature et l'intensité de l'implication. En revanche, il a entre les mains des outils et des pratiques qui sont plus ou moins compatibles avec ces formes d'implication. Le gestionnaire public hospitalier ou le régulateur public, qu'il soit français ou québécois, agit peu dans ce registre, plutôt étranger à la politique publique.

Ces six dimensions ou dualités au cœur des processus de restructuration sont à la fois des objets d'action et des outils d'évaluation de ces processus de changement. Elles servent donc à la fois à le caractériser mais aussi à le piloter. Contradictoire à court terme, chaque élément du couple appelle pourtant dans la durée le second. Apparaît alors naturellement un facteur peu traité dans notre travail, pourtant essentiel pour la compréhension des processus, le temps ou, plus exactement, les temps.

Nous avons, d'entrée de jeu, souligné que les restructurations s'apparentent à un pilotage à distance du changement. Les analyses développées dans cet ouvrage portent sur différents facteurs qui façonnent et rendent compte à la fois des changements associés aux efforts de restructuration. Un point commun à l'ensemble de ces analyses est de révéler les incertitudes qui sont au centre de la mise en œuvre des politiques et des projets de restructuration. Les hôpitaux, comme le souligne la conception désormais classique de la bureaucratie professionnelle (Mintzberg, 1979), sont des organisations à l'intérieur desquelles œuvre une main-d'œuvre experte et autonome. L'expression de cette autonomie n'a pas, à l'évidence, été suffisante pour assurer une adaptation et un renouveau de l'hôpital et de son rôle dans le système de soins. Paradoxalement, des dualités sur lesquelles s'appuient les processus de restructuration suggèrent que le changement prend racine ou doit s'ancrer dans des noyaux de stabilité (maintien de l'identification, relations significatives permettant l'apprentissage, etc.) qui permettent aux acteurs de s'engager dans la transformation de l'hôpital. Les contributions de différents auteurs laissent entendre que les organisations peuvent opérer le changement mais sous certaines conditions. Les politiques de restructuration à grande échelle s'intéressent peu et pas suffisamment aux conséquences de ces dernières sur les organisations et les milieux de pratique. Elles portent aussi peu d'attention aux exigences d'un pilotage attentif du changement.

Des analyses récentes des réformes du système de soins au Québec et au Canada (Forest, 2004 ; Denis, 2004) suggèrent d'assortir les projets de réforme d'une stratégie bien définie et élaborée pour appuyer leur implantation. À cet égard, il n'y a pas de distinction claire à maintenir entre la conception et l'implantation des réformes et des projets de restructuration (Mintzberg, 1993). Ces deux composantes du changement doivent se nourrir mutuellement tout au long des restructurations. Les différentes dimensions ou dualités définies précédemment vont dans ce sens. Pour ce faire, certaines conditions doivent être remplies. Nous en évoquons ici quelques-unes.

Le pilotage des restructurations, pour être plus en phase avec les ressources et les dynamiques locales, implique tout vraisemblablement un changement dans les relations d'échange entre les différents niveaux de décision et d'action dans le système de soins (Denis, 2004). Les conditions permettant une plus grande coopération des acteurs de ces différents niveaux (gouvernement central, instances régionales, organisations cliniques) et ce, au service d'une mise en œuvre plus grande de transformations, restent à définir. L'investissement dans des activités d'échange sur la nature des réformes à entreprendre ainsi que sur les compétences et apprentissages à développer et requis pour les piloter et les implanter paraît être un passage obligé pour être en mesure de faire différemment. Transformer tout à la fois semble aussi difficile. Il paraît important de s'entendre, à l'intérieur d'un système donné, sur les changements les plus importants à accomplir et qui semblent précurseurs des objectifs poursuivis par les réformes. Doit-on chercher à transformer tous les hôpitaux? Sinon, lesquels doivent faire l'objet d'un projet de restructuration? Doit-on transformer d'autres composantes du système de soins pour permettre une véritable transformation de l'hôpital? Ces différentes actions, si l'objectif est de piloter de façon délibérée certaines transformations jugées nécessaires, vont exiger la mobilisation et la mise en synergie de différents niveaux de décision et d'action du système de soins. Les leçons apprises tout au long de cet ouvrage montrent qu'il y a des phénomènes d'interdépendance puissants dans l'évolution des processus de changement. Il faut pouvoir agir efficacement à tous les échelons du système. Aucun des chapitres n'aborde explicitement la question du rôle des connaissances dans la production du changement. Ils fournissent tous, par ailleurs, une illustration de la contribution possible de la recherche à une meilleure compréhension des processus multiples et complexes qui sont à l'œuvre lorsqu'il s'agit d'agir délibérément sur le devenir de l'hôpital.

Les auteurs

CARLIER, PATRICIA : Cadre de santé, ÉPS de Ville-Évrard (Seine St-Denis), candidate au Ph. D., Département d'administration de la santé et Groupe de recherche interdisciplinaire en santé (GRIS), Université de Montréal.

CLAVERANNE, JEAN-PIERRE : Professeur des Universités en sciences de gestion, directeur du GRAPHOS (CNRS), IFROSS, Université Jean Moulin Lyon 3.

CONTANDRIOPOULOS, DAMIEN : Chercheur adjoint, Département d'administration de la santé et chercheur au Groupe de recherche interdisciplinaire en santé (GRIS), Université de Montréal.

CUEILLE, SANDRINE : Maître de conférences en sciences de gestion, IAE de l'Université de Pau et des Pays de l'Adour.

DAVID, ALBERT : Professeur des Universités en sciences de gestion, ÉNS de Cachan et chercheur, CGS, École des Mines de Paris.

DENIS, JEAN-LOUIS : Professeur titulaire, Chaire GETOS (FCRSS/IRSC), Département d'administration de la santé et Groupe de recherche interdisciplinaire en santé (GRIS), Université de Montréal.

FARGEON, VALÉRIE : Maître de conférences en sciences économiques, Université Pierre Mendès-France, Grenoble.

LAMOTHE, LISE : Professeure agrégée, Département d'administration de la santé, Université de Montréal ; chercheure au Groupe de recherche interdisciplinaire en santé (GRIS).

LANGLEY, ANN : Professeure, Service de l'enseignement du management, directrice des programmes de M. Sc. et Ph. D., HÉC, Montréal.

LAUDE-ALIS, LAETITIA : Enseignante-chercheure, Département management, audit et techniques de gestion des institutions sanitaires et sociales (MATISS), École nationale de la santé publique.

LEHOUX, PASCALE : Professeure agrégée, Département d'administration de la santé, Université de Montréal ; chercheure au Groupe de recherche interdisciplinaire en santé (GRIS) et chercheure consultante à l'Agence d'évaluation des technologies et des modes d'intervention en santé du Québec (AÉTMIS).

LETOURMY, ALAIN : Chargé de recherche en économie, CERMES, unité INSERM/CNRS, Villejuif.

MIDY, FABIENNE : Chargée de recherche, CRÉDÉS, Paris (aujourd'hui chargée de mission, ANAES, Paris).

MINVIELLE, ÉTIENNE : Chargé de recherche en sciences de gestion, CREGAS, Unité INSERM/CNRS, Le Kremlin-Bicêtre.

MOISDON, JEAN-CLAUDE : Professeur et directeur de recherche à l'École des Mines de Paris.

PASCAL, CHRISTOPHE : Maître de conférences en sciences de gestion, IFROSS, Université Jean Moulin Lyon 3.

PINEAULT, RAYNALD : Professeur titulaire, Département de médecine sociale et préventive, Université de Montréal, Groupe de recherche interdisciplinaire en santé (GRIS), Université de Montréal.

PIOVESAN, DAVID : Maître de conférences en sciences de gestion, Faculté Jean Monnet, Université Paris Sud 11.

SICOTTE, CLAUDE : Professeur titulaire, Département d'administration de la santé, et chercheur au Groupe de recherche interdisciplinaire en santé (GRIS), Université de Montréal.

VALETTE, ANNICK : Maître de conférences en sciences de gestion, Université Pierre Mendès-France, Grenoble.

Liste des sigles et des acronymes et description des institutions

QUÉBEC : PAPA
Personnes âgées en perte d'autonomie.

QUÉBEC : MPOC
Maladie pulmonaire obstructive chronique.

QUÉBEC : CLSC
Centre local de services communautaires. Les 147 CLSC du Québec (au moment de mettre sous presse, d'importantes fusions sont prévues) sont chargés de l'offre de services sociaux et communautaires pour la clientèle de leur territoire. Plusieurs CLSC offrent aussi des soins infirmiers et des soins médicaux de première ligne avec ou sans rendez-vous. Ils sont responsables de divers services de prévention (entre autres de la vaccination) ainsi que de plusieurs services de maintien et de soins à domicile.

FRANCE : €
Au moment de la rédaction du livre, un euro valait environ 1,65 $ canadien.

QUÉBEC : $
Au moment de la rédaction du livre, le dollar canadien valait environ 0,60 €. À moins d'avis contraire, les montants indiqués en dollars sont en dollars canadiens.

FRANCE: ANAÉS

Agence nationale d'accréditation et d'évaluation en santé. Évalue, accrédite les établissements, produit des guides, des recommandations de bonnes pratiques.

FRANCE: ARH

Agence régionale de l'hospitalisation. Établissement à vocation régionale fédérant les actions de l'État et de l'assurance-maladie en matière d'hospi-talisation. Il affecte les budgets et régule l'offre de soins. Il a constitué des DDASS, DRASS, CRAM qui, historiquement, avaient des compétences spéci-fiques en termes de gestion hospitalière mais qui tendent aujourd'hui à s'atténuer.

QUÉBEC: RRSSS

Régie régionale de la santé et des services sociaux.

FRANCE: Assurance-maladie

Ensemble d'établissements départementaux, régionaux et nationaux qui gèrent la branche maladie du régime de sécurité sociale. Ils sont principa-lement financés par cotisations sociales sur les salaires et par un impôt sur les revenus. Ils sont administrés par les partenaires sociaux.

Ils financent les dépenses hospitalières publiques et privées, les dépenses de médicaments, les consultations, les indemnités journalières.

QUÉBEC: RAMQ

Régie de l'assurance-maladie du Québec. Division du ministère de la Santé dont les fonds proviennent directement du budget de l'État. La RAMQ fixe les tarifs des actes médicaux, rémunère les médecins (principalement à l'acte) et finance et administre l'assurance médicaments publique (qui ne couvre que les individus non couverts par ailleurs).

FRANCE: CMÉ

Commission médicale d'établissement. Conseil de médecins et pharma-ciens élu pour quatre ans au sein du corps médical. Il donne son avis sur le projet d'établissement, les programmes d'investissement, l'organisation des activités, la politique d'amélioration de la qualité des soins médicaux. Il pré-pare le projet médical d'établissement.

QUÉBEC : CMDP

Le Conseil des médecins, dentistes et pharmaciens est un comité d'établissement démocratiquement élu au sein du corps médical pour un mandat de deux ans. Le président, élu par ses pairs, est responsable de la qualité des soins médicaux. Il y a un CMDP par établissement hospitalier.

FRANCE : CNAMTS

Caisse nationale d'assurance-maladie des travailleurs salariés. Un des organes de l'assurance-maladie. Elle assure sur le plan national le financement des assurances-maladie, maternité, invalidité, décès, accidents du travail et maladies professionnelles. Elle coordonne l'action sanitaire et sociale des Caisses régionales d'assurance-maladie (CRAM) et des Caisses primaires d'assurance-maladie (CRAM). Elle organise et dirige le contrôle médical. Elle lance des programmes de prévention et d'information sanitaire. Le conseil d'administration est composé à parité de représentants syndicaux salariés et patronaux.

FRANCE : COM

Contrat d'objectifs et de moyens. Contrat qui lie un établissement et l'ARH sur une programmation d'activités et de budgets de 5 ans.

QUÉBEC : Contrat de performance ou entente tripartite. Contrat qui lie un établissement hospitalier, la Régie régionale (RRSSS) et le ministère de la Santé (MSSS) sur l'atteinte d'objectifs spécifiques.

FRANCE : CPAM

Caisse primaire d'assurance-maladie. Un des organes de l'assurance-maladie à compétence départementale ou infra-départementale. Verse les prestations aux assurés et aux établissements, fait de la prévention et de la gestion des risques.

FRANCE : CRAM

Caisse régionale d'assurance-maladie. Un des organismes de l'assurance-maladie. En matière sanitaire, elle était historiquement tutelle des établissements privés d'hospitalisation. Elle participe aujourd'hui à la définition des politiques régionales hospitalières au sein des ARH. Elle se définit comme représentant les « cotisants » dans cette politique. Elle a par ailleurs un rôle en termes de gestion et prévention des risques professionnels. Son conseil d'administration est composé à parité de représentants syndicaux salariés et patronaux.

FRANCE : DAGPB

Direction de l'administration générale, du personnel et du budget. Une des onze directions du ministère de la Santé. Direction d'appui aux autres directions en matière de gestion du personnel, du budget, des systèmes d'information.

FRANCE : DDASS

Direction départementale des affaires sanitaires et sociales. Représentant départemental de l'État. Elle est chargée de la prévention et de la gestion des risques sanitaires, de la gestion locale des politiques de lutte contre l'exclusion ; elle planifie et alloue les ressources aux établissements médicaux sociaux. Elle est un des organismes constitutifs de l'ARH et participe à ce titre à la politique régionale hospitalière.

FRANCE : DHOS

Direction de l'hospitalisation et de l'organisation des soins. Une des onze directions du ministère de la Santé. Elle est chargée des affaires hospitalières.

FRANCE : DRASS

Direction régionale des affaires sanitaires et sociales. Représentante régionale de l'État. Elle est chargée de la définition et gestion de la politique de santé publique ; elle est un des organismes constitutifs de l'ARH et participe à ce titre à la politique régionale hospitalière.

FRANCE : DRSM

Direction régionale du service médical.Un des organes de l'assurance-maladie. Il regroupe les médecins-conseils de l'assurance-maladie au niveau régional. Il met en œuvre les programmes d'évaluation des pratiques médicales. Il participe à l'ARH.

Au niveau local, l'ÉLSM (échelon local du service médical) évalue les pratiques médicales et les demandes individuelles de prestations.

FRANCE : ÉHPAD

Établissement d'hébergement des personnes âgées dépendantes. Les établissements de différents statuts accueillant des personnes âgées sont aujourd'hui regroupés sous le terme ÉHPAD. Ils fournissent une prestation d'hébergement, de soins et d'accompagnement de la perte d'autonomie et reçoivent des financements divers en conséquence. Ils peuvent être publics ou privés.

QUÉBEC : CHSLD

Les centres hospitaliers de soins de longue durée fournissent une hospitalisation à long terme ou des services d'hébergement aux personnes en perte d'autonomie, principalement des personnes agées.

FRANCE : GIÉ

Groupement d'intérêt économique. Groupement doté de la personnalité morale qui permet à ses membres de mettre en commun certaines de leurs activités afin de faciliter ou développer leurs activités, ou d'améliorer ou d'accroître les résultats de ces activités et ceci, tout en conservant leur individualité. Structure intermédiaire entre la société et l'association.

FRANCE : GIP

Groupement d'intérêt public. Personne morale de droit public dotée de l'autonomie juridique et financière, dont les modalités de fonctionnement sont régies par décret et qui permet d'associer, pour une durée déterminée, des institutions de nature diverse, en particulier publiques et privées.

FRANCE : ISA (ou point ISA)

Indice synthétique d'activité. Outil statistique de connaissance de l'activité médicale hospitalière. Les diagnostics sont regroupés en groupes homogènes de malades (GHM) en fonction de leurs caractéristiques médicales et de leur durée de séjour. Chaque GHM est affecté d'un certain nombre de points définis par le Ministère en fonction de la consommation relative attendue de ressources. L'ISA est la somme des GHM produits par un établissement multiplié par le nombre de points du GHM. Le coût du point est calculé en divisant le budget de l'hôpital par le total du nombre de points de l'établissement.

FRANCE : MCO
Médecine, chirurgie et obstétrique ou encore « le court séjour ».

FRANCE : Médecin de ville : omnipraticien ou spécialiste en cabinet privé.

QUÉBEC : Médecin en cabinet privé (omnipraticien ou spécialiste).

FRANCE : Médecine libérale : pratique en cabinet privé.

QUÉBEC : Pratique en cabinet privé.

FRANCE : Ministère de la Santé et de la Protection sociale : son nom varie avec les gouvernements. Longtemps ministère de la Santé, il est aujourd'hui ministère de la Santé et de la Protection sociale.

QUÉBEC : MSSS
Ministère de la Santé et des Services sociaux.

FRANCE : Niveau national
Se distingue du niveau régional et « local » (en général départemental). Il y a en France 23 régions et 100 départements. Longtemps cantonné au niveau national, le pilotage de l'offre hospitalière publique et privée tend à se régionaliser. Notons que le niveau européen n'est que très marginalement influent.

QUÉBEC : Niveau provincial/Niveau national
Le Québec est une province à l'intérieur d'un État fédéral, le Canada. Toutefois, les soins de santé sont une prérogative provinciale, ce qui fait que pour le présent ouvrage, le niveau national en France correspondrait au niveau provincial au Québec ou au Canada. De plus, quand il est question du niveau national dans le domaine de la santé au Québec, il s'agit d'un synonyme du provincial et non pas d'une référence à l'État fédéral.

FRANCE : OQN
Objectif quantifié national. Objectif annuel de dépenses des cliniques privées. Il est fixé par le Ministère et l'assurance-maladie après négociation avec les représentants des cliniques privées, en fonction de l'enveloppe nationale votée par le parlement. Il est décliné en objectif régional quantifié (OQN). Il permet de déterminer les tarifs applicables.

FRANCE : PMSI

Base de données du Programme de médicalisation du système d'information compilée par le ministère de la Santé.

FRANCE : RSA

Résumés de sortie anonymes. Correspondent approximativement au nombre d'entrées en médecine, chirurgie, obstétrique.

FRANCE : SROS

Schéma régional d'organisation sanitaire. Document élaboré tous les cinq ans par l'ARH fixant les principes d'organisation de l'offre hospitalière et ses traductions territoriales.

QUÉBEC : PROS

Plan régional d'organisation de services. Document élaboré par les RRSSS sur une base quadriennale.

Bibliographie

ABBOTT, A., *The System of Professions*, Chicago, University of Chicago Press, 1988.

AKRICH, M., « The de-scription of technical objects », dans Bijker, W. E. et J. Law (dir.), *Shaping Technology/Building Society*, Cambridge, MIT Press, 1992, p. 205-224.

ALEXANDER, J. A. *et al.*, « The short-term effects of merger on hospital operations », *Health Service Research*, vol. 30, n° 6, 1996, p. 729-847.

ALLEN, N. et J. MEYER, *Commitment in the Workplace : Theory, Reserch, and Application*, Thousands Oaks, Sage, 1997.

ALTER, C. et J. HAGE, *Organizations Working Together*, Newbury Park, Sage Library and Social Research, 1993.

ALVESSON, M., « Knowledge work : ambiguity, image and identity », *Human Relations*, vol. 54, 2001, p. 863-886.

ANSOFF, H. I. *et al.*, *From Strategic Planning to Strategic Management*, New York, John Wiley, 1976.

ARNDT, M. et B. BIGELOW, « Presenting Structural Innovation in an Institutional Environment : Hospitals' Use of Impression Management », *Administrative Science Quarterly*, vol. 45, n° 3, 2000, p. 494-522.

ASHFOLD, B. et F. MAEL, « Organizational identity and strategy as a context for the individual », dans Baum, J. A. C. et J. E. Dutton (dir.), *Advances in Strategic Management*, Greenwich, CT, JAI Press, 1996, p. 17-62.

ASSOCIATION DES CLSC ET DES CHSLD DU QUÉBEC, *Les changements dans le secteur de l'aide à domicile*, Montréal, 1998a.

ASSOCIATION DES CLSC ET DES CHSLD DU QUÉBEC, *Une transformation à consolider... une réforme à continuer*, Montréal, 1998b.

ASSOCIATION DES ÉLÈVES ET ANCIENS ÉLÈVES DE L'ÉCOLE NATIONALE DE SANTÉ PUBLIQUE, *Référentiel métier : directeur d'hôpital*, 2003.

AVENIER, M. J., *La stratégie chemin faisant*, Paris, Économica, 1997.

BARNEY, J. B. et W. HESTERLY, « Organizational Economics : Understanding the rela-
tionship between organizations and economic analysis », dans Clegg, S. R. *et al.*
(dir.), *Handbook of Organization Studies*, London, Sage, 1996, p. 115-147.

BENSON, K. J., « The interorganisational network as a political economy », *Administrative
Science Quarterly*, vol. 20, 1975, p. 229-249.

BERNOUX, P., *La sociologie des organisations*, Paris, Le Seuil, coll. « Essais », 1990.

BIELEFELD, W., « Funding Uncertainty and Nonprofit Strategies in the 1980s », *Nonprofit
Management & Leadership*, vol. 2, n° 4, 1992, p. 381-390.

BIJKER, W. E. et J. LAW, *Shaping Technology/Building Society : Studies in Sociotechnical
Change*, Cambridge, MIT Press, 1992.

BLOMMAERT, J. et C. BULCAEN, « Critical discourse analysis », *Annual Review of
Anthropology*, vol. 29, 2000, p. 447-466.

BOHMAN, J., *Public Deliberation*, Cambridge, MIT Press, 1996.

BORDELOUP, J., « Les agences régionales de l'hospitalisation : clarification ou nouvelles
ambiguïtés ? », *Droit social*, vol. n° 9-10, 1996, p. 878-887.

BOURDIEU, P., *Raisons pratiques. Sur la théorie de l'action*, Paris, Seuil, 1994.

BOURGEOIS, B. et J. NIZET, *Pression et légitimation*, Paris, PUF, 1995.

BOURGUEIL, Y. *et al.*, *Réseaux de soins et évaluation. Proposition d'un cadre de référence
commun pour l'évaluation des expérimentations « réseaux et filières »*, Actes du
1ᵉʳ Colloque international des économistes français de la santé, 2001.

BRETON, A. et R. WINTROBE, *The Logic of Bureaucratic Conduct*, Cambridge, Cambridge
University Press, 1982.

BROWNING, L. D. *et al.*, « Building cooperation in a competitive industry : SEMATECH
and the semiconductor industry », *Academy of Management Journal*, vol. 38, 1995,
p. 113-151.

BRUNET, L. et A. SAVOIE, *La face cachée de l'organisation : groupes, cliques et clans*,
Montréal, Presses de l'Université de Montréal, 2003.

BRUNSON, N., *The Organization of Hypocrisy : Talks, Decisions and Actions in
Organizations*, Chichester, Wiley, 1989.

BUCHER, R. et J. STELLING, « Characteristics of Professional Organizations », *Journal of
Health and Sociological Behaviour*, vol. 10, n° 1, 1969, p. 3-15.

BUCHER, R. et A. STRAUSS, « Professions in Process », *American Journal of Sociology*,
vol. 66, n° 4, 1961, p. 325-334.

BURNS, L. R., « Matrix Management in Hospitals : Testing Theories of Matrix Structure
and Development », *Administrative Science Quaterly*, vol. 34, 1989, p. 349-368.

BURT, R. S., *Structural Holes*, Boston, Harvard University Press, 1992.

CALLON, M., « Éléments pour une sociologie de la traduction. La domestication des
coquilles Saint-Jacques et des marins-pêcheurs dans la baie de Saint-Brieuc », *L'année
sociologique*, vol. 36, 1986, p. 169-208.

CANADIAN MEDICAL ASSOCIATION, « The language of health care reform », Report of the
Working Group on Regionalization and Decentralization, Ottawa, 1993.

CAUVIN, C. *et al.*, « Gestionnaires et professionnels de santé à l'épreuve des restructurations hospitalières », Le rôle des dirigeants ; Restructurations hospitalières (MIRE)
2002.

CHAFFEE, E. E., « Three models of Strategy », *Academy of Management Review,* vol. 15, n° 1, 1985, p. 89-98.

CHAMPAGNE, F., « Le changement dans les organisations de santé », mémoire présenté à la commission Rochon, rapport de recherche, mai 2002.

CHANAL, V., « Communauté de pratiques et management par projet, à propos de l'ouvrage de Wenger », *M@n@gement,* vol. 3, n° 1, 2000, p. 1-30.

CHEVALIER, J., *La gouvernabilité,* Paris, PUF, 1996.

CHEVALLIER, J. et D. LOSCHAK, « Rationalité juridique et rationalité managériale dans l'administration française », *Revue française d'administration publique,* vol., n° 24, 1982, p. 10-11.

CHILD, J., « Information technology, organization and the response to strategic challenges », *California Management Review,* vol. 29, 1987, p. 33-50.

CHRISTENSEN, C. M. *et al.*, « Will disruptive innovations cure health care ? », *Harvard Business Review,* vol. 78, n° 5, 2000, p. 102-112, 199.

CLAVERANNE, J. P. *et al.*, « Les restructurations des cliniques privées : radioscopie d'un secteur en mutation », *Revue française des affaires sociales,* vol. 3, 2003, p. 55-78.

CLAVERANNE, J. P. *et al.*, « Les restructurations des cliniques privées », Graphos, Université Lyon 3 (MIRE), 2002.

COHEN, M. D. *et al.*, « A garbage can model of organization choice », *Administrative Science Quarterly,* vol. 17, 1972, p. 1-25.

COLASSE, B. *et al.*, « Sens et usage du mot structure dans la pensée organisationnelle », Publication de recherche, Bruxelles (Institut européen de recherches et d'étude supérieures en management), 1975.

COLEMAN, JAMES S., *Foundations of Social Theory,* Cambridge, Belknap Press, 1990.

COMMAILLE, J. et B. JOBERT, « Introduction – La régulation politique : l'émergence d'un nouveau régime de connaissance ? », dans Commaille, J. et B. Jobert (dir.), *Les métamorphoses de la régulation politique,* 1998, p. 11-32.

COMMISSARIAT GÉNÉRAL DU PLAN, *Santé 2010,* Paris, La Documentation française, 1993.

CONSEIL D'ÉVALUATION DES TECHNOLOGIES DE LA SANTÉ DU QUÉBEC, *Exploration et détermination des priorités d'évaluation dans les services ambulatoires,* Montréal, CÉTS, 1996.

CONTANDRIOPOULOS, A. P. et E. MINVIELLE, « La conduite du changement : quels enseignements tirer d'opérations de restructuration hospitalière ? », *Revue française de gestion* (soumis).

CONTANDRIOPOULOS, A. P. *et al.*, « L'évaluation dans le domaine de la santé : concepts et méthodes », *Revue d'épidémiologie et de santé publique,* vol. 48, 2000, p. 517-539.

COULON, A., *L'Ethnométhodologie,* Paris, PUF, 1987.

COURPASSON, « Managerial strategies of domination. Power in soft bureaucracies », Organization studies, 21/1, 2000, p. 141-161.

CROZIER, M. et E. FRIEDBERG, *L'acteur et le système. Les contraintes de l'action collective,* Paris, Le Seuil, 1977.

CROZIER, M., *Le phénomène bureaucratique,* Paris, Seuil, 1963.

CRÉMADEZ, M., « Gestion de l'hôpital, le prix de la responsabilité », *Revue française de gestion,* vol. 3, n° 10, 1991, p. 63-72.

CUEILLE, S., « Perceptions des acteurs et coopérations hospitalières », Présentation au 11ᵉ colloque PMP, 1999.

CUEILLE, S. et FÉDÉRATION HOSPITALIÈRE DE FRANCE, « Étude de la formation des stratégies des hôpitaux publics », *Revue hospitalière de France,* n° 6, 2000, p. 13-32.

CUEILLE, S. et A. RENUCCI, « Responsabilisation des acteurs dans les hôpitaux publics français et management : analyse des dernières réformes juridiques », *Politiques et management public,* vol. 18, n° 2, 2000, p. 43-68.

CYERT, R. M. et J. G. MARCH, *A behavioral Theory of the Firm,* Englewood Cliffs, NJ, Prentice-Hall, 1963.

DAHL, R. A., *Dilemmas of Pluralist Democracy : Autonomy vs. Control,* New Haven, Yale University Press, 1982.

DATTA, L. E., « Multimethod evaluations. Using case studies together with other methods », dans Chelimsky, E. et W. R. Shadish (dir.), *Evaluation for the 21st Century. A Handbook,* Thousand Oaks, Sage, 1997, p. 344-359.

DAVID, A., MIDY, F. et J. C. MOISDON, « Les TIC restructurent-elles ? Péripéties de deux réseaux de télémédecine en périnatalité », *Revue française des affaires sociales,* n° 3, juillet-septembre 2003, 57ᵉ année, p. 79-94.

DAVIS, J. H., « Toward a stewardship theory management », *Academy of Management,* vol. 22, n° 1, 1997, p. 20-47.

DELANDE, G., *Les Agences régionales d'hospitalisation, instruments d'une meilleure performance publique en matière de planification sanitaire.* Présentation au 9ᵉ colloque international de la revue *Politiques et management public :* La performance publique, mai 1998.

DENIS, J.-L., « Gouvernance et gestion du changement dans le système de santé au Canada », dans Forest, P.-G., Marchildon, G. P. et McIntosh, T. (dir.), *Les forces de changement dans le système de santé canadien, Les études de la Commission Romanow,* vol. 2, Ottawa, Presses de l'Université d'Ottawa, 2004, chap. 3, p. 87-122.

DENIS, J.-L., « Trois modèles et trois terrains pour penser la décentralisation », dans Claveranne, J. P. et al. (dir.), *La santé demain : vers un système de soins sans murs,* Paris, Économica, 1999, p. 49-66.

DENIS, J.-L. et al., « Government-Funded Experiments as Resources for Renewal in Health Care ? », Présentation au congrès de l'Academy of Management, Washington, 2001a.

DENIS, J.-L. et al., « Histoire et bilan d'une innovation : les agences régionales de l'hospitalisation », (INSERM/MIRE/CNRS) 2001a.

DENIS, J.-L. et al., « The dynamics of collective leadership and strategic change in pluralistic organizations », *Academy of Management Journal,* vol. 44, n° 4, 2001b, p. 809-837.

DENIS, J.-L. et al., « Becoming a leader in a complex organization », *Journal of Management Studies,* vol. 37, n° 8, 2000a, p. 1063-1099.

DENIS, J.-L. et al., « Théorie et pratique de la régulation des Régies régionales de la santé au Québec », Montréal, Rapport de recherche soumis au fonds HealNet, 2000b.

DENIS, J.-L. et al., « The struggle to implement teaching hospital mergers », *Canadian Public Administration,* vol. 42, 1999, p. 285-311.

DENIS, J.-L. *et al.*, « The Struggle to Redifine Boundaries in Health Care Systems », dans Brock, D. M. *et al.* (dir.), *Restructuring the Professionnal Organization : Accounting, Health Care and Law,* Londres, Routledge, 1999, p. 105-131.

DENIS, J.-L. *et al.*, « Les modèles théoriques et empiriques de régionalisation du système sociosanitaire », Montréal (GRIS), 1998.

DENIS, J.-L. *et al.*, « Peut-on transformer les anarchies organisées ? Leadership et changement radical dans un hôpital », *Ruptures,* vol. 2, n° 2, 1995, p. 165-189.

DENIS, J.-L. *et al.*, « Leading strategic change in organized anarchies », présentation à la Strategic Management Society Conference, Paris, 1994.

DENIS, J.-L. et A. VALETTE, « Changement de structure de régulation et performance de mandat, examen des enjeux à travers la création des Agences régionales de l'hospitalisation », *Finance Contrôle Stratégie,* vol. 2, juin 2000, p. 57-79.

DENIS, J.-L. et A. VALETTE, « Décentraliser pour transformer la régulation. La création des Agences régionales de l'hospitalisation », Présentation au colloque de l'INSERM, Paris, 1998a.

DENIS, J.-L. et A. VALETTE, « Devenir acteur régional de régulation », Rapport de recherche remis à la MIRE, ministère de l'Emploi et de la Solidarité, France, 1998b.

DESANCTIS, G. et J. FULK, *Shaping Organization Form : Communication, Connection, and Community,* Newbury Park, CA, Sage Publications, 1999.

DESREUMAUX, A., *Théorie des organisations,* Paris, EMS, 1998.

DESREUMAUX, A., *Structure d'entreprise,* Paris, Vuibert, 1992.

DHUICQUE, R., « Les agences régionales de l'hospitalisation (ARH) et l'administration centrale », Dossiers CFP, mai 1997, p. 5-6.

DI MAGGIO, P. J. et W. POWELL, « Introduction », dans Powell, W. et P. J. Di Maggio (dir.), *The New Institutionalism in Organizational Analysis,* Chicago, University of Chicago Press, 1991.

DIRECTION DE L'INTÉGRATION SOCIALE, MINISTÈRE DE LA SANTÉ ET DES SERVICES SOCIAUX (DIS-MSSS), « Les services à domicile offerts par les CLSC au Québec. Analyse comparative des résultats des enquêtes 1988-1989, 1990-1991 et 1992-1993 », Québec (MSSS), 1995.

DIRECTION DE LA PLANIFICATION ET DE L'ÉVALUATION (MSSS), « Statistiques évolutives des dépenses gouvernementales pour la mission sociale 1986-1987 à 1995-1996 », Québec (MSSS), 1996.

DIRECTION DES HÔPITAUX (Ministère de la Santé), *Les nouvelles formes juridiques de coopération interhospitalière,* Paris, 1992.

DODIER, N., *Les hommes et les machines. La conscience collective dans les sociétés technicisées,* Paris, Éditions Métailié, 1995.

DONALDSON, L., « The ethereal hand : Organizational economics and the management theory », *Academy of Management Review,* vol. 15, 1990, p. 369-381.

DORLAND, J. L. et S. M. DAVIS, *How Many Roads ? Regionalization and Decentralization in Health Care,* Kingston (Ontario), Queen's University, 1996.

DUBOIS, C. A., « Renouveau managérial dans le contexte des réformes des services de santé : mirage ou réalité ? », *Sciences sociales et Santé,* vol. 21, n° 4, 2003, p. 41-72.

DUPUY, F. et THOENIG, J.-C., *L'administration en miettes,* Paris, Fayard, 1980.

DURAN, P., « Introduction à la notion de gouvernance, n° spécial : La gouvernance urbaine », *Politiques et management public,* vol. 16, n° 1, 1998, p. 1-3.

DUSSAUGE, P. et B. GARETTE, « Alliances stratégiques », dans Simon, Y. et P. Joffre (dir.), *Encyclopédie de Gestion,* 2ᵉ édition, Paris, Économica, 1997, p. 16-33.

EISENHARDT, K. M., « Building theories from case study research », *Academy of Management Review,* vol. 14, n° 4, 1989, p. 532-550.

EISENHARDT, K. M., « Control : organizational and economics approaches », *Management Science,* vol. 31, n° 2, 1985, p. 134-149.

ETZIONI, A., *Les organisations modernes,* Gembloux, Duculot, 1971.

EVIN, C., « L'hôpital en mouvement », Rapport (Assemblée nationale française), 1998.

FABI, B. *et al.,* « L'engagement organisationnel : voie d'avenir de la mobilisation en milieu hospitalier. Présentation Mobilisation, efficacité au travail », Actes du 9ᵉ congrès de l'AIPTLF, Cap rouge, 1998.

FARGEON, V. et M. KERLEAU, « Un nouveau dispositif institutionnel pour la réorganisation de l'offre de soins », dans Gazier, B. *et al.* (dir.), *L'Économie sociale : formes d'organisation et institutions,* Paris, L'Harmattan, 1999, p. 160-174.

FERLIE, E. *et al.,* *The New Public Management in Action,* Oxford, Oxford University Press, 1996.

FOREST, P.-G., « Introduction : La santé, pour changer », dans Forest, P.-G., Marchildon, G. P. et McIntosh, T. (dir.), « Les forces de changement dans le système de santé canadien », Les études de la Commission Romanow, vol. 2, Ottawa, Presses de l'Université d'Ottawa, 2004, p. 3-17.

FREIDSON, E., « The Reorganization of the Medical Profession », *Medical Care Review,* vol. 42, n° 1, 1985, p. 11-35.

FREIDSON, E., « The Changing Nature of Professional Control », *Annual Review of Sociology,* vol. 10, 1984a, p. 1-20.

FREIDSON, E., *La profession médicale,* Paris, Payot, 1984b.

FREIDSON, E., *Professional Dominance,* New York, Atherton, 1970.

FRIEDBERG, E., *Le pouvoir et la règle,* Paris, Le Seuil, 1993.

FRÉRY, F., « L'entreprise transactionnelle », *Gérer & comprendre,* n° 45, septembre 1996, p. 66-78.

FRÉRY, F., « De l'entreprise intégrée à l'entreprise transactionnelle », *Entreprises et Histoire,* n° 10, décembre 1995, p. 47-53.

FULK, J. *et al.,* « Connective and communal public goods in interactive communication systems », *Communication Theory,* vol. 6, 1996, p. 60-87.

GABARRO, L., « The development of trust, influence, and expectations », dans Athos, A. G. et J. J. Gabarro (dir.), *Interpersonal Behavior : Communication and Understanding in Relationships,* Englewood Cliffs, NJ, Prentice Hall, 1978, p. 290-303.

GALBRAITH, J. R., *Designing Complex Organizations,* Reading, MA, Addison-Westley, 1993.

GÉRÉS, Conclusion du rapport du Groupe d'études sur les regroupements et fusion des établissements de santé, Fédération hospitalière de France, 2002.

GIDDENS, A., *Central Problem in Social Theory : Actions, Structure and Contradiction in Social Analysis,* Berkley, CA., University of California Press, 1979.

GIRIN, J., « Les agencements organisationnels », dans Charue, F. (dir.), *Les savoirs en action*, Paris, L'Harmattan, 1995.

GOLEMBIEWSKI, R. T. et M. McCONKIE, « The centrality of interpersonal trust in group processes », dans Cooper, C. L. (dir.), *Theories of Group Processes*, New York, Wiley, 1975.

GORSKI, L. A., *High-tech Home Care Manual*, Gaithersburg, MD, Aspen Publishers, 1998.

GRANOVETTER, M. S. *et al.*, « Social Networks in Silicon Valley », dans Chong-Moon, L. *et al.* (dir.), *The Silicon Valley Edge*, Stanford, Stanford University Press, 2000.

GRANOVETTER, M., « Economic action and social structure : The problem of embeddedness », *American Journal of Sociology*, vol. 91, n° 3, 1985, p. 481-510.

GUATTARI, F., « Fondements éthico-politiques de l'interdisciplinarité », dans Portella, E. (dir.), *Entre savoirs. L'interdisciplinarité en actes, enjeux, obstacles, perspectives*, Toulouse, Erès, 1992, p. 101-109.

HABERMAS, J., « La souveraineté populaire comme procédure. Un concept normatif d'espace public », *Lignes*, n° 7, 1989, p. 29-57.

HAMBRICK, D. C. et P. A. Mason, « Upper echelons : The organization as a reflection of its top managers », *Academy of Management Review*, vol. 9, n° 2, 1984, p. 193-206.

HAMEL, G. et C. K. PRAHALAD, « Strategic Intent », *Harvard Business Review*, vol. 67, n° 3, 1989, p. 63-76.

HARDY, C. *et al.*, « Discourse as a strategic ressource », *Human Relations*, vol. 53, n° 9, 2000, p. 1227-1248.

HEINRICH, L. et F. VALÉRIAN, « La santé marchande : cliniques commerciales et commerce des cliniques », Rennes (E. ENSP), 1991.

HININGS, C. R. et R. GREENWOOD, *The Dynamics of Strategic Change*, Oxford, Blackwell, 1988.

HIRSCHMAN, A. O., *Défection et prise de parole, Théories et applications*, Paris, Fayard, 1995.

HIRSCHMAN, A. O., *Exit, Voice and Loyalty*, Cambridge, Harvard University Press, 1970.

HODGSON, R. C. *et al.*, *The Executive Role Constellation*, Boston, Business School Press, 1965.

HOFFMAN, A. J., « Institutional Evolution and Change : Environmentalism and the U.S. Chemical Industry », *Academy of Management Journal*, vol. 42, n° 4, 1999, p. 351-371.

HOGGET, P., « New Modes of Control in the public Service », *Public Administration*, vol. 74, n° 1, 1996, p. 9-32.

IMAGE, *Pratiques coopératives dans le système de santé, les réseaux en question*, ENSP, 1998.

INSTITUTE OF MEDICINE, I. et M. J. Field (dir.), *Telemedicine. A Guide to Assessing Telecommunications in Health Care*, Washington, DC, National Academy Press, 1996.

IPSOS, *Sondage Ipsos pour Dexia Crédit Local*, 2003.

JENSEN, M., « Organization Theory and Methodology », *Accounting Review*, vol. 58, 1983, p. 319-339.

JOHNSON, R. L., « Revisiting the " wobbly three legged stool " », *Health Care Management Review*, vol. 4, n° 3, 1979, p. 15.

JOURNAL OFFICIEL DE LA RÉPUBLIQUE FRANÇAISE, *Loi n° 91-748 du 31 juillet 1991 portant réforme hospitalière*, 1991.

JOURNAL OFFICIEL DE LA RÉPUBLIQUE FRANÇAISE, *Ordonnance n° 96-346 du 24 avril 1996 sur l'hospitalisation publique et privée*, 1996.

KAPP, M. B., « Problems and protocols for dying at home in a high-tech environment. Introduction : Ethical and social implications of high-tech home care », dans Arras, J. D. *et al.* (dir.), *Bringing the Hospital Home. Ethical and Social Implications of High-tech Home Care*, Baltimore, The Johns Hopkins University Press, 1995, p. 180-196.

KARPIK, L., *Les avocats. Entre l'État, le public et le marché*, Paris, Gallimard, 1995.

KERLEAU, M. *et al.*, « Déterminants et conditions locales de la coopération entre offreurs de soins », dans Contandriopoulos, A. P. et Y. Souteyrand (dir.), *L'hôpital stratège*, Paris, John Libbey, 1996, p. 159-177.

KERLEAU, M. et E. MINVIELLE, « Réduction du nombre de lits d'hospitalisation et recomposition de l'offre locale de soins sous contrainte d'efficacité, d'équité, de qualité », (CNRS) 2001.

KERLEAU, M. et N. PELLETIER-FLEURY, « Restructuration du système de soins et diffusion de la télémédecine », présentation au Colloque des économistes français de la santé, Paris, 2001.

KOENIG, G., *Management stratégique – Vision, manœuvre et tactiques*, Paris, Nathan, 1996.

KOOIMAN, J., « Socio-Political Governance : Introduction », dans Kooiman, J. (dir.), *Modern Governance*, Newbury Park, CA, Sage, 1993.

KOPPEL, R. *et al.*, « Implications of workplace information technology », *Research in the Sociology of Work*, vol. 4, 1988, p. 125-152.

KOUCHNER, B. *Filières, réseaux, médecines ambulatoires et hospitalières : quelles synergies?*, Assemblée nationale, présentation au colloque du 6 juin 2001.

LAMARCHE, P. *et al.*, « L'intégration des services : Enjeux structurels et organisationnels ou humains et cliniques », *Ruptures*, vol. 8, n° 2, 2002, p. 71-92.

LAMARCHE, P. *et al.*, « Projet d'action concertée sur les territoires (PACTE) : Une gestion locale des services du réseau de la santé et des services sociaux en réponse aux besoins des personnes âgées », Rapport de recherche n° QC-423 (fonds pour l'adaptation des services de santé, Santé Canada), 2001.

LAMOTHE, L., « La recherche de réseaux de services intégrés : Un appel pour un renouveau de la gouverne », *Gestion hospitalière*, vol. 27, n° 3, 2002a, p. 23-30.

LAMOTHE, L., Commentaire de l'article de Denis, J.-L. et Langley, A., « David Levine et ses hôpitaux », *Gestion hospitalière*, vol. 24, n° 4, 2000, p. 73.

LAMOTHE, L., « La reconfiguration des hôpitaux : un défi d'ordre professionnel », *Ruptures*, vol. 6, n° 2, 1999, p. 132-148.

LAMOTHE, L., « La structure professionnelle clinique *de facto* d'un hôpital de soins ultra-spécialisés », Thèse de doctorat, Montréal, Université McGill, 1996.

LAMOTHE, L. et J.-L. DENIS, « The emergence of new organizational forms : The case of integrated delivery systems in healthcare », Présentation au congrès EGOS, Barcelone, 2002b.

Laperrière, A., « Les critères de scientificité des méthodologies qualitatives », Actes du colloque du Conseil québécois de la recherche sociale, 61ᵉ congrès de l'acfas, Rimouski, Québec, 1994.

Larsen, L., *Home Care in Canada : New Challenges and Opportunities*, présentation à la Conference on Community Care : New opportunities to Partner, Calgary, Canada, 1996.

Larson, C. E. et F. M. J. LaFasto, *Teamwork : What Must Go Right/What Can Go Wrong*, Newbury Park, CA, Sage, 1989.

Lascoumes, Pierre, « Rendre gouvernable : de la " traduction " au " transcodage ". L'analyse des processus de changement dans les réseaux d'action publique », dans *La gouvernabilité*, Paris, PUF, 1996, p. 325-338.

Latour, B., *La science en action*, Paris, Éditions La Découverte, 1989.

Laufer, R. et A. Burlaud, « Légitimité », dans Simon, Y. et P. Joffre (dir.), *Encyclopédie de Gestion*, vol. 2, Paris, Économica, 1997, p. 1754.

Laufer, R. et A. Burlaud, *Management public : gestion et légitimité*, Paris, Dalloz, 1980.

Lawrence, P. R. et J. W. Lorsch, *Adapter les structures de l'entreprise*, Paris, Éditions d'Organisation, 1973.

Lazure, D., « L'office des personnes handicapées du Québec transfert les derniers volets de son programme d'aide matérielle », Communiqué à l'intention du directeur de l'information, Drummondville, 1998.

Lehoux, P. *et al.*, « The theory of use behind telemedicine : How compatible with physicians' clinical routines? », *Social Science and Medicine*, vol. 54, n° 6, 2002, p. 889-904.

Lehoux, P. *et al.*, « Convivialité et cadre organisationnel des technologies utilisées à domicile. Rapport 1 : Résultats de l'enquête par questionnaire auprès des gestionnaires des programmes de soins à domicile des clsc », n° R01-07, Montréal (gris, Université de Montréal), 2001a.

Lehoux, P. *et al.*, « Convivialité et cadre organisationnel des technologies utilisées à domicile. Rapport 2 : Analyse des entretiens menés auprès de gestionnaires et de professionnels des programmes de soins à domicile des clsc », Montréal (gris, Université de Montréal), 2001b.

Lehoux, P. *et al.*, « Trust as a key component in the use of teleconsultation », *Annals of the Royal College of Physicians and Surgeons of Canada*, vol. 33, n° 8, 2000, p. 482-487.

Lehoux, P. *et al.*, « Les technologies qui recombinent les savoirs et les pratiques professionnelles. La télémédecine et les systèmes informatisés de données cliniques », dans Legault, G. A. (dir.), *L'analyse des pratiques professionnelles : comment s'y prendre?*, Sherbrooke, Éditions GGC, 1999, p. 9-46.

Lemieux, V., *La décentralisation*, Québec, Presses de l'Université Laval, 1997.

Letourmy, A., « L'avenir des systèmes de santé en question : France et Québec. Santé, société et solidarité », *Revue de l'observatoire franco-québécois de la santé et de la solidarité*, n° 1, 2002, p. 7-14.

Ludec, T. Le et J. L. Massiot, « Partenariat et ouverture des plateaux techniques des établissements de santé », *Gestions hospitalières*, vol. 5, n° 355, 1996, p. 321-327 et vol. 5, n° 356, 1996, p. 411-416.

March, J., « The War is Over and the Victors Have Lost », *Journal of Socio-Economics*, vol. 21, n° 3, 1992, p. 262-267.

MARCH, J. G. et J. P. OLSEN, *Democratic Governance*, New York, Free Press, 1995.

MARKHAM, B. et J. LOMAS, « Review of the multi-hospital arrangements literature : Benefits, Disavantages and Lessons for implementation », *Healthcare Management Forums*, vol. 8, n° 3, 1995, p. 24-35.

MARSH, D. et R. A. W. RHODES, *Policy Networks in British Government*, Oxford, Clarendon Press, 1992.

MARSHALL, C. et G. ROSSMAN, *Designing Qualitative Research*, Newbury Park, CA, Sage, 1989.

MEMBRADO, M., « La décision médicale entre expertise et contrôle de la demande », *Sciences sociales et Santé*, vol. 19, n° 2, 2001, p. 31-37.

MEYER, A., « Adapting to Environmental Jolts », *Administrative Science Quarterly*, vol. 27, 1982, p. 515-537.

MEYER, A. *et al.*, « Environmental Jolts and Industry Revolutions : Organizational Responses to Discontinuous Change », *Strategic Management Journal*, vol. 11, 1990, p. 93-110.

MILES, M. B. et A. M. Huberman, *Qualitative Data Analysis*, Beverly Hills, Sage, 1984.

MILLER, D., « Configurations Revisited », *Strategic Management Journal*, vol. 17, 1996, p. 505-512.

MINISTÈRE DE L'EMPLOI ET DE LA SOLIDARITÉ, « Télemédicine et industrialisation », (DHOS, expertech), 2001.

MINTZBERG, H., *Structure et dynamique des organisations*, Paris, Éditions d'Organisation, 1998.

MINTZBERG, H., « Towards healthier hospitals », *Health Care Management Review*, vol. 22, n° 4, 1997, p. 9-18.

MINTZBERG, H., *The Rise and Fall of Strategic Planning Reconceiving Roles for Planning, Plans, Planners*, New York, Free Press, 1994.

MINTZBERG, H., *The Structuring of Organizations*, Englewood Cliffs, NJ, Prentice-Hall, 1979.

MINTZBERG, H. et J. A. WATERS, « Of strategies, deliberate and emergent », *Strategic Management Journal*, vol. 6, n° 3, 1985, p. 257-272.

MOCH, M. K. et W. C. FIELDS, « Developing a content analysis for interpreting language use in organizations », *Research in the Sociology of Organizations*, vol. 4, 1985, p. 81-126.

MOISDON, J. C. et D. TONNEAU, « Concurrence et complémentarité : stratégies de l'hôpital et de sa tutelle », dans Contandriopoulos, A. P. et Y. Souteyrand (dir.), *L'hôpital stratège*, Paris, John Libbey, 1996, p. 21-45.

MOISDON, J. C. et B. WEIL, « L'invention d'une voiture : un exercice de relations sociales ? », *Gérer et Comprendre, Annales des Mines*, n°s 28 et 29, 1992, p. 30-41 et 50-58.

MONGE, P. et J. FULK, « Communication technology for global network Organizations », dans DeSanctis, G. et J. Fulk (dir.), *Shaping Organization Form : Communication, Connection, and Community*, Newbury, CA, Sage Publications, 1999.

MORGAN, G., *Images de l'organisation*, Québec, Eska, 1989.

MOSSÉ, P., « Les restructurations : modèle ou succédané de politique hospitalière », *Revue française des affaires sociales*, vol. 55, n° 2, 2001, p. 11-42.

NORTH, D. C., « Institutions », *Journal of Economic Perspectives*, vol. 5, n° 2, 1992, p. 97-112.

OLIVIER DE SARDAN, J.-P., « La politique du terrain. Sur la production des données anthropologiques », *Enquête*, 1995, n° 1, p. 71-112

OLSON, M., *Logique de l'action collective*, Paris, PUF, 1978.

ORTON, J. D. et K. E. WEICK, « Loosely Coupled Systems : a reconceptualization », *Academy of Management Review*, vol. 15, n° 2, 1990, p. 203-223.

OUCHI, W., « Markets, Bureaucraties and Clans », *Administrative Science Quaterly*, vol. 25, 1980, p. 129-141.

PACKWOOD, T. *et al.*, « Process and Structure : Resource Management and the Development of Sub-Unit Organizational Structure », *Health Services Management Research*, vol. 5, n° 1, 1992, p. 66-76.

PARADEISE, C., « L'acteur collectif comme construit social », dans Reynaud, J. D. et F. Eyraud (dir.), *Les Systèmes de relations professionnelles*, Paris, CNRS, 1990, p. 105-115.

PARSONS T., *The Social System*, New York, Free Press, 1951.

PETTIGREW, A. M., « Longitudinal field research of change : Theory and practice », *Organization Science*, vol. 1, n° 3, 1990, p. 120-138.

PETTIGREW, A. M., « Context and action in the transformation of the firm », *Journal of Management Studies*, vol. 24, n° 6, 1987, p. 649-670.

PETTIGREW, A. M., « Strategy formulation as a political process », *International Studies of Management and Organization*, vol. 7, n° 2, 1977, p. 78-87.

PETTIGREW, A. M. et R. WHIPP, *Managing Change for Competitive Success*, Oxford, Basil Blackwell, 1991.

PFEFFER, J., *Managing with Power. Politics and Influence in Organizations*, Boston, Harvard Business School Press, 1992.

PFEFFER, J., *Power in Organizations*, Cambridge, Ballinger, 1981.

PFEFFER, J. et G. R. SALANCIK, *The External Control of Organizations, a Ressource Dependence Perspective*, New York, Harper and Row, 1978.

PIOVESAN, D., « Les restructurations des cliniques privées : Adaptations, évolution ou métamorphose ? », Thèse de doctorat, Graphos, Univ. Lyon 3, 2003.

PIOVESAN, D. et J.-P. CLAVERANNE, « La clinique privée, un objet de gestion non identifié », *Revue française de gestion*, n° 146, sept.-oct., 2003, p. 19.

POWELL, M. J. *et al.*, « The Changing Professional Organization », dans Brock, D. *et al.* (dir.), *Restructuring the Professional Organization*, London, Routledge Press, 1999, p. 1-19.

PROUT, A., « Actor-network theory, technology and medical sociology : An illustrative analysis of the metered dose inhaler », *Sociology of Health and Illness*, vol. 18, n° 2, 1996, p. 198-219.

QUÉBEC, *Loi sur les Services de santé et les Services sociaux*, Québec, 2000.

RANSON, S. *et al.*, « The structuring of organizational structure », *Administrative Science Quaterly*, vol. 25, n° 1, 1980, p. 1-17.

REED, M. I., « Expert power and control in late modernity : An empirical review and theoretical synthesis », *Organization Studies*, vol. 17, n° 4, 1996, p. 573-598.

REYNAUD, E., « Identités collectives et changement social », *Sociologie du travail*, vol. 2, 1982, p. 157-169.

REYNAUD, J. D., *Les règles du jeu, L'action collective et la régulation sociale*, Paris, Armand Colin, 1997.

RICHARD, L. *et al.*, « Services de prévention et de promotion de la santé dans le domaine de la périnatalité-enfance-jeunesse dans les CLSC : Profil et étude des déterminants », n° R01-09, Montréal (GRIS, Université de Montréal), 2001.

RICHARDS, T. J. et L. RICHARDS, « Using computers in qualitative research », dans Denzin, N. K. et Y. S. Lincoln (dir.), *Handbook of Qualitative Research*, Newbury Park, Sage, 1994, p. 445-462.

RING, PETER S. et ANDREW H. VAN DE VEN, « Developmental Processes of Cooperative Interorganizational Relationships », *Academy of Management Review*, vol. 19, n° 1, 1994, p. 90-118.

RIP, A. *et al.*, *Managing Technology in Society : The Approach of Constructive Technology Assessment*, Londres, Pinter, 1995.

ROINE, R. *et al.*, « Assessing telemedicine : a systematic review of the literature », *Canadian Medical Association Journal*, vol. 165, n° 6, 2001, p. 765-771.

ROCHER, G., « Le " laboratoire " des réformes dans la Révolution Tranquille », Conférence Desjardins, Programme d'études sur le Québec, Université McGill, Montréal, 6 novembre 2001.

SAINSAULIEU, R., *L'identité au travail*, Paris, Presses FNSP, 1977.

SALAIS, R., « Action publique et conventions : état des lieux », dans Commaille, J. et B. Jobert (dir.), *Les métamorphoses de la régulation politique*, 1998, p. 55-81.

SANDERSON, I., « Evaluation, policy learning and evidence-based policy making », *Public Administration*, vol. 80, n° 1, 2002, p. 1-22.

SARDAN, P. O., « La politique du terrain. Sur la production des données en anthropologie », Enquête 1, Les terrains de l'enquête, p. 71-112, 1995.

SATOW, R. L., « Value-rational authority and professional organizations : Weber's missing type », *Administrative Science Quarterly*, vol. 20, n° 4, 1975, p. 526-531.

SCHACHTER, S. R. et J. C. HOLLAND, « Psychological, social, and ethical issues in home care of terminally ill patients : The impact of technology », dans Arras, J. D. *et al.* (dir.), *Bringing the Hospital Home. Ethical and Social Implications of High-tech Home Care*, Baltimore, The Johns Hopkins University Press, 1995, p. 91-106.

SCHILLING, M. A. et H. K. STEENSMA, « The Use of Modular Organizational Forms : An Industry-Level Analysis », *Academy of Management Journal*, vol. 44, n° 6, 2001, p. 1149-1168.

SCHUMPETER, J., *Théorie de l'évolution économique, recherches sur le profit, le crédit, l'intérêt et le cycle de la conjoncture*, Paris, Dalloz, 2001.

SCHWEYER, F. X., « Le corps des directeurs d'hôpital. Entre logique professionnelle et régulation d'État », *L'administration sanitaire et sociale* (MIRE), 1999.

SEGRESTIN, D., « Les communautés pertinentes de l'action collective », *Revue française de sociologie*, vol. 2, 1980, p. 171-203.

SHORTELL, S. M., « The Medical Staff of the Future : Replanting the Garden », *Frontiers of Health Services Management*, vol. 1, 1985, p. 3-48.

SICOTTE, C. *et al.*, « A cost-effectiveness analysis of interactive paediatric telecardiology », *Journal of Telemedicine and Telecare*, vol. 10, n° 2, 2004, p. 78-83.

SICOTTE, C. *et al.*, « Analyse de l'expérimentation d'un réseau inter-hospitalier de télémédecine », n° R99-03/GRIS, Montréal (Université de Montréal), 1999.

SICOTTE, C. et P. LEHOUX, « Teleconsultation : Rejected and emerging uses », *Methods of Information in Medicine*, vol. 42, 2003, p. 451-457.

SOUBIE, R. *et al.*, « Livre blanc sur le système de santé et d'assurance-maladie », Paris (La Documentation française), 1994.

STACEY, R. D., « The science of complexity : An alternative perspective for strategic change processes », *Strategic Management Journal*, vol. 16, 1995, p. 477-495.

STRAUSS, A. *et al.*, *Psychiatric Ideologies and Institutions*, New York, Free Press, 1964.

STRAUSS, A. *et al.*, « The Hospital and its Negotiated Order », dans Freidson E., (dir.), *The Hospital in Modern Society*, Londres, Collier-MacMillan, 1963, p. 147-169.

STRAUSS, A. et J. CORBIN, *Basics of Qualitative Research*, Newbury Park, Sage, 1990.

SUCHMAN, M., « Managing legitimacy strategic and institutional approaches », *Academy of Management Journal*, 203, p. 571-611.

THIÉTART, R. A. et B. FORGUES, « Action, Structure and Chaos », *Organization Studies*, vol. 18, n° 1, 1997, p. 119-143.

THOMPSON, J. D., *Organizations in Action*, New York, McGraw Hill Books, 1967.

THUDEROZ, C., « Introduction générale : pourquoi interroger la notion de confiance ? », dans Thuderoz, C. *et al.* (dir.), *La confiance : Approches économiques et sociologiques*, Paris, Gaëtan Morin, 1999, p. 322.

TOURAINE, A., *Qu'est-ce que la démocratie ?*, Paris, Fayard, 1994.

TRUDEL, P. et M. BEAUPRÉ, « Bilan préliminaire des questions en droit soulevées par la pratique de la télémédecine de consultation », Centre de recherche en droit public, Université de Montréal, 1997.

VALETTE, A., « La formation de l'offre à l'heure de la stratégie : quelle autonomie dans les établissements de soins ? », dans Contandriopoulos, A. P. et Y. Souteyrand (dir.), *L'hôpital stratège*, Paris, John Libbey, 1996, p. 47-63.

VAN DE VEN, H. A., « Suggestions for studying strategy process : A research note », *Strategic Management Journal*, vol. 13, n° spécial, 1992, p. 169-188.

VIENS-BIKTER, C., « La gestion d'une innovation complexe : la télémédecine », Présentation au Séminaire Ressources technologiques et Innovation, École de Paris, 2000.

WATTS, L. A. et A. F. MONK, « Telemedicine : What happens in remote consultation », *International Journal of Technology Assessment in Health Care*, vol. 15, n° 1, 1999, p. 220-235.

WEBER, M., *The Theory of Social and Economic Organization*, New York, Free Press, 1964a.

WEBER, M., *Wirtschaft and Gesellschaft*, Cologne-Berlin, Kiepenhauer et Witsch, 1964b.

WEICK, K. E., *The Social Psychology of Organizing*, Reading, MA, Addison-Wesley, 1979.

WENGER, E., *Communities of Practice : Learning, Meaning and Identity*, New York, Cambridge University Press, 1998.

WILLIAMS, R. et D. EDGE, « The social shaping of technology », *Research Policy*, vol. 25, 1996, p. 865-899.

WOOLLONS, S., « Selection of intravenous infusion pumps », *Professionnal Nurse Supplement*, vol. 12, n° 8, 1997, p. S14-S15.

WOOTTON, R., « Recent advances in Telemedicine », *British Medical Journal*, vol. 323, 2001, p. 557-560.

WOOTTON, R. et J. CRAIG, *Introduction to Telemedicine*, Londres, The Royal Society of Medicine Press, 1999.

YIN, R. K., *Case Study Research*, Newbury Park, CA, Sage, 1994.

Table des matières

Achevé d'imprimer à Boucherville, sur les presses
de Marc Veilleux imprimeur,
en juillet deux mille cinq.